YASMINA KHADRA

Yasmina Khadra, de son vrai nom Mohammed Moulessehoul, est né en 1955 dans le Sahara algérien. Il est aujourd'hui connu et salué dans le monde entier où ses romans, notamment *À quoi rêvent les loups, L'écrivain, L'imposture des mots, Cousine K* sont traduits dans 32 pays. *Les Hirondelles de Kaboul* et *L'attentat* sont les deux premiers volumes d'une trilogie consacrée au dialogue de sourds qui oppose l'Orient et l'Occident et qui s'achève avec la parution des *Sirènes de Bagdad* (Julliard, 2006).
L'attentat a reçu le prix des libraires 2006, le prix Tropiques 2006, le Grand Prix des lectrices *Côté Femme*, le prix littéraire des lycéens et apprentis de Bourgogne ainsi que le prix des lecteurs du *Télégramme* et est actuellement en cours d'adaptation cinématographique aux États-Unis.
Le prix Nobel J.M. Coetzee voit en cet écrivain prolifique un romancier de premier ordre.

LES SIRÈNES DE BAGDAD

Du même auteur
chez Pocket

LES AGNEAUX DU SEIGNEUR
À QUOI RÊVENT LES LOUPS
L'ÉCRIVAIN
L'IMPOSTURE DES MOTS
LES HIRONDELLES DE KABOUL
COUSINE K
LA PART DU MORT
L'ATTENTAT

YASMINA KHADRA

LES SIRÈNES DE BAGDAD

Julliard

ISBN 978-2-266-17271-4

Beyrouth retrouve sa nuit et s'en voile la face. Si les émeutes de la veille ne l'ont pas éveillée à elle-même, c'est la preuve qu'elle dort en marchant. Dans la tradition ancestrale, on ne dérange pas un somnambule, pas même lorsqu'il court à sa perte.

Je l'imaginais différemment, arabe et fière de l'être. Je me suis trompé. Ce n'est qu'une ville indéterminable, plus proche de ses fantasmes que de son histoire, tricheuse et volage, décevante comme une farce. C'est peut-être à cause de son entêtement à vouloir ressembler aux cités ennemies que ses saints patrons l'ont reniée, la livrant ainsi aux traumatismes des guerres et aux précarités des lendemains. Elle a vécu le cauchemar grandeur nature – à quoi cela lui a-t-il servi ?... Plus je l'observe, et moins j'arrive à la suivre. Il y a dans sa désinvolture une insolence qui ne tient pas la route. Cette ville ment comme elle respire. Ses airs affectés ne sont qu'attrape-nigauds. Le charisme qu'on lui prête ne sied pas à ses états d'âme ; c'est comme si l'on couvrait de soie une vilaine flétrissure.

À chaque jour suffit sa peine, martèle-t-elle sans conviction. Hier, elle braillait ses colères à travers ses boulevards aux vitrines barricadées. Ce soir, elle va s'envoyer en l'air. De nouveau, les nuits vont lui réussir à merveille. Déjà, les lumières et les enseignes au néon se donnent en spectacle. Dans le slalom des phares, les grosses cylindrées se prennent pour des coups de génie. C'est samedi, et la nuit se prépare à crever ses abcès. Les gens vont s'éclater jusqu'au petit matin, si copieusement que les clochers du dimanche ne les atteindront pas.

Je suis arrivé à Beyrouth, il y a trois semaines, plus d'un an après l'assassinat de l'ancien Premier ministre Rafic Hariri. J'ai perçu sa mauvaise foi dès que le taxi m'a déposé sur le trottoir. Son deuil n'est que de façade, sa mémoire une vieille passoire pourrie ; d'emblée, je l'ai détestée.

Le matin, une sourde aversion me gagne lorsque je reconnais son charivari de souk. Le soir, la même colère lève en moi quand les fêtards viennent frimer à bord de leurs bolides fourbis, les décibels de leurs chaînes stéréo à fond la caisse. Que cherchent-ils à prouver ? Qu'ils s'éclatent malgré les attentats ? Que la vie continue en dépit des mauvaises passes ?

Je ne comprends rien à leur cirque.

Je suis un Bédouin, né à Kafr Karam, un village perdu au large du désert irakien, tellement discret que souvent il se dilue dans les mirages pour n'en émerger qu'au coucher du soleil. Les grosses villes m'ont toujours inspiré une profonde méfiance. Mais les volte-face de Beyrouth me filent le tournis. Ici, plus on croit poser le doigt sur quelque chose et moins on est sûr de savoir quoi au juste. Beyrouth est une affaire bâclée ; son martyre est feint, ses larmes sont de crocodile – je la hais de toutes mes forces, pour ses sursauts d'orgueil qui n'ont pas plus de cran que de suite dans les idées, pour son cul entre deux chaises, tantôt arabe quand les caisses sont vides, tantôt occidentale lorsque les complots sont payants. Ce qu'elle sanctifie le matin, elle l'abjure la nuit ; ce qu'elle revendique sur la place, elle s'en préserve sur la plage, et elle court après son malheur comme une fugueuse aigrie qui pense trouver ailleurs ce qui est à portée de sa main...

— Tu devrais être dehors à te dégourdir les jambes et l'esprit.

Le Dr Jalal se tient derrière moi, le nez dans ma nuque.

Depuis combien de temps m'observe-t-il tandis que je soliloque ?

Je ne l'ai pas entendu arriver et je suis agacé de le trouver perché sur mes pensées tel un oiseau de proie.

Il devine la gêne qu'il suscite en moi, me montre l'avenue du menton.

— C'est une excellente soirée. Il fait beau, les cafés sont bondés, les rues grouillent de monde. Tu devrais en profiter au lieu de rester là à ruminer tes soucis.

— Je n'ai pas de soucis.

— Alors, qu'est-ce que tu fais là ?

— Je n'aime pas la foule, et je déteste cette ville.

Le docteur rejette la tête en arrière, comme sous l'effet d'un coup de poing. Il fronce les sourcils.

— Tu te trompes d'ennemi, jeune homme. On ne déteste pas Beyrouth.

— Moi, je la déteste.

— Tu as tort. C'est une ville qui a beaucoup souffert. Elle a touché le fond. C'est une miraculée. Maintenant, elle remonte, doucement. Encore fébrile et sonnée, mais elle s'accroche. Moi, je la trouve admirable. Il n'y a pas longtemps, on ne donnait pas cher de sa peau... Qu'est-ce qu'on peut bien lui reprocher ? Qu'est-ce qui te déplaît en elle ?

— Tout.

— C'est vague.

— Pas pour moi. Je n'aime pas cette ville, point à la ligne.

Le docteur n'insiste pas :

— Si ça t'amuse... Une blonde ?

Il me tend son paquet de cigarettes.

— Je ne fume pas.

Il me propose une canette :

— Une bière ?

— Je ne bois pas.

Le Dr Jalal repose la canette sur une petite table en osier et s'appuie contre la balustrade, son épaule contre la mienne. Son haleine avinée m'asphyxie. Je ne me souviens pas de l'avoir vu sobre. À cinquante-cinq ans, c'est déjà une épave, le teint violacé et la bouche rentrante, ravinée aux commissures. Ce soir, il est en survêtement frappé aux couleurs de l'équipe nationale libanaise, la veste ouverte sur un tricot de peau rouge sang, les baskets neuves aux lacets dénoués. On dirait qu'il sort du lit après une bonne sieste. Ses gestes sont ensommeillés, et ses yeux, d'habitude vifs et ardents, sont à peine visibles au milieu des paupières bouffies. D'une main ennuyée, il rabat ses cheveux sur le sommet de son crâne pour camoufler sa calvitie.

— Je te dérange ?

— ...

— Je m'ennuyais un peu dans ma chambre. Il ne se passe jamais rien dans cet hôtel, ni banquet ni mariage. On dirait un mouroir.

Il porte la canette à ses lèvres et avale une longue gorgée. Sa pomme d'Adam, qu'il a proéminente, tressaute dans sa gorge. Je remarque, pour la première fois, une méchante cicatrice qui lui traverse le cou d'un bout à l'autre.

Le froncement de mes sourcils ne lui échappe pas. Il cesse de boire, s'essuie sur le revers de la main ; ensuite, en dodelinant de la tête, il se retourne vers le boulevard en train de se faire bouffer cru par ses lumières hystériques.

— J'ai tenté de me pendre, il y a très longtemps, raconte-t-il en se penchant sur la rampe. Avec une ficelle en chanvre. J'avais à peine dix-huit ans...

Il avale une autre gorgée et poursuit :

— Je venais de surprendre ma mère avec un homme.

Je suis déconcerté par ses propos, mais son regard me tient en joue. J'avoue que le Dr Jalal m'a souvent pris au dépourvu. Son franc-parler me dépasse ; je ne suis pas habitué à ce genre d'aveux. À Kafr Karam, de telles révélations sont mortelles. Je n'ai jamais entendu quelqu'un parler de sa mère de cette façon, et la banalité avec laquelle le docteur étend son linge sale me déroute.

— Ce sont des choses qui arrivent, ajoute-t-il.

— Je suis d'accord, dis-je pour passer à autre chose.

— D'accord avec qui ?

Je suis embarrassé. J'ignore comment ça tourne dans sa tête, et ça m'ennuie d'être à court d'arguments.

Le Dr Jalal laisse tomber. Nous ne sommes pas de la même pâte, et des fois, lorsqu'il converse avec les gens de ma condition, il a le sentiment de s'adresser au mur. Cependant, la solitude lui pèse, et un brin de causette, aussi futile soit-il, a au moins le mérite de lui éviter de sombrer dans un coma éthylique. Lorsque le Dr Jalal ne parle pas, il picole. Il a le vin plutôt tranquille, mais il se méfie du monde dans lequel il vient d'échouer. Il a beau se répéter qu'il est entre de bonnes mains, il n'arrive pas à s'en convaincre. Ne sont-ce pas ces mêmes mains qui tirent dans le noir, égorgent et étouffent, qui glissent des engins explosifs sous le siège des indésirables ? C'est vrai, il n'y a pas eu d'expéditions punitives depuis qu'il a débarqué à Beyrouth, mais les gens qui l'accueillent ont des charniers à leur actif. Ce qu'il lit dans leurs yeux ne trompe pas : ils sont la mort en marche. Un faux pas, une indiscrétion, et il n'aura même pas le temps de comprendre ce qui lui arrive. Il y a deux semaines, Imad, un garçon chargé de s'occuper de moi, a été retrouvé pataugeant dans ses excréments au beau milieu d'un square. Pour la police, Imad est mort d'une overdose. Et c'est mieux ainsi. Ses camarades, qui l'ont exécuté à l'aide d'une seringue infectée, ne sont pas allés à son enterrement ; ils ont fait comme s'ils ne le connaissaient ni d'Ève ni d'Adam. Depuis, le docteur regarde deux fois sous son lit avant de se glisser dans ses draps.

— Tu parlais tout seul, tout à l'heure, dit-il.

— Ça m'arrive.

— C'était à propos de quoi ?

— ... Je ne me rappelle plus.

Il dodeline de la tête et se remet à contempler la ville. Nous sommes sur la terrasse de l'hôtel, au dernier étage, dans une sorte d'alcôve en verre donnant sur l'artère principale du quartier. Il y a quelques chaises en osier, deux tables basses, un canapé dans un coin que veillent des étagères chargées de livres et de brochures.

— Ne te pose pas trop de questions, me dit-il.

— Je ne me pose plus de questions.

— On se pose souvent des questions quand on s'isole.

— Pas moi.

Le Dr Jalal a longtemps enseigné dans les universités européennes. On le voyait régulièrement sur les plateaux de télévision à charger le « déviationnisme criminel » de ses coreligionnaires. Ni les fatwas décrétées contre lui ni les tentatives d'enlèvement n'ont réussi à contenir sa virulence. Il était en passe de devenir le chef de file des pourfendeurs du Jihad armé. Puis, sans crier gare, il s'est retrouvé aux premières loges de l'Imamat intégriste. Profondément déçu par ses collègues occidentaux, constatant que son statut de bougnoule de service supplantait outrageusement son érudition, il écrivit un terrible réquisitoire sur le racisme intellectuel sévissant au niveau des chapelles bien-pensantes de l'Occident et entreprit d'incroyables pirouettes pour se rapprocher des milieux islamistes. D'abord soupçonné d'être un agent double, il fut réhabilité puis mandaté par l'Imamat. Aujourd'hui, il parcourt les pays arabes et musulmans pour prêter son talent d'orateur et son intelligence redoutable aux directives jihadistes.

— Il y a un bordel pas loin d'ici, me propose-t-il. Ça te dirait d'y aller tirer ton coup ?

Je suis estomaqué.

— Ce n'est pas vraiment un bordel, enfin pas comme les autres. Les habitués se comptent sur les doigts, des types classe... Chez Madame Rachak, on est entre gens distingués. On trinque et on échange des joints sans que ça dérape, si tu vois ce que je veux dire. Puis on se quitte, et ni vu ni connu. Quant aux filles, elles sont belles et inventives, des professionnelles. Si t'es bloqué pour une raison ou pour une autre, elles te remettent d'aplomb en un tournemain.

— Pas pour moi.

— Pourquoi dis-tu ça ? À ton âge, je ne laissais pas un cul refroidir.

Sa grossièreté me désarçonne.

J'ai du mal à croire un érudit de son envergure capable d'une vulgarité aussi crasse.

Le Dr Jalal est d'une trentaine d'années mon aîné. Dans mon village, depuis la nuit du temps, on n'imagine pas ce genre de conversation devant plus âgé que soi. Une seule fois à Bagdad, alors que je me promenais avec un jeune oncle, quelqu'un a proféré un juron sur notre passage – si la terre s'était dérobée sous mes pieds à cet instant, je n'aurais pas hésité à m'y réfugier pour de bon.

— Ça te botterait ?...

— Non.

Le Dr Jalal est navré pour moi. Il se penche sur la rampe en fer forgé et, d'une chiquenaude, envoie son mégot valdinguer dans le vide. Tous les deux, nous regardons le point rouge virevolter d'étage en étage jusqu'à ce qu'il se disperse en une multitude de flammèches sur le sol.

— Tu penses qu'ils nous rejoindront un jour ? lui demandai-je, pour changer de sujet.

— Qui ça ?

— Nos intellectuels.

Le Dr Jalal me décoche un regard oblique :

— Tu es puceau, c'est ça ?... Je te parle d'un bordel pas loin d'ici...

— Et moi, je te parle de nos intellectuels, docteur, rétorqué-je avec suffisamment de fermeté pour le remettre à sa place.

Il comprend que sa proposition indécente m'indispose.

— Est-ce qu'ils vont rejoindre nos rangs ? insisté-je.

— Est-ce tellement important ?

— Pour moi, oui... Les intellectuels donnent un sens à toute chose. Ils nous raconteront aux autres. Notre combat aura une mémoire.

— Ce que tu as enduré ne te suffit pas ?

— Je n'ai pas besoin de regarder derrière moi pour avancer. Ce sont les horreurs d'hier qui me poussent de l'avant. Mais la guerre ne se limite pas à ça.

J'essaie de lire dans ses yeux s'il me suit. Le docteur fixe une boutique en bas et se contente d'acquiescer du bout du menton.

— À Bagdad, j'en ai entendu, des discours et des prêches. Ça me foutait en rogne comme un chameau qui chope la rage. J'avais une seule envie : fiche en l'air la planète entière, du pôle Nord au pôle Sud... Et quand c'est toi qui dis ma haine pour l'Occident, toi l'érudit, ma colère devient ma fierté. Je cesse de me poser des questions. Tu m'apportes toutes les réponses.

— Quel genre de questions ? s'enquiert-il en relevant la tête.

— Il y a un tas de questions qui te traversent l'esprit quand tu tires au jugé. Ce ne sont pas toujours les traîtres qui tombent. Des fois, ça foire, et nos balles se trompent de cibles.

— C'est la guerre, mon gars.

— Je sais. Mais ça n'explique pas tout, la guerre.

— Y a rien à expliquer. Tu tues, puis tu meurs. Ça se passe ainsi depuis l'âge de pierre.

Nous nous taisons. Chacun regarde la ville de son côté.

— Ça serait bien si nos intellectuels se joignaient à notre combat. Est-ce que tu crois que c'est possible ?

— Pas des masses, je le crains, dit-il après un soupir, mais un certain nombre, sans aucun doute. Nous n'avons plus rien à attendre de l'Occident. Nos intellectuels finiront bien par se rendre à l'évidence. L'Occident n'aime que lui. Ne pense qu'à lui. Lorsqu'il nous tend la perche, c'est juste pour qu'on lui serve d'hameçon. Il nous manipule, nous dresse contre les nôtres et, quand il a fini de se payer nos têtes, il nous range dans ses tiroirs secrets et nous oublie.

La respiration du docteur s'emballe. Il allume une nouvelle cigarette. Sa main tremble et son visage, l'espace d'un instant sous l'éclairage du briquet, se fripe tel un torchon.

— Pourtant, tu étais sur tous les plateaux de télé...

— Oui, mais sur combien de podiums ? grommelle-t-il. L'Occident ne reconnaîtra jamais nos mérites. Pour lui, les Arabes sont juste aptes à taper dans un ballon ou à gueuler dans un micro. Plus nous lui prouvons le contraire, moins il l'admet. Si, une fois par hasard, ces chapelles aryennes sont contraintes de faire un geste en direction de leurs bougnoules d'élevage, elles choisissent de consacrer les moins bons pour faire baver les meilleurs. J'ai connu ça de très près. Je sais ce que c'est.

La braise de son mégot illumine le balcon. On dirait qu'il cherche à consommer la cigarette entière d'une seule bouffée.

Je me cramponne à ses lèvres. Ses diatribes ressemblent à mes obsessions, consolident mes idées fixes, m'insufflent une extraordinaire énergie mentale.

— D'autres, avant nous, l'avaient appris à leurs dépens, poursuit-il dépité. En regagnant l'Europe, ils pensaient trouver une patrie pour leur savoir et une terre fertile pour leurs ambitions. Pourtant, ils voyaient bien qu'ils n'étaient pas les bienvenus, mais, mus par je ne sais quelle niaiserie, ils ont tenu le coup du mieux qu'ils pouvaient. Parce qu'ils adhéraient aux valeurs occidentales, ils prenaient pour argent comptant ce qu'on leur susurrait à l'oreille : liberté d'expression, droits de l'homme, égalité, justice... des mots grands et creux comme les horizons perdus. Mais tout ce qui brille n'est pas or. Combien de nos génies ont réussi ? La plupart sont morts la rage au cœur. Je suis certain qu'ils continuent de s'en vouloir au fond de leur tombe. Pourtant, ça crevait les yeux qu'ils se battaient pour des prunes. Jamais leurs confrères occidentaux n'allaient leur permettre d'accéder à la reconnaissance. Le vrai racisme a toujours été intellectuel. La ségrégation commence dès lors qu'un de nos livres est ouvert. Nos grands d'hier ont mis une éternité pour s'en rendre compte ; le temps de rectifier le tir, ils n'étaient plus à l'ordre du jour... Ça ne nous arrivera pas. Nous sommes vaccinés. Qui ne possède ne donne, dit le proverbe de chez nous. L'Occident n'est qu'un mensonge acidulé, une perversité savamment dosée, un chant de sirènes pour naufragés identitaires. Il se dit terre d'accueil ; en réalité, il n'est qu'un point de chute d'où l'on ne se relève jamais en entier...

— Tu penses qu'on n'a plus le choix.

— Tout à fait. La cohabitation n'est plus possible.

Ils ne nous aiment pas, et nous ne supportons plus leur arrogance. Chacun doit vivre dans son camp, en tournant définitivement le dos à l'autre. Sauf qu'avant de dresser le grand mur, nous allons leur infliger une bonne raclée pour le mal qu'ils nous ont fait. Il est impératif qu'ils sachent que la lâcheté n'a jamais été notre patience, mais leur vacherie.

— Et qui vaincra ?

— Celui qui n'a pas grand-chose à perdre.

Il jette son mégot par terre et l'écrase comme s'il écrabouillait la tête d'un serpent.

De nouveau, ses prunelles éclatées m'acculent :

— J'espère que tu vas leur en mettre plein la gueule, à ces fumiers.

Je me tais. Le docteur n'est pas censé connaître la raison de mon séjour à Beyrouth. Nul ne doit le savoir. Moi-même j'ignore ce que je dois accomplir. Je sais seulement qu'il s'agit de *la plus grande opération jamais observée en terre ennemie, mille fois plus percutante que les attentats du 11 Septembre...*

Il s'aperçoit qu'il est en train de m'entraîner sur un terrain aussi dangereux pour moi que pour lui, froisse la canette dans son poing et la balance dans une poubelle.

— Ça va barder à grande échelle, maugrée-t-il. Pour rien au monde je ne voudrais rater ça.

Il me salue et s'en va.

Resté seul, je tourne le dos à la ville et me souviens de Kafr Karam... Kafr Karam est une bourgade misérable et laide que je n'échangerais pas contre mille kermesses. C'était un coin peinard, au large du désert. Aucune guirlande ne défigurait son naturel, aucun tapage ne troublait sa torpeur. Depuis des générations immémoriales, nous vivions reclus derrière nos remparts en torchis, loin du monde et de ses bêtes immondes, nous contentant de ce que Dieu mettait dans nos assiettes et le louant aussi bien pour le nouveau-né qu'il nous confiait que pour le proche qu'il rappelait à Lui. Nous étions pauvres, humbles, mais nous étions tranquilles. Jusqu'au jour où notre intimité fut violée, nos tabous profanés, notre dignité traînée dans la boue et le sang... jusqu'au jour où, dans les jardins de Babylone, des brutes bardées de grenades et de menottes sont venues apprendre aux poètes à être des hommes libres...

Kafr Karam

1.

Tous les matins, ma sœur jumelle Bahia m'apportait mon petit déjeuner dans ma chambre. « Debout, là-dedans, criait-elle en poussant la porte, tu vas lever comme une pâte. » Elle posait le plateau sur une table basse au pied du lit, ouvrait la fenêtre et revenait me pincer les orteils. Elle avait le geste autoritaire, qui tranchait net avec la douceur de sa voix. Parce qu'elle était mon aînée de quelques minutes, elle me prenait pour son bébé et ne se rendait pas compte que j'avais grandi.

C'était une jeune fille frêle, un tantinet maniaque, très à cheval sur l'ordre et l'hygiène. Quand j'étais petit, c'était elle qui m'habillait pour me conduire à l'école. N'étant pas dans la même classe, je la retrouvais à la récré dans la cour de l'école à m'observer de loin, et malheur à moi si je faisais « honte à la famille ». Plus tard, lorsque des poils follets se mirent à souligner mes traits de garçon malingre et boutonneux, elle veilla personnellement à contenir ma crise d'adolescence, m'apostrophant à chaque fois que je haussais le ton devant mes autres sœurs ou que je boudais un repas jugé insatisfaisant pour ma croissance. Je n'étais pas un garçon difficile, cependant elle trouvait dans mes manières de négocier ma puberté une muflerie inadmissible. Quelquefois, excédée, ma mère la remettait à sa place ; Bahia s'assagissait une semaine ou deux, puis, au détour d'un faux pas, elle me chargeait.

Jamais je ne m'étais révolté contre ses prises en main excessives. Bien au contraire, la plupart du temps, cela m'amusait.

— Tu mettras ton pantalon blanc et ta chemise à carreaux, m'ordonna-t-elle en montrant des vêtements pliés sur la table en formica qui me servait de bureau. Je les ai lavés et repassés hier soir. Tu devrais songer à t'acheter une autre paire de chaussures, ajouta-t-elle en repoussant de la pointe du pied mes savates moisies. Celles-ci n'ont presque plus de semelles, et elles puent.

Elle plongea la main dans son corsage et en extirpa des billets de banque.

— Il y a là assez d'argent pour que tu ne te contentes pas de vulgaires sandales. Songe à t'acheter du parfum, aussi. Parce que si tu continues de sentir si mauvais, on n'aura plus besoin d'insecticide pour éloigner les blattes.

Avant que j'aie le temps de me mettre sur le coude, elle déposa l'argent sur mon oreiller et s'éclipsa.

Ma sœur ne travaillait pas. Obligée à seize ans de quitter le lycée pour épouser un cousin – qui, finalement, mourut de tuberculose six mois avant le mariage –, elle s'étiolait à la maison en attendant un autre prétendant. Mes autres sœurs, plus âgées que nous, n'avaient pas eu beaucoup de chance, elles non plus. La plus grande, Aïcha, s'était mariée à un riche éleveur de poulets. Elle résidait dans un village voisin, dans une grande maison qu'elle partageait avcc sa belle-famille. La cohabitation se dégradait chaque saison un peu plus jusqu'au jour où, ne supportant plus les vexations des unes et les abus des autres, elle avait pris ses quatre mioches et était rentrée au bercail. On pensait que son mari allait rappliquer pour la reprendre ; il ne se manifesta point, pas même les jours de fête pour revoir ses enfants. Sa cadette, Afaf, avait trente-trois ans et pas un cheveu sur la tête. Une maladie contractée durant son enfance l'avait rendue chauve. Parce qu'il craignait qu'elle devienne la risée de ses camarades, mon père jugea sage de ne pas l'envoyer à l'école. Afaf vécut recluse dans une pièce, telle une infirme, à raccommoder de vieux habits, puis à confectionner des robes que ma mère se chargeait de vendre à droite et à gauche. Lorsque mon père perdit son emploi suite à un accident, ce fut Afaf qui prit en charge la famille ; en ces temps-là, on n'entendait que le roulement de sa machine à coudre à des lieues à la ronde. Quant à Farah, trente et un ans, elle fut la seule à poursuivre ses études à l'université, malgré la désapprobation de la tribu qui ne voyait pas d'un bon œil qu'une fille vive loin de ses parents, et donc à proximité des tentations. Farah tint bon et obtint ses diplômes haut la main. Mon grand-oncle voulut la marier à l'un de ses rejetons, un paysan pieux et prévenant ; Farah refusa catégoriquement l'offre et préféra exercer à l'hôpital. Son attitude plongea la tribu dans une profonde consternation, et le fils humilié nous bouda en bloc, suivi par son père et sa mère. Aujourd'hui, Farah opère dans une clinique privée à Bagdad et gagne bien sa vie. C'est son argent que ma sœur jumelle déposait de temps à autre sur mon oreiller.

À Kafr Karam, les jeunes de mon âge avaient cessé de jouer aux effarouchés lorsqu'une sœur ou une mère leur glissait discrètement des sous dans la main. Au début, ils étaient un peu gênés et, pour sauver la face, promettaient de rembourser leurs dettes dès que possible. Tous rêvaient de décrocher un boulot qui leur permettrait de relever la tête. Mais les temps étaient durs ; les guerres et l'embargo avaient mis le pays à genoux, et les jeunes de chez nous étaient trop pieux pour se hasarder dans les grandes villes où la bénédiction ancestrale n'avait pas cours, où le diable pervertissait les âmes plus vite qu'un prestidigitateur... À Kafr Karam, on ne mangeait pas de ce pain. Plutôt que de sombrer dans le vice ou le vol, on préférait crever. Le chant des sirènes a beau claironner, l'appel des Anciens le supplante toujours – nous sommes honnêtes par vocation.

J'avais rejoint l'université de Bagdad quelques mois avant l'occupation américaine. J'étais aux anges. Mon statut d'étudiant rendait à mon père sa fierté. Lui, l'analphabète, le vieux puisatier loqueteux, père d'un médecin et d'un futur docteur ès lettres ! N'était-ce pas une belle revanche sur l'ensemble des déconvenues ? Je m'étais promis de ne pas le décevoir. L'avais-je déçu une seule fois dans ma vie ? Je voulais réussir pour lui, le voir confiant, lire dans ses yeux ravagés par la poussière ce que son visage dissimulait : le bonheur de récolter ce qu'il avait semé – une graine saine de corps et d'esprit qui ne demandait qu'à germer. Tandis que les autres pères se dépêchaient d'atteler leur progéniture aux tâches ingrates qui furent leur galère et celle de leurs ancêtres, le mien se serrait la ceinture à se couper en deux pour que je poursuive mes études. Il n'était pas évident, ni pour lui ni pour moi, que la réussite sociale soit au bout du tunnel, mais il était persuadé qu'un pauvre instruit était moins à plaindre qu'un pauvre bouché à l'émeri. Savoir soi-même lire ses lettres et remplir ses formulaires, c'était déjà mettre à l'abri une bonne partie de sa dignité.

La première fois que j'avais franchi le parvis de l'université, je n'avais pas hésité, alors que la nature m'avait doté d'une vue d'aigle, à porter des lunettes. C'était ainsi que j'avais réussi à taper dans l'œil de Nawal qui, lorsque je la croisais au sortir des classes, rougissait comme une pivoine. Même si je n'avais jamais osé l'approcher, le moindre de ses sourires suffisait à mon bonheur. J'étais justement en train d'échafauder pour elle de mirifiques perspectives quand le ciel de Bagdad s'étoila d'étranges feux d'artifice. Les sirènes retentirent dans le silence de la nuit ; les immeubles se mirent à partir en fumée et, du jour au lendemain, les idylles les plus folles fondirent en larmes et en sang. Mes classeurs et mes romances brûlèrent en enfer, l'université fut livrée aux vandales et les rêves aux fossoyeurs ; je suis rentré à Kafr Karam, halluciné, désemparé, et je n'ai plus remis les pieds à Bagdad depuis.

Je n'avais pas à me plaindre, chez mes parents. Je n'étais pas exigeant ; un rien me comblait. J'habitais sur les toits, dans une buanderie réaménagée. Mes meubles étaient de vieux caissons, mon lit fabriqué à partir de planches récupérées çà et là. J'étais content du petit univers que j'avais construit autour de mon intimité. Je n'avais pas encore de télé, mais je disposais d'une radio nasillarde qui avait l'avantage de tenir au chaud mes solitudes.

Au premier étage, côté cour, mes parents occupaient une pièce avec balcon ; côté jardin, au fond du couloir, mes sœurs partageaient deux grandes salles encombrées de vieilleries et de tableaux religieux rapportés des souks itinérants, les uns exhibant des calligraphies labyrinthiques, les autres montrant Sidna Ali malmenant les démons ou taillant à plate couture les troupes ennemies, son légendaire cimeterre à deux lames semblable à une tornade par-dessus les têtes impies. De ces tableaux, il y en avait dans les chambres, dans le hall, au-dessus des embrasures. Ils n'étaient pas là pour des raisons décoratives, mais pour leurs vertus talismaniques ; ils préservaient du mauvais œil. Un jour, en shootant dans un ballon, j'en avais décroché un. C'était un beau tableau avec des versets coraniques brodés de fil jaune sur fond noir. Il s'était brisé comme un miroir. Ma mère avait failli en choper une apoplexie. Je la revois encore, la main sur la poitrine et les yeux exorbités, aussi blême qu'un bloc de craie – sept ans de malheur ne l'auraient pas saignée à blanc avec autant d'application.

Au rez-de-chaussée il y avait la cuisine en face d'un cagibi qui tenait lieu d'atelier à Afaf, deux salles concomitantes pour les hôtes, et un séjour immense dont la porte-fenêtre s'ouvrait sur un potager.

Dès que j'avais fini de ranger mes affaires, je descendais saluer ma mère, une solide gaillarde au regard franc que ni les corvées ménagères ni l'usure des saisons ne parvenaient à décourager. Un baiser sur sa joue m'insufflait une bonne dose de son énergie. Nous nous comprenions au doigt et à l'œil.

Mon père s'asseyait en fakir dans le patio, à l'ombre d'un arbre indéfinissable. Après la prière d'*el-fejr*, qu'il effectuait obligatoirement à la mosquée, il revenait égrener son chapelet dans le patio, le bras infirme au creux de sa robe – il avait perdu l'usage de son membre dans l'effondrement d'un puits qu'il était en train de cureter... Il avait pris un sacré coup de vieux, mon père. Son aura d'Ancien s'était avachie, son regard de patron ne portait pas plus loin qu'une fronde. Autrefois, il lui arrivait de se joindre à un groupe de proches et d'échanger des appréciations sur telle chose ou tel événement. Puis, la médisance prenant le pas sur la correction, il s'était retiré. Le matin, au sortir de la mosquée, avant que la rue ne s'éveillât tout à fait, il s'installait au pied de son arbre, une tasse de café à portée de la main, et écoutait les bruissements alentour avec attention comme s'il espérait en déchiffrer le sens. Mon vieux était quelqu'un de bien, un Bédouin de petite condition qui ne mangeait pas tous les jours à sa faim, sauf qu'il était *mon père* et qu'il demeurait, pour moi, ce que le respect m'imposait de plus grand. Pourtant, à chaque fois que je le voyais au pied de son arbre, je ne pouvais m'empêcher d'avoir pour sa personne une profonde compassion. Il était certes digne et brave, mais sa misère torpillait la contenance qu'il s'escrimait à afficher. Je crois qu'il ne s'était jamais remis de la perte de son bras, et le sentiment de vivre aux crochets de ses filles était en passe de le terrasser.

Je ne me souviens pas d'avoir été proche de lui ou de m'être blotti contre sa poitrine ; toutefois, j'étais convaincu que si je venais à faire le premier pas, il ne me repousserait pas. Le problème : comment prendre un tel risque ? Immuable tel un totem, mon vieux ne laissait rien transparaître de ses émotions... Enfant, je le confondais avec un fantôme ; je l'entendais aux aurores ficeler son balluchon pour regagner son chantier ; le temps de le rejoindre, il était déjà parti pour ne rentrer que tard dans la nuit. J'ignore s'il avait été un bon père. Réservé ou trop pauvre, il ne savait pas nous offrir des jouets et paraissait ne faire cas ni de nos chahuts d'enfants ni de nos subites accalmies. Je me demandais s'il était capable d'amour, si son statut de géniteur n'allait pas finir par le transformer en statue de sel. À Kafr Karam, les pères se devaient de garder leurs distances vis-à-vis de leur progéniture, persuadés que la familiarité nuirait à leur autorité. Combien de fois avais-je cru entrevoir, dans le regard austère de mon vieux, un lointain miroitement ? Tout de suite, il se reprenait et se raclait la gorge pour me faire déguerpir.

Ce matin-là, sous son arbre, mon père se racla donc la gorge lorsque je l'embrassai solennellement sur le sommet de la tête et ne retira pas sa main quand je la saisis pour la baiser. Je compris que ça ne l'aurait pas ennuyé que je lui tienne compagnie. Pour nous dire quoi ? Nous n'arrivions même pas à nous regarder en face. Une fois, j'avais pris place à côté de lui. Pendant deux heures, aucun de nous n'avait réussi à articuler une syllabe. Il se contentait d'égrener son chapelet ; je n'arrêtais pas de triturer un bout de la natte. Si ma mère n'était pas venue me charger d'une commission, nous serions restés ainsi jusqu'à la tombée de la nuit.

— Je vais faire un tour. As-tu besoin de quelque chose ?

Il fit non de la tête.

J'en profitai pour prendre congé de lui.

Kafr Karam a toujours été une bourgade bien ordonnée : nous n'avions pas besoin de nous aventurer ailleurs pour subvenir à nos besoins de base. Nous avions notre place d'armes ; nos aires de jeux – généralement des terrains vagues ; notre mosquée où il fallait se lever tôt le vendredi pour être aux premières loges ; nos épiceries ; deux cafés – le *Safir*, fréquenté par les jeunes, et *El Hilal* ; un garagiste de tonnerre capable de remettre en marche n'importe quel moteur pourvu qu'il soit diesel ; un ferronnier qui faisait office de plombier occasionnel ; un arracheur de dents, herboriste par vocation et rebouteux à ses heures perdues ; un barbier aux allures d'hercule forain, placide et distrait, qui mettait plus de temps à raser un crâne qu'un poivrot à introduire un fil par le chas d'une aiguille ; un photographe aussi ténébreux que son atelier, et un postier. Nous avions aussi un gargotier ; comme aucun pèlerin ne daignait s'arrêter chez nous, il s'était converti en cordonnier.

Pour beaucoup, notre village n'était qu'une bourgade couchée en travers de la route, telle une bête crevée – le temps de l'entrevoir, et déjà elle avait disparu, cependant nous en étions fiers. Nous nous étions toujours méfiés des étrangers. Tant qu'ils effectuaient de larges embardées pour nous éviter, nous étions saufs, et si, quelquefois, le vent de sable les obligeait à se rabattre sur nous, nous en prenions soin conformément aux recommandations du Prophète sans essayer de les retenir quand ils commençaient à ramasser leurs affaires. Ce qui nous venait d'ailleurs nous rappelait trop de mauvais souvenirs...

La plupart des habitants de Kafr Karam avaient un lien de sang. Le reste était là depuis plusieurs générations. Certes, nous avions nos petites manies, mais nos querelles ne dégénéraient jamais. Lorsque les choses se gâtaient, les Anciens intervenaient pour apaiser les esprits. Si les offensés jugeaient l'affront irréversible, ils cessaient de s'adresser la parole, et l'affaire était classée. Par ailleurs, nous aimions nous retrouver sur la place ou dans la mosquée, traîner nos savates dans nos rues poudreuses ou lézarder au soleil au pied de nos murs en torchis que défiguraient par endroits des tablettes de parpaings ébréchées et nues. Ce n'était pas le paradis, mais – l'exiguïté étant dans les esprits, et non pas dans les cœurs – nous savions profiter de chaque boutade pour rire aux éclats et puiser dans nos regards de quoi tenir tête aux vacheries de la vie.

De tous mes cousins, Kadem était mon meilleur ami. Le matin, quand je sortais de chez moi, c'était vers lui que me conduisaient mes pas. Je le trouvais invariablement au coin de la rue du Boucher, derrière un muret, les fesses scotchées sur une grosse pierre et le menton au creux de la main, à faire corps avec son siège de fortune. Il était l'être le plus dégoûté que je connaisse. Dès qu'il me voyait arriver, il extirpait un paquet de cigarettes et me le tendait. Il savait que je ne fumais pas et pourtant, il ne pouvait s'empêcher d'avoir le même geste pour m'accueillir. À la longue, par courtoisie, j'acceptais son offre et portais une cigarette à ma bouche. Il me proposait aussitôt son briquet et se mettait à rire silencieusement quand les premières bouffées me faisaient tousser. Puis, il retournait dans sa coquille, l'œil vague, le visage impénétrable. Tout le fatiguait ; les soirées entre amis comme les veillées funèbres. Les discussions tournaient court avec lui, parfois elles débouchaient sur des colères absurdes dont il était le seul à avoir le secret.

— Il faut que je m'achète une nouvelle paire de chaussures.

Il jeta un rapide coup d'œil sur mes savates et se remit à fixer l'horizon.

J'essayai de trouver un terrain d'entente, une idée à développer ; il n'était pas preneur.

Kadem était un virtuose de luth. Il gagnait sa vie en se produisant dans les mariages. Il envisageait de mettre sur pied un orchestre quand le sort réduisit en pièces ses projets. Sa première épouse, une fille de chez nous, mourut à l'hôpital suite à une banale pneumonie. À l'époque, le plan « nourriture contre pétrole » décrété par l'ONU prenait l'eau, et les médicaments de première nécessité manquaient, y compris sur le marché noir. Kadem avait beaucoup souffert de la perte prématurée de son épouse. Son père l'avait forcé à prendre une seconde femme dans l'espoir d'atténuer son chagrin. Dix-huit mois après le mariage, une foudroyante méningite le rendit veuf une deuxième fois. Kadem en perdit la foi.

J'étais l'une des rares personnes qui pouvaient l'approcher sans le mettre immédiatement mal à l'aise.

Je m'accroupis à côté de lui.

En face de nous se dressait une ancienne antenne du Parti, inaugurée en fanfare trente ans plus tôt avant de tomber au rebut faute de conviction idéologique. Derrière la bâtisse mise sous scellés, deux palmiers convalescents tentaient de faire bonne figure. Ils étaient là depuis la nuit des temps, me semblait-il, la silhouette retorse, quasiment grotesque, les branches ballantes et desséchées. Hormis les chiens, qui venaient lever la patte à leur pied, et quelques oiseaux de passage en quête de perchoirs vacants, personne ne leur prêtait attention. Enfant, ils m'intriguaient. Je ne comprenais pas pourquoi ils ne profitaient pas de la tombée de la nuit pour disparaître à jamais. Un charlatan itinérant racontait que les deux palmiers étaient, en vérité, le fruit d'une immémoriale hallucination collective que le mirage, en se dissipant, avait omis d'emporter.

— Tu as écouté la radio, ce matin ? Il paraît que les Italiens vont plier bagage.

— Ça va nous faire une belle jambe, grogna-t-il.

— À mon avis...

— Tu ne devais pas aller t'acheter une nouvelle paire de chaussures ?

Je levai les bras à hauteur de ma poitrine en signe de reddition.

— T'as raison. Il faut que j'aille me dégourdir les jambes.

Il consentit enfin à se retourner vers moi :

— Ne le prends pas comme ça. Ces histoires me soûlent.

— Je comprends.

— Faut pas m'en vouloir. Je passe mes journées à m'emmerder, et mes nuits à me faire chier.

Je me levai.

Au moment où j'atteignis le bout du muret, il me dit :

— Je crois que j'ai une paire de souliers chez moi. Tu passes à la maison tout à l'heure. Si elle te va, elle est à toi.

— D'accord... À plus.

Déjà, il m'ignorait.

2.

Sur la place transformée en terrain de foot, une ribambelle de mioches tapait dans un ballon usé en piaillant, les assauts chaotiques, et les irrégularités époustouflantes. On aurait dit une nuée de moineaux ébouriffés se disputant un grain de maïs. Soudain, un petit poucet parvint à se soustraire à la mêlée et fila seul comme un grand vers les buts adverses. Il dribbla un adversaire, en effaça un deuxième, se déporta sur la ligne de touche et servit en retrait un camarade qui, lancé en bolide, rata lamentablement son tir avant d'aller se taillader les fesses sur le cailloutis. Sans crier gare, un garçonnet anormalement gros, jusque-là gentiment accroupi au pied d'un mur, fonça sur le ballon, le ramassa et déguerpit à toute vitesse. D'abord perplexes, les joueurs comprirent que l'intrus leur dérobait le ballon ; d'un seul bloc, ils s'élancèrent à sa poursuite en le traitant de tous les noms d'oiseaux.

— Ils ne voulaient pas de lui dans leurs équipes, m'expliqua le ferronnier assis avec son apprenti sur le pas de son atelier. Forcément, il joue au trouble-fête.

Tous les trois, nous regardâmes le gros garçon disparaître derrière un pâté de maisons, les autres à ses trousses – le ferronnier, avec un sourire attendri ; son apprenti d'un air absent.

— Tu as écouté les dernières informations ? me demanda le ferronnier. Les Italiens décampent.

— Ils n'ont pas dit quand.

— L'essentiel est qu'ils plient bagage.

Et il partit dans une longue analyse qui se ramifia bientôt à travers des théories approximatives sur le renouveau du pays, la liberté, etc. Son apprenti, un gringalet noir et sec comme un clou, l'écoutait avec la docilité pathétique du boxeur sonné qui, entre deux rounds salés, opine du chef aux recommandations de son entraîneur tandis que son regard se dissout dans les vapes.

Le ferronnier était un type courtois. Quand on le sollicitait à des heures impossibles, pour une petite fuite dans le réservoir ou une vulgaire fêlure sur un échafaudage, il répondait présent. C'était un grand gaillard osseux, aux bras recouverts de bleus et au visage en lame de couteau. Ses yeux brillaient d'un éclat métallique identique aux étincelles qu'il faisait jaillir du bout de son chalumeau. Les plaisantins feignaient de porter un masque de soudeur pour le regarder en face. En réalité, il avait les yeux abîmés et larmoyants et, depuis un certain temps, sa vue s'embrouillait. Père d'une demi-douzaine de gosses, il venait dans son atelier beaucoup plus pour fuir la pagaille qui régnait chez lui que pour bricoler. Son fils aîné Souleyman, qui avait à peu près mon âge, était un attardé mental ; il pouvait rester dans un coin sans broncher des jours entiers puis, sans crier gare, il piquait sa crise et se mettait à courir, à courir jusqu'à tomber dans les pommes. Personne ne savait comment cela le prenait. Souleyman ne parlait pas, ne se plaignait pas, n'agressait pas ; il vivait retranché dans son monde et ignorait totalement le nôtre. Et d'un coup, il poussait un cri, le même, et fonçait à travers le désert sans se retourner. Au début, on le regardait détaler dans la fournaise, son père après lui. Avec le temps, on s'était rendu compte que ces courses éperdues lui esquintaient le cœur et qu'à la longue, le pauvre diable risquait de tomber raide, foudroyé par un infarctus. Au village, on s'était organisé de façon à l'intercepter dès l'alerte donnée. Quand on lui mettait le grappin dessus, Souleyman ne se débattait pas ; il se laissait ceinturer et ramener à la maison sans résistance, la bouche ouverte sur un rire atone, les yeux révulsés.

— Comment va le fiston ?

— Comme une image, dit-il. Ça fait des semaines qu'il se tient bien. On le croirait complètement guéri... Et ton père ?

— Toujours au pied de son arbre... Il faut que je m'achète une nouvelle paire de chaussures. Y a quelqu'un qui descend en ville aujourd'hui ?

Le ferronnier se gratta le sommet du crâne.

— J'ai cru voir un fourgon sur la piste, y a une heure, mais je suis incapable de dire s'il se rendait en ville. Il faudra attendre après la prière. Et puis, ça devient de plus en plus compliqué de se déplacer avec ces check points et les tracasseries qui vont avec... Tu as vu avec le cordonnier ?

— Mes chaussures sont irrécupérables. Il me faut des souliers neufs.

— Il n'a pas que des semelles et de la glu, le cordonnier.

— Sa marchandise est passée de mode. Il me faut des machins récents, souples et chics.

— Tu penses qu'ils feraient bon ménage avec l'état de notre parterre ?

— C'est pas une raison... Ce serait bien si quelqu'un pouvait m'emmener en ville. J'ai envie d'une belle chemise aussi.

— À mon avis, tu risques d'attendre longtemps. Le taxi de Khaled est en panne, et l'autocar ne passe plus par ici depuis qu'un hélicoptère a failli le bousiller sur la route, le mois dernier.

Les gamins avaient récupéré leur ballon ; ils revenaient d'un pas conquérant.

— Il n'est pas allé bien loin, le trouble-fête, fit remarquer le ferronnier.

— Il était trop gros pour les semer.

Les deux équipes se redéployèrent sur le terrain, chacune dans son camp, et la partie reprit là où elle avait été interrompue. Tout de suite, les piaillements se déclenchèrent, contraignant un vieux chien à battre en retraite.

N'ayant rien de spécial à faire, je pris place sur un morceau de parpaing et suivis le match avec intérêt.

À la fin de la partie, je m'aperçus que le ferronnier et son apprenti avaient disparu, que l'atelier était fermé. Le soleil maintenant cognait à bras raccourcis. Je me levai et remontai la rue en direction de la mosquée.

Il y avait du monde, chez le barbier. D'habitude, le vendredi après la Grande Prière, les vieux de Kafr Karam s'y donnaient rendez-vous. Ils venaient regarder l'un des leurs se livrer à la tondeuse du coiffeur, un personnage éléphantesque drapé dans un tablier d'étripeur de veaux. Avant, les débats tournaient autour du pot. Les sbires de Saddam veillaient au grain. Pour un mot déplacé, toute la famille était déportée ; les charniers et les gibets poussaient à tout bout de champ. Mais depuis que le tyran avait été surpris dans un trou à rats et enfermé dans un autre, les langues se déliaient et les désœuvrés de Kafr Karam se découvraient une volubilité stupéfiante... Ce matin, chez le barbier, étaient réunis les sages du village – si quelques jeunes se tenaient à proximité, c'est que les débats promettaient. Je reconnus Jadir, dit Doc, un septuagénaire grincheux qui avait enseigné deux décennies plus tôt la philosophie dans un lycée de Bassorah avant d'aller croupir trois années durant dans les geôles baathistes pour une obscure histoire d'étymologie. À la sortie des basses-fosses, le Parti lui avait signifié qu'il était interdit d'enseignement sur l'ensemble du territoire irakien et qu'il était dans la ligne de mire des moukhabarates. Doc comprit alors que sa vie ne tenait plus qu'à un fil et regagna en catastrophe son village natal où il fit le mort jusqu'au déboulonnement des statues du Raïs sur les places publiques. Il était grand, presque seigneurial dans sa djellaba bleue d'une propreté immaculée, ce qui lui conférait une attitude hiératique. À côté de lui, ramassé sur un banc, pérorait Basheer le Faucon, un ancien brigand de grand chemin qui avait écumé la région à la tête d'une horde insaisissable avant de se réfugier à Kafr Karam, son butin en guise de patte blanche. Il n'était pas de la tribu, mais les Anciens préférèrent lui offrir l'hospitalité que subir ses razzias. En face, au milieu de leur clan silencieux, les frères Issam, deux vieillards cacochymes mais redoutables, tâchaient de réduire en pièces les arguments des uns et des autres ; ils avaient la pratique de la contradiction dans le sang et étaient capables de renoncer à leur propre idée développée la veille si elle venait à être adoptée par un allié indésirable. Puis, immuable dans son coin, à l'écart pour bien se mettre en évidence, le Doyen trônait sur sa chaise en osier, que ses partisans transportaient partout où il se rendait, le chapelet imposant dans une main, dans l'autre la pipe de son narghileh. Lui n'intervenait jamais pendant le débat et se gardait pour le mot de la fin ; il ne supportait pas qu'on lui raflât la der.

— Ils nous ont débarrassés de Saddam, tout de même, protesta Issam 2 en prenant son entourage immédiat à témoin.

— On ne leur a rien demandé, maugréa le Faucon.

— Qui pouvait le faire ? dit Issam 1.

— C'est vrai, renchérit son frère. Qui pouvait seulement cracher par terre sans s'exposer aux foudres du ciel, sans être arrêté sur-le-champ pour outrage au Raïs et pendu à une grue ?

— Si Saddam sévissait, c'était à cause de nos petites et grandes lâchetés, insista le Faucon méprisant. Les peuples n'ont que les rois qu'ils méritent.

— Je ne suis pas d'accord avec toi, dit un vieillard chevrotant sur sa droite.

— Tu ne peux même pas être d'accord avec toi-même.

— Pourquoi dis-tu ça ?

— Parce que c'est la vérité. Tu es toujours avec les uns aujourd'hui, et les autres demain. Je ne t'ai jamais entendu défendre une même opinion deux jours de suite. La vérité, tu n'as pas d'opinion. Tu prends le train en marche puis, lorsqu'un autre se pointe, tu te jettes dedans sans chercher à connaître sa destination.

Le vieillard chevrotant se retrancha derrière une moue outrée, la figure sombre.

— Je ne dis pas ça pour t'offenser, mon ami, lui fit le Faucon sur un ton conciliant. Je m'en voudrais à mort de te manquer de respect. Mais je ne te laisserai pas mettre nos torts sur le dos de Saddam. C'était un monstre, oui, mais un monstre de chez nous, de notre sang, et nous avons tous contribué à consolider sa mégalomanie. De là à lui préférer des impies venus de l'autre bout de la terre nous marcher dessus, il ne faut pas exagérer. Les GI ne sont que des brutes, des bêtes fauves qui roulent des mécaniques devant nos veuves et nos orphelins et qui n'hésitent pas à larguer leurs bombes sur nos dispensaires. Regarde ce qu'ils ont fait de notre pays : un enfer.

— Saddam en avait fait un charnier, lui rappela Issam 2.

— Ce n'était pas Saddam, mais notre peur. Si nous avions fait montre d'un minimum de courage et de solidarité, jamais ce chien ne se serait permis d'aller aussi loin dans l'exercice de la tyrannie.

— Tu as raison, dit l'homme sous la tondeuse du barbier en s'adressant au Faucon dans la glace. On s'est laissé faire, il en a abusé. Mais tu ne me feras pas changer d'avis : les Américains nous ont débarrassés d'un ogre qui menaçait de nous dévorer crus, tous, les uns après les autres.

— Pourquoi crois-tu qu'ils sont là, les Américains ? s'entêta le Faucon. Par charité chrétienne ? Ce sont des hommes d'affaires, ils nous négocient comme des marchés. Hier, c'était nourriture contre pétrole. Aujourd'hui, c'est pétrole contre Saddam. Et nous, dans tout ça ? De la monnaie de singe. Si les Américains avaient un gramme de bonté, ils ne traiteraient pas leurs Noirs et leurs Latinos en troglodytes. Au lieu de traverser les âges et les océans pour prêter main-forte à de pauvres bougnoules émasculés, ils feraient mieux de balayer devant leur porte et de s'occuper de leurs Indiens qui se décomposent dans des réserves, à l'abri des curiosités, semblables à des maladies honteuses.

— Absolument, martela le vieillard chevrotant. Tu t'imagines : des GI qui se casseraient la gueule à des milliers de kilomètres de chez eux par charité chrétienne ? Ça ne leur ressemble pas.

— Est-ce que je peux placer un mot ? dit enfin Jabir.

Un silence respectueux s'installa dans le salon. Lorsque Doc Jabir prenait la parole, c'était toujours un moment solennel. L'ancien professeur de philosophie, que les geôles de Saddam avaient élevé au rang de héros, parlait peu, mais ses interventions remettaient pas mal de choses à leur place. Il avait le verbe haut, les propos justes, et ses arguments étaient sans appel.

— Est-ce que je peux poser une question ? ajouta-t-il sur un ton grave. Pourquoi Bush s'acharne-t-il sur notre pays ?

La question fit le tour de l'assistance sans trouver preneur ; on la supposait piégée, et personne n'avait envie de se couvrir de ridicule.

Doc Jabir toussota dans son poing, certain d'avoir l'attention générale pour lui tout seul. Ses yeux de furet traquèrent le regard réticent, n'en dénichèrent aucun ; il consentit à développer le fond de sa pensée :

— Pour nous débarrasser d'un despote, leur larbin d'hier, aujourd'hui compromettant ?... Parce que notre martyre avait fini par attendrir les rapaces de Washington ?... Si vous croyez une seconde à ce conte de fées, c'est que vous êtes fichus. Les USA savaient deux choses extrêmement préoccupantes pour leurs projets hégémoniques : 1) Notre pays était à deux doigts de disposer pleinement de sa souveraineté : l'arme nucléaire. Avec le nouvel ordre mondial, seules les nations disposant de l'arsenal nucléaire sont souveraines, les autres n'étant dorénavant que de potentiels foyers de tension, des greniers providentiels pour les grandes puissances. Le monde est géré par la Finance internationale pour laquelle la paix est un chômage technique. Question d'espace vital... 2) L'Irak était la seule force militaire capable de tenir tête à Israël. Le mettre à genoux, c'est permettre à Israël de faire main basse sur la région. Ce sont là les deux véritables raisons qui ont conduit à l'occupation de notre patrie. Saddam, c'est de la poudre aux yeux. S'il semble légitimer l'agression américaine aux yeux de l'opinion, il n'en demeure pas moins un leurre diabolique qui consiste à prendre les gens à contre-pied afin d'occulter l'essentiel : empêcher un pays arabe d'accéder aux moyens stratégiques de sa défense, et donc de son intégrité, et, par là même, aider Israël à asseoir définitivement son autorité sur le Moyen-Orient.

Personne n'ayant vu venir le coup, l'assistance en resta bouche bée.

Satisfait, le Doc savoura un instant l'effet que produisait la pertinence de son intervention, se racla la gorge avec arrogance, convaincu qu'il leur en bouchait un coin, et se leva.

— Messieurs, décréta-t-il, je vous laisse méditer mes propos dans l'espoir de vous retrouver demain éclairés et grandis.

Sur ce, il lissa majestueusement le devant de sa djellaba et quitta le salon avec une morgue excessive.

Le barbier, qui ne prêtait pas attention aux dires des uns et des autres, se rendit enfin compte du silence qui venait de se faire autour de lui ; il souleva un sourcil puis, sans trop se poser de questions, il se remit à tondre son client avec l'indolence d'un pachyderme broutant une touffe d'herbe.

Maintenant que Doc Jabir s'était retiré, les regards convergeaient sur le Doyen. Ce dernier remua dans sa chaise en osier, clappa des lèvres et dit :

— On peut voir les choses sous cet angle aussi.

Il se tut un long moment avant d'ajouter :

— En vérité, nous sommes en train de récolter ce que nous avons semé : le fruit de nos parjures... Nous avons failli. Autrefois, nous étions nous-mêmes, des Arabes braves et vertueux avec juste ce qu'il faut de vanité pour nous donner du cran. Au lieu de nous bonifier avec le temps, nous avons dégénéré.

— Et quels ont été nos torts ? demanda le Faucon, susceptible.

— La foi... Nous l'avons perdue, et perdu la face avec.

— À ma connaissance, nos mosquées ne désemplissent pas.

— Oui, mais que sont devenus les croyants ? Des gens qui se rendent machinalement à la prière et puis qui retournent dans l'illusoire une fois l'office terminé. Ce n'est pas cela, la foi.

Un partisan lui tendit un verre d'eau.

Le Doyen but quelques gorgées ; le bruit de l'ingurgitation résonna dans le salon comme des pierres tombant dans un puits.

— Il y a une cinquantaine d'années, alors que je conduisais la caravane de mon oncle en Jordanie, à la tête d'une centaine de chameaux, je m'étais arrêté dans un village près d'Amman. C'était l'heure de la prière. Avec un groupe de mes hommes, nous avions rejoint une mosquée et nous nous étions mis à faire nos ablutions dans une petite cour dallée. L'imam, un personnage imposant vêtu d'une tunique flamboyante, s'était alors approché de nous. « Que faites-vous là, jeunes gens ? » nous avait-il demandé. « Nous nous lavons pour la prière », lui avais-je répondu. « Croyez-vous que vos outres suffisent à vous purifier ? » s'était-il enquis. « Il faut bien faire ses ablutions avant de rejoindre la salle des prières », lui avais-je fait remarquer. Il avait alors tiré une figue toute belle et fraîche de sa poche, l'avait nettoyée laborieusement dans une tasse d'eau ; ensuite, il l'avait ouverte sous nos yeux. La belle figue grouillait d'asticots. L'imam avait conclu : « Il ne s'agit pas de laver son corps, mais son âme, jeunes gens. Si vous êtes pourris de l'intérieur, ni les fleuves ni les océans ne sauraient vous désinfecter. »

Toutes les personnes réunies chez le barbier hochèrent la tête, conquises.

— N'essayons pas de faire porter aux autres le chapeau que nous avons fabriqué de nos mains pour nous-mêmes. Si les Américains sont là, c'est de notre faute. En perdant la foi, nous avons perdu nos repères et le sens de l'honneur. Nous av...

— Et voilà ! s'écria le barbier en agitant sa brosse par-dessus la nuque cramoisie de son client.

Les gens dans le salon se figèrent, indignés.

Loin de se douter qu'il venait de chahuter le Doyen révéré et de scandaliser ceux qui s'abreuvaient aux sources de ses lèvres, le barbier continua de remuer sa brosse d'une main désinvolte.

Le client ramassa ses vieilles lunettes rafistolées avec des bouts de scotch et du fil de fer, les ajusta sur son nez tuméfié et se contempla dans la glace en face de lui. Son sourire se mua aussitôt en grimace.

— C'est quoi, ça ? gémit-il. Tu m'as tondu comme une brebis.

— Tu n'avais déjà pas assez de cheveux en arrivant, lui signala le barbier impassible.

— Peut-être, mais là, tu exagères. C'est à peine si tu ne m'as pas enlevé la peau du crâne.

— Tu aurais pu m'arrêter.

— Comment ? Sans mes lunettes, je ne vois rien.

Le barbier esquissa une moue embarrassée :

— Désolé. J'ai fait de mon mieux.

À cet instant, les deux hommes se rendirent compte que quelque chose ne tournait pas rond. Ils se retournèrent et reçurent de plein fouet le regard outré des personnes réunies dans le salon.

— Qu'est-ce qu'il y a ? demanda le barbier d'une petite voix.

— Le Doyen était en train de nous instruire, lui fit-on remarquer sur un ton de reproche, et non seulement vous n'écoutiez pas, mais en plus vous vous chamaillez pour de misérables coups de ciseaux ratés. C'est inexcusable.

Réalisant leur muflerie, le barbier et son client portèrent la main à leur bouche, à la manière d'un enfant surpris en train de débiter des grossièretés, et se firent tout petits.

Les jeunes gens, qui écoutaient sur le perron, se débinèrent sur la pointe des pieds. Quand les sages et les grandes personnes s'engueulent, à Kafr Karam, les adolescents et les célibataires se doivent de débarrasser le plancher. Par pudeur. J'en profitai pour me rabattre sur le cordonnier dont l'atelier nichait à une centaine de mètres, sur le flanc d'une horrible bâtisse embusquée derrière des façades tellement laides qu'on les aurait cru érigées par des djinns.

Le soleil ricochait sur le sol et me blessait aux yeux. Entre deux taudis, j'entrevis mon cousin Kadem à l'endroit où je l'avais laissé, ramassé sur son gros caillou ; je lui adressai un salut de la main qu'il ne remarqua pas et poursuivis mon chemin.

L'atelier du cordonnier était fermé ; de toutes les façons, les savates qu'il proposait ne seyaient qu'aux vieillards, et si certaines pourrissaient depuis des lustres dans leur boîte en carton, ce n'était pas faute d'argent.

Devant le grand portail en fer de la bâtisse, badigeonné d'un marron rebutant, Omar le Caporal s'amusait avec un chien. Dès qu'il m'aperçut, il envoya un coup de pied dans l'arrière-train du quadrupède qui s'écarta dans un gémissement et me fit signe d'approcher :

— Je parie que tu es en chaleur, me lança-t-il. T'es venu voir si une brebis égarée traînait dans le coin, pas vrai ?

Omar était un malaise itinérant. Au village, les jeunes n'appréciaient ni la crudité de ses propos ni ses allusions malsaines ; on le fuyait comme la peste. Son passage dans l'armée l'avait dévoyé.

Parti servir dans les rangs d'un bataillon en qualité de cuistot, cinq ans plus tôt, il était revenu au village au lendemain du siège de Bagdad par les troupes américaines, incapable d'expliquer ce qui s'était passé. Une nuit, son unité était en état d'alerte totale, balle au canon et baïonnette en avant ; au matin, plus personne à son poste, tout le monde avait déserté, les officiers en premier. Omar était rentré au bercail en rasant les murs. Il vivait très mal la défection de son bataillon, noyant sa honte et son chagrin dans du vin frelaté. Sa grossièreté venait probablement de là ; n'ayant plus de respect pour lui-même, il éprouvait un malin plaisir à écœurer ses proches et ses amis.

— Y a des gens honorables, par ici, lui rappelai-je.

— Qu'est-ce que j'ai dit de pas sunnite ?

— Je t'en prie...

Il écarta les bras.

— OK, OK. Si on peut plus déconner, maintenant.

Omar était de onze ans mon aîné. Il s'était engagé dans l'armée suite à un échec amoureux – la belle dont il rêvait était promise à quelqu'un d'autre. Il n'en savait fichtre rien ; elle non plus, d'ailleurs. Quand il avait pris son courage à bras-le-corps pour charger sa tante d'aller demander la main de son égérie, il reçut le ciel sur la tête. Il ne s'en était pas remis.

— Je flippe dans ce trou du cul, grogna-t-il. J'ai frappé à toutes les portes, y a personne qui veut descendre en ville. Je me demande pourquoi ils préfèrent rester coincés dans leur gourbi de merde au lieu de s'offrir un petit tour sur un bon boulevard aux magasins climatisés et aux terrasses fleuries. Qu'est-ce qu'il y a à voir par ici, hein, hormis les chiens et les lézards ? Au moins, en ville, quand t'es attablé à une terrasse, tu vois passer les voitures, se déhancher les filles ; tu sens que tu existes, bordel ! que tu vis... C'est pas le sentiment que j'ai à Kafr Karam. J'ai l'impression de crever à petit feu, je te jure. J'étouffe, je me meurs, putain !... Même le taxi de Khaled est en panne, et l'autocar ne dessert plus le secteur depuis des semaines.

Omar était tassé tel un balluchon sur ses jambes courtes. Il portait une chemise à carreaux usée, trop étroite pour empêcher sa bedaine de lui dégringoler sur les genoux. Son pantalon maculé de cambouis ne payait pas de mine, non plus. Omar avait immanquablement de ces taches noirâtres sur ses vêtements. Il se serait changé dans un bloc opératoire, avec des habits tirés droit de leur emballage d'origine, qu'il aurait trouvé le moyen de les souiller de cambouis dans la minute qui suivait – à croire que son corps en sécrétait.

— Tu vas où ? me demanda-t-il.

— Au café.

— Voir des bougres jouer aux cartes, comme hier, et avant-hier, et demain, et dans vingt ans ? C'est à disjoncter... Bordel ! qu'est-ce que j'ai bien pu faire, dans une vie antérieure, pour mériter de renaître dans un patelin aussi crade ?

— C'est notre village, Omar, notre toute première patrie.

— Tu parles d'une patrie. Même les corbeaux évitent d'y faire escale.

Il rentra son gros ventre pour glisser son bout de chemise sous le ceinturon, renifla à fond et dit dans un soupir :

— De toutes les façons, on n'a pas le choix. Va pour le café.

Nous rebroussâmes chemin en direction de la place. Omar était fou furieux. À chaque fois que nous rencontrions une vieille guimbarde garée devant un patio, il pestait :

— Pourquoi ils achètent des tires pour les laisser se délabrer sur le pas de leurs gourbis, ces tas d'ânes ?

Il ravala un moment son dépit puis revint à la charge :

— Et ton cousin ? dit-il en montrant du menton Kadem assis au pied du muret, à l'autre bout de la rue. Comment il se démerde pour rester dans son coin toute la journée ? Il va se griller un câble, un de ces quat', promis.

— Il aime être seul, c'est tout.

— J'ai connu un type au bataillon qui se conduisait de la même façon, toujours à se tenir dans un angle de la chambrée, jamais au foyer, jamais autour d'une table à glandouiller avec les potes. Un matin, on l'a trouvé dans les latrines, pendu au plafonnier.

— Ça n'arrivera pas à Kadem, dis-je, un frisson dans le dos.

— Qu'est-ce qu'on parie ?

Le café *Safir* était géré par Majed, un cousin égrotant et triste qui dépérissait dans un bleu de travail si laid qu'on l'aurait cru taillé dans une bâche. Il se tenait derrière son comptoir rudimentaire, semblable à une statue ratée, une vieille casquette militaire enfoncée jusqu'aux oreilles. Ses clients ne venant que pour jouer aux cartes, il ne se donnait plus la peine de mettre en marche ses appareils et se contentait de rapporter de la maison un thermos rempli de thé rouge que souvent il était contraint de consommer seul. Son établissement était fréquenté par de jeunes désœuvrés fauchés comme les blés qui débarquaient le matin pour ne lever le camp qu'à la tombée de la nuit, sans à aucun moment porter la main à la poche. Majed avait souvent songé à rendre le tablier, mais pour faire quoi ? À Kafr Karam, la déréliction dépassait l'entendement ; chacun s'agrippait à son semblant de métier pour ne pas péter les plombs.

Majed afficha une mine aigrie en voyant Omar arriver.

— Bonjour les dégâts, grommela-t-il.

Omar jeta un regard blasé sur les quelques jeunes attablés çà et là.

— On se croirait dans une caserne, un jour de quartier consigné, dit-il en se grattant le postérieur.

Il reconnut, au fond de la salle, les jumeaux Hassan et Hossein, debout contre la fenêtre, en train de suivre une partie de cartes qui opposait Yacine, le petit-fils de Doc Jabir, un garçon ténébreux et colérique ; Salah, le gendre du ferronnier ; Adel, un grand gaillard un peu stupide ; et Bilal, le fils du barbier.

Omar s'approcha de ces derniers, salua au passage les jumeaux avant de se camper derrière Adel.

Adel remua, agacé :

— Tu me fais de l'ombre, caporal.

Omar recula d'un pas.

— L'ombre est dans ta citrouille, mon gars.

— Fiche-lui la paix, dit Yacine sans quitter des yeux son jeu. Ne nous distrais pas.

Omar ricana, dédaigneux, et se tint à carreau.

Les quatre joueurs considéraient intensément leurs cartes.

Au bout d'un interminable calcul mental, Bilal se racla la gorge :

— C'est à toi, Adel.

Adel se remit à vérifier son jeu, les lèvres en avant. Il prenait son temps, indécis.

— Alors, tu te secoues ? s'impatienta Salah.

— Hé, protesta Adel, faut que je réfléchisse.

— Arrête de frimer, lui fit Omar. Le dernier gramme de cervelle qui te restait, tu l'as évacué ce matin en te branlant.

Une véritable chape de plomb s'abattit sur le troquet...

Les jeunes qui étaient près de la porte s'éclipsèrent ; les autres ne surent où donner de la tête.

Omar se rendit compte de sa bourde ; il déglutit et attendit de recevoir le ciel sur la tronche.

Autour de la table, les joueurs gardaient la nuque ployée sur leurs cartes, pétrifiés. Seul Yacine posa délicatement son jeu sur le côté et leva sur l'ancien caporal deux yeux blancs d'indignation :

— J'ignore où tu veux en venir avec ton langage ordurier, Omar, mais là, tu dépasses les bornes. Ici, dans notre village, les jeunes comme les vieux se respectent. Tu as été élevé parmi nous, et tu sais ce que c'est.

— J'ai rien...

— Ta gueule !... Tu fermes ta grande gueule et tu tires la chasse dessus, dit Yacine d'une voix monocorde qui contrastait violemment avec la colère qui giclait de ses prunelles. Tu n'es pas au mess, mais à Kafr Karam. Ici, nous sommes tous frères, cousins, voisins et proches, et nous surveillons et nos faits et nos gestes... Je te l'ai dit cent fois, Omar. Pas d'obscénités ; pour l'amour du ciel, ne gâche pas nos rares instants de répit avec ton jargon de troufion dégueulasse...

— C'était juste pour rigoler, voyons.

— Ben, regarde autour de toi, Omar. Est-ce qu'on rigole ? Dis-moi, est-ce qu'on rigole ?

Sa pomme d'Adam tressautait dans la gorge contractée de l'ancien caporal.

Yacine pointa sur lui un doigt péremptoire :

— À partir d'aujourd'hui, Omar, fils de mon oncle Fadel et de ma tante Amina, je t'interdis – je dis bien, *je t'interdis* de proférer un seul juron, un seul mot déplacé...

— Holà, le coupa Omar beaucoup plus pour sauver la face que pour remettre Yacine à sa place, je suis ton aîné de six ans et je ne te permets pas de me parler sur ce ton.

— Prouve-le !...

Les deux hommes se toisèrent, les narines frémissantes.

Omar se détourna le premier.

— Ça va, grogna-t-il en rentrant hargneusement sa chemise sous son ceinturon.

Il pivota sur ses talons et se dirigea vers la sortie :

— Vous voulez que je vous dise ?... fulmina-t-il sur le pas de la porte.

— Désinfecte-toi la bouche d'abord, trancha Yacine.

Omar secoua la tête et disparut.

Après le départ d'Omar, le malaise s'accentua au café. Les jumeaux s'en allèrent les premiers, chacun de son côté. Ensuite, la partie de cartes ayant été perturbée, personne n'eut à cœur de la reprendre. Yacine se leva à son tour et sortit, Adel à ses trousses. Il ne me restait plus qu'à rentrer chez moi.

Enfermé dans ma chambre, j'essayai d'écouter la radio pour dissiper la gêne qui s'était ancrée en moi depuis la scène du *Safir*. J'étais doublement malheureux, pour Omar d'abord, pour Yacine ensuite. Certes, le caporal méritait qu'on le rappelât à l'ordre, mais la sévérité de son cadet m'indisposait aussi – autant j'éprouvais de la pitié pour le déserteur, moins je trouvais d'excuses à son cousin. En vérité, si nos rapports s'envenimaient, c'était à cause des nouvelles qui nous parvenaient de Fellouja, Bagdad, Mossoul, Bassorah tandis que nous évoluions à des années-lumière du drame qui dépeuplait notre pays. Depuis le déclenchement des hostilités, malgré les centaines d'attentats et les contingents de morts, pas un hélicoptère n'avait, jusque-là, survolé notre secteur ; pas une patrouille n'avait profané la paix de notre village. Et ce sentiment qui nous excluait quelque part de l'Histoire se muait, de silence en expectative, en un véritable cas de conscience. Si les vieux semblaient s'en accommoder, les jeunes de Kafr Karam le vivaient très mal.

La radio ne parvenant pas à me distraire, je m'allongeai sur mon lit et ramenai l'oreiller sur ma figure. La chaleur étouffante exacerbait mon trouble. Je ne savais quoi faire. Les rues du village m'éprouvaient, mon cagibi m'étuvait ; je fondais dans mon déplaisir...

Le soir, un début de brise remua doucement les rideaux. Je sortis une chaise métallique et m'installai sur le pas de ma chambre. À deux ou trois kilomètres du village, les vergers des Haïtem bravaient le siège de la rocaille ; unique carré de verdure à des lieues à la ronde, ils miroitaient d'insolence dans les réverbérations du jour. Le soleil se couchait, enrobé de poussière. Bientôt, l'horizon s'embrasa d'un bout à l'autre, accusant le vallonnement des collines au loin. Sur le plateau aride qui filait à perdre haleine vers le sud, la piste carrossable rappelait le lit d'une rivière morte. Un groupe de mioches revenait des vergers, bredouille, la démarche vacillante ; visiblement l'expédition des petits maraudeurs avait tourné court.

— Il y a un colis pour toi, m'annonça ma sœur jumelle Bahia en posant un sachet en plastique à mes pieds... Je te ramène ton dîner dans une petite demi-heure. Tu peux tenir jusque-là ?

— Sans problème.

Elle épousseta le col de ma chemise.

— Tu n'es pas descendu en ville ?

— Je n'ai trouvé personne pour m'y conduire.

— Tâche d'être plus persuasif, demain.

— Promis... C'est quoi, ce colis ?

— C'est le petit frère de Kadem qui l'a apporté à l'instant.

Elle entra dans ma chambre vérifier que tout était en ordre et retourna à ses fourneaux.

J'ouvris le sac en plastique, en extirpai un carton ceinturé de sparadrap. À l'intérieur, je découvris une superbe paire de souliers noirs flambant neufs, et un bout de papier sur lequel on avait écrit : *Je les ai portés deux fois, le soir de mes premières et secondes noces. Ils sont à toi. Sans rancune. Kadem.*

3.

Otage de sa vacuité, Kafr Karam se démaillait au fil des jours.

Chez le barbier, au café, au pied des murs, les gens ruminaient les mêmes salades. On parlait trop ; on ne faisait rien. Les indignations tournaient en rond, de moins en moins spectaculaires ; les arguments s'émoussaient au gré des sautes d'humeur et les conciliabules se prolongeaient dans d'assommantes pérorai-sons. Petit à petit, on ne s'écoutait plus. Pourtant, quelque chose d'inhabituel était en train de s'opérer. Si, chez les Anciens, la hiérarchie demeurait inflexible, elle amorçait un curieux changement de camp parmi les jeunes. Depuis la correction infligée à Omar le Caporal par Yacine, le droit d'aînesse prenait l'eau. Certes, la majorité condamnait ce qui s'était passé au *Safir*, mais une minorité, faite de têtes brûlées et de rebelles naissants, s'en inspirait pour s'affermir.

Hormis cette incartade, que les vieux feignaient d'ignorer – car l'incident avait fait le tour du village sans pour autant s'étaler sur la voie publique, les choses suivaient leur cours avec un pathétique lymphatisme. Le jour continuait de se lever quand bon lui semblait, de se coucher à sa guise. Nous restions confits dans notre petit bonheur autiste, à bayer aux corneilles ou à nous tourner les pouces. On aurait dit que nous végétions sur une autre planète, coupés des drames qui rongeaient le pays. Nos matins se reconnaissaient à leurs bruits vétilleux, nos soirs à leurs sommeils sans attraits, et d'aucuns n'auraient su dire à quoi servent les rêves lorsque les horizons sont nus. Depuis longtemps, les remparts de nos rues nous retenaient captifs de leur pénombre. Nous avions connu les régimes les plus abominables et nous leur avions survécu comme survivait notre cheptel aux épidémies. Parfois, lorsqu'un tyran en chassait un autre, de nouveaux sbires débarquaient chez nous pour lever le gibier. Ils espéraient ainsi mettre le grappin sur d'éventuelles brebis galeuses à immoler sur la place, histoire de nous faire rentrer dans les rangs. Très vite, ils déchantaient et regagnaient leurs niches, penauds mais ravis de ne plus devoir remettre les pieds dans un trou perdu où il était difficile de distinguer les vivants des fantômes qui leur tenaient compagnie.

Mais, comme dit le proverbe ancestral, si tu fermes ta porte aux cris de ton voisin, ils te parviendront par la fenêtre. Car nul n'est à l'abri lorsque le malheur est en vadrouille. On a beau se garder de l'évoquer, beau croire qu'il n'arrive qu'aux autres et qu'il suffit de rester dans son coin pour s'en préserver, trop de retenue finit par lui mettre la puce à l'oreille, et un matin, il s'amène sur ses gros sabots pour voir de quoi il retourne... Et ce qui devait arriver arriva. Le malheur débarqua chez nous sans fard ni fanfare, quasiment sur la pointe des pieds, en cachant son jeu. J'étais en train de prendre une tasse de thé dans l'atelier du ferronnier quand la petite fille de ce dernier avait rappliqué en hurlant :

— Souleyman... Souleyman...

— Il s'est encore enfui ? s'écria le ferronnier.

— Il s'est coupé la main sur le portail... il n'a plus de doigts, sanglotait la petite fille.

Le ferronnier enjamba la table basse qui nous séparait, renversant au passage la théière qui trônait dessus, et fila vers sa maison. Son apprenti se dépêcha de le rattraper en me faisant signe de le suivre. Des cris de femme s'élevaient au bout de la rue. Déjà une nuée de mioches se rassemblait devant le portail grand ouvert du patio. Souleyman tenait sa main ensanglantée contre sa poitrine et riait silencieusement, fasciné par ses saignements.

Le ferronnier somma son épouse de se taire et d'aller lui chercher une étoffe propre. Les cris cessèrent immédiatement.

— Les doigts sont là, dit l'apprenti en montrant deux bouts de chair sur le pas de la porte.

Avec un calme étonnant, le ferronnier ramassa les deux phalanges tranchées, les essuya et les mit dans un mouchoir qu'il glissa dans sa poche. Il se pencha ensuite sur la plaie de son fils.

— Il faut l'emmener au dispensaire, dit-il. Sinon, il va se vider de son sang.

Il se retourna vers moi :

— J'ai besoin d'une voiture.

J'opinai du chef et m'élançai vers la maison de Khaled Taxi. Je le surpris en train de réparer le jouet de son gamin dans la cour.

— Nous avons besoin de toi, lui annonçai-je. Souleyman s'est coupé deux doigts, il nous faut l'emmener au dispensaire.

— Désolé, j'attends du monde à midi.

— C'est urgent. Souleyman perd beaucoup de sang.

— Je ne peux pas vous conduire. Si tu veux, prends la voiture. Elle est au garage. Je ne peux pas vous accompagner ; des gens vont venir demander la main de ma fille tout à l'heure.

— D'accord, passe-moi les clefs.

Il abandonna le jouet de son rejeton et m'invita à le suivre dans le garage où une vieille Ford cabossée rongeait son frein.

— Tu sais conduire ?

— Bien sûr...

— Aide-moi à sortir ce tacot dans la rue.

Il ouvrit les battants du garage, siffla les gosses qui lézardaient au soleil pour qu'ils viennent nous donner un coup de main.

— J'ai le démarreur qui se rebiffe, m'expliqua-t-il. Installe-toi au volant, on va te pousser.

Les gamins se ruèrent dans le garage, amusés et heureux d'être sollicités. Je desserrai le frein, enclenchai la deuxième et livrai la voiture à l'enthousiasme des marmots. Au bout d'une cinquantaine de mètres, la Ford atteignit une vitesse négociable ; je lâchai la pédale de l'embrayage et le moteur rugit de toutes ses soupapes amochées après une formidable ruade. Derrière moi, les gamins lancèrent un cri de joie identique à celui qu'ils libéraient au retour de la lumière après une longue coupure d'électricité.

Quand je me rangeai devant le patio du ferronnier, Souleyman avait déjà la main emmaillotée dans une serviette-éponge et un garrot autour du poignet ; son visage ne trahissait aucune douleur. Je trouvais cela étrange et n'arrivais pas à croire que l'on puisse afficher une telle insensibilité alors que l'on venait de se trancher deux doigts.

Le ferronnier installa son fils sur la banquette arrière et prit place à côté de lui. Sa femme arriva en courant, échevelée et en sueur, semblable à une folle éperdue ; elle tendit à son mari une liasse de feuillets écornés enroulée dans un cordon élastique.

— C'est son livret médical. On va sûrement te le demander.

— Très bien, maintenant rentre à la maison et tâche de bien te conduire. Ce n'est pas la fin du monde.

Nous quittâmes le village sur les chapeaux de roues, une meute de galopins en guise d'escorte ; sa clameur nous poursuivit longtemps à travers le désert.

Il était environ onze heures et le soleil parsemait la plaine d'oasis factices. Dans le ciel chauffé à blanc, un couple d'oiseaux battait de l'aile. La piste filait en ligne droite, blafarde et vertigineuse, presque insolite sur le plateau rocailleux qu'elle balafrait d'un bout à l'autre. La vieille Ford déglinguée bondissait sur les crevasses, se cabrait par endroits et donnait l'impression de n'obéir qu'à sa propre frénésie. Sur la banquette arrière, le ferronnier serrait son fils contre lui pour l'empêcher de se cogner la tête contre la portière. Il ne disait rien, me laissait conduire comme je pouvais.

Nous traversâmes un champ abandonné, ensuite une station de pompage désaffectée, puis plus rien. L'horizon déployait sa nudité à l'infini. Autour de nous, aussi loin que portait le regard, nous n'aperçûmes ni taudis, ni engin, ni âme qui vive. Le dispensaire se trouvait à une soixantaine de kilomètres à l'ouest, dans un village récent où les routes étaient asphaltées. Il y avait aussi un commissariat et un lycée que les nôtres boudaient pour des raisons qui m'échappaient.

— Tu penses qu'il y a assez de carburant ? me demanda le ferronnier.

— Je ne sais pas. Toutes les aiguilles du tableau de bord sont en berne.

— Je m'en doutais un peu. On n'a pas croisé un seul véhicule. Si nous tombons en panne, nous sommes fichus.

— Dieu ne nous abandonnera pas, lui dis-je.

Une demi-heure plus tard, nous vîmes un énorme nuage de fumée noire s'élever dans le lointain. La route nationale n'était plus qu'à quelques encablures, et la fumée nous intriguait. Au détour d'un mamelon, la nationale nous apparut enfin. Un semi-remorque brûlait, couché en travers de la chaussée, la cabine dans le fossé, et la citerne renversée ; des flammes gigantesques le dévoraient avec une effroyable voracité.

— Arrête-toi, me conseilla le ferronnier. C'est sûrement une attaque des fedayin, et les militaires ne vont pas tarder à se manifester. Rebrousse chemin jusqu'à la bretelle en amont et prends l'ancienne piste. Je n'ai pas envie de tomber au beau milieu d'une échauffourée.

Je fis demi-tour.

Une fois sur l'ancienne piste, je scrutai les alentours à l'affût du renfort militaire. Des centaines de mètres plus bas, parallèlement à notre itinéraire, la nationale étincelait sous le soleil, rappelant un canal d'irrigation, droite et atrocement déserte. Bientôt le nuage de fumée ressembla à un vulgaire filament grisâtre sanglé dans sa détresse. Le ferronnier sortait de temps à autre la tête par-dessus la vitre pour voir si un hélicoptère nous prenait en chasse. Nous étions le seul signe de vie dans les parages et une méprise était vite arrivée. Le ferronnier était inquiet ; son visage s'assombrissait de plus en plus.

Moi, j'étais plutôt serein ; je me rendais au village voisin et j'avais un malade à bord.

La piste effectua une large embardée pour contourner un cratère, remonta une colline, piqua du nez et se redressa après quelques kilomètres en aval. De nouveau, nous pûmes voir la nationale, toujours droite et déserte, troublante de perdition. La piste cette fois se dirigeait sur elle avant de s'y confondre. Les roues de la Ford changèrent de ton dès qu'elles foulèrent le bitume, et le moteur cessa de se gargariser incongrûment.

— Nous sommes à moins de dix minutes du village, et pas un véhicule en vue, constata le ferronnier. C'est bizarre.

Je n'eus pas le temps de lui répondre. Un check point nous barrait la route, avec des herses de part et d'autre de la chaussée. Deux engins bariolés occupaient le bas-côté, la mitrailleuse aux aguets. En face, dressée sur un tertre, une guérite de fortune se barricadait derrière des fûts et des sacs de sable.

— Reste calme, me dit le ferronnier, et son souffle me brûla le creux de la nuque.

— Je suis calme, le rassurai-je. Nous n'avions rien à nous reprocher et nous avons un malade à bord. Ils ne vont pas nous faire des misères.

— Où sont les soldats ?

— Ils sont tapis derrière le remblai. Je vois deux casques. Je crois qu'ils nous observent avec des jumelles.

— D'accord, tu rétrogrades et tu avances lentement. Fais exactement ce qu'ils vont te dire.

— Ne t'inquiète pas, ça va aller.

Ce fut un soldat irakien qui quitta le premier son abri pour nous faire signe de nous ranger à hauteur d'un panneau de signalisation planté au milieu de la voie. Je m'exécutai.

— Tu éteins le moteur, m'ordonna-t-il en arabe. Ensuite, tu gardes les mains sur le volant. N'ouvre pas la portière et ne descends pas sauf quand on te le demande. Tu as entendu ?

Il se tenait à bonne distance, le fusil orienté sur mon pare-brise.

— Tu as entendu ?

— J'ai entendu. Je garde les mains sur le volant et je ne fais rien sans autorisation.

— Très bien...Vous êtes combien à bord ?

— Trois. Nous...

— Réponds seulement aux questions que je te pose. Et pas de gestes brusques ; pas de gestes tout court, compris ?... D'où est-ce que vous venez et où est-ce que vous allez, et pourquoi ?

— Nous venons de Kafr Karam et nous nous rendons au dispensaire. Nous avons un malade qui s'est coupé les doigts. Il s'agit d'un malade mental.

Le soldat irakien promena son fusil d'assaut sur moi, le doigt sur la détente et la crosse contre la joue ; ensuite, il visa le ferronnier et son fils. Deux GI s'approchèrent à leur tour, vigilants, leurs armes prêtes à nous transformer en passoire au moindre tressaillement. Je gardais mon calme, les mains bien en vue sur le volant. Derrière moi, la respiration du ferronnier cafouillait.

— Surveille ton fils, lui maugréai-je. Faut qu'il se tienne tranquille.

— Ta gueule ! me hurla un GI surgissant je ne sais d'où sur ma gauche, le canon de son fusil pointé sur ma tempe. Qu'est-ce que tu lui as dit, à ton pote ?

— Je lui ai dit de rester...

— *Shut your gab !* Tu écrases, tu te la boucles...

C'était un Noir herculéen, arc-bouté contre son pistolet-mitrailleur, les yeux blancs de rage et les commissures de sa bouche effervescentes de bave. Il était tellement énorme qu'il m'impressionnait. Ses sommations fusaient comme des rafales, me paralysaient.

— Pourquoi il braille ? s'affola le ferronnier. Il va effrayer Souleyman.

— Bouclez-la ! aboya le soldat irakien, probablement là en qualité d'interprète. Au contrôle, on ne parle pas, on ne discute pas les ordres, on ne rouspète pas, récita-t-il comme on lit un amendement ; on se tait et on obéit au pied de la lettre. Compris ? *Mafhoum ?...* Toi, le conducteur, tu vas poser la main droite sur la vitre et ouvrir lentement la portière de la main gauche. Puis, tu passes les deux mains derrière la tête et tu descends doucement.

Deux autres GI se manifestèrent à l'arrière de la Ford, harnachés comme des chevaux de trait, d'épaisses lunettes de sable sur le casque et le gilet pare-balles saillant. Ils s'approchaient pas à pas en nous tenant en joue. Le soldat noir gueulait à s'arracher la glotte. Dès que je mis un pied à terre, il m'arracha de la voiture et m'obligea à m'agenouiller. Je me laissai malmener sans résistance. Il recula et, le fusil dirigé sur la banquette arrière, il ordonna au ferronnier de descendre.

— Je vous en prie, ne criez pas. Mon fils est un malade mental, et vous l'effrayez...

Le GI noir ne comprenait pas grand-chose à ce qu'essayait de lui expliquer le ferronnier ; il semblait excédé qu'on lui parlât dans une langue qui ne lui disait rien, et cela le foutait doublement en rogne. Ses braillements m'estoquaient, déclenchant une multitude de picotements douloureux au niveau de mes articulations. *Shut your gab ! Tu fermes ta gueule, sinon je t'explose... Les mains sur la tête...* Autour de nous, les militaires ne perdaient pas de vue nos plus élémentaires frémissements, impénétrables et silencieux, les uns retranchés derrière des lunettes de soleil qui leur conféraient un air terriblement redoutable, les autres échangeant des œillades codées pour maintenir la pression. J'étais sidéré par le canon des fusils qui nous cernaient ; on aurait dit autant de soupiraux donnant sur l'enfer ; leurs gueules me paraissaient plus grandes que celle d'un volcan, prêtes à nous ensevelir sous une déferlante de lave et de sang. J'en étais médusé, cloué au sol, la pomme d'Adam coincée en travers de la gorge. Le ferronnier descendit à son tour, les mains sur la tête. Il tremblait comme une feuille. Il tenta de s'adresser au soldat irakien ; une godasse lui appuya sur le haut du mollet et le força à mettre un genou à terre. Au moment où le GI noir s'apprêta à s'occuper du troisième passager, il remarqua le sang sur la main et la chemise de Souleyman... *Nom de Dieu ! il pisse son sang*, s'écria-t-il en bondissant en arrière. *Ce fumier est blessé...* Souleyman était terrorisé. Il cherchait son père... *Les mains sur la tête, les mains sur la tête*, vitupérait le GI en salivant. *C'est un malade mental*, cria le ferronnier à l'adresse du soldat irakien. Souleyman glissa sur la banquette et sortit du véhicule, déboussolé. Ses yeux laiteux tournoyaient dans son visage exsangue. Le GI lançait ses ordres comme à l'assaut. Chacun de ses hurlements me rabaissait d'un cran. On n'entendait que lui, et il était, à lui seul, le raffut de la terre entière. Soudain, Souleyman poussa *son* cri, perçant, incommensurable, reconnaissable entre mille rumeurs apocalyptiques. C'était un cri si étrange qu'il pétrifia le GI. Le ferronnier n'eut pas le temps de plonger sur son fils, de le retenir, de l'empêcher de partir. Souleyman fila comme une flèche, droit devant lui, si vite que les GI en restèrent pantois. *Laissez-le s'éloigner*, cria un sergent. *Il est peut-être bourré d'explosifs...* Tous les fusils étaient maintenant braqués sur le fugitif. *Ne tirez pas,* suppliait le ferronnier, *c'est un malade mental. Don't shoot. He is crazy...* Souleyman courait, courait, l'échine roide, les bras ballants, le corps ridiculement penché sur la gauche. Rien qu'à sa façon de courir, on voyait bien qu'il n'était pas normal. Mais, en temps de guerre, le bénéfice du doute privilégie la bavure au détriment du sang-froid ; cela s'appelle la légitime défense... Le premier coup de feu m'ébranla de la tête aux pieds, telle la décharge d'un électrochoc. S'ensuivit le déluge. Hébété, complètement dans les vapes, je voyais des flopées de poussière jaillir du dos de Souleyman, situant les points d'impact. Chaque balle qui atteignait le fugitif me traversait de part et d'autre. Un fourmillement intense me dévora les mollets avant de se déverser dans mon ventre. Souleyman courait, courait, à peine secoué par les balles qui lui criblaient le dos. À côté de moi, le ferronnier s'égosillait comme un forcené, le visage en larmes... *Mike !* aboya le sergent, *ce fumier porte un gilet pare-balles. Vise la tête...*

Sur la guérite, Mike posa un œil sur la jumelle de son fusil, ajusta sa ligne de mire, retint sa respiration et appuya délicatement sur la détente. Il fit mouche du premier coup. La tête de Souleyman explosa comme un melon, freinant net sa course débridée. Le ferronnier se prit les tempes à deux mains, halluciné, la bouche ouverte sur un cri suspendu ; il regarda le corps de son fils se décrocher au loin, pareil à une tenture, s'effondrer à la verticale, les cuisses sur les mollets, puis le buste sur les cuisses, puis la tête en lambeaux sur les genoux. Un silence d'outre-tombe submergea la plaine. Mon ventre se souleva dans un ressac ; une lave incandescente défonça mon gosier et gicla à l'air libre par ma bouche. Le jour se voila... Ensuite, le néant.

Je revins à moi, morceau par morceau, les oreilles sifflotantes. J'avais la figure aplatie au sol, dans une flaque de vomissures. Mon corps ne réagissait plus. J'étais recroquevillé à côté de la roue avant de la Ford, les mains ligotées dans le dos. J'eus juste le temps de voir le ferronnier agiter le livret médical de son fils sous le nez du soldat irakien qui paraissait embarrassé. Les autres militaires le regardaient en silence, le fusil au repos puis, de nouveau, je retombai dans les pommes.

Lorsque je récupérai une partie de mes facultés, le soleil avait atteint son zénith. Une chaleur caniculaire faisait bourdonner la rocaille. On m'avait retiré le garrot en plastique avec lequel on m'avait menotté et on m'avait installé à l'ombre de la guérite. À l'endroit où je l'avais rangée, la Ford rappelait une volaille ébouriffée, les quatre portières au vent, le couvercle du coffre hissé haut ; une roue de secours ainsi qu'un outillage disparate s'amoncelaient sur le côté. Les fouilles n'avaient rien donné ; aucune arme à feu ni un bout de coutelas, pas même une boîte à pharmacie.

Une ambulance attendait à hauteur de la guérite, frappée d'un croissant rouge sur le flanc, les portières ouvertes sur une civière qu'encombrait la dépouille de Souleyman. Ce dernier était recouvert d'un drap d'où émergeaient deux pieds misérables ; celui de droite avait perdu sa chaussure et brandissait des orteils tailladés, bigarrés de sang et de poussière.

Un gradé de la police irakienne s'entretenait avec le ferronnier, un peu à l'écart, tandis qu'un officier américain, arrivé à bord d'une jeep, écoutait le rapport du sergent. Apparemment, tout le monde se rendait compte de la méprise sans pour autant en faire un plat. Des incidents de ce genre étaient monnaie courante, en Irak. Dans la confusion générale, chacun tirait la couverture à lui. L'erreur est humaine, et la fatalité a bon dos.

Le GI noir me tendit sa gourde ; j'ignorais si c'était pour boire ou pour me débarbouiller ; d'une main fiévreuse, je repoussai son offre. Il avait beau s'évertuer à avoir l'air désolé, sa volte-face semblait incompatible avec son tempérament. Une brute reste une brute, même avec le sourire ; c'est dans le regard que l'âme décline sa vraie nature.

Deux infirmiers arabes vinrent me réconforter ; ils s'accroupirent à mes côtés et me tapotèrent les épaules. Leurs mains résonnaient à travers mon être comme des coups de massue. J'avais envie qu'on me fiche la paix ; chaque témoignage de sympathie me ramenait aux sources de mon traumatisme. De temps à autre, un sanglot me rattrapait ; je remuais ciel et terre pour le contenir. J'étais déchiré entre le besoin de conjurer mes démons et celui de les couver. Une lassitude incroyable s'était emparée de moi ; je n'entendais que mon souffle en train de me vider pendant que, dans mes tempes, le battement de mon sang cadençait l'écho des détonations.

Le ferronnier voulut récupérer son mort ; le chef de la police lui expliqua qu'il y avait une procédure administrative à respecter. S'agissant d'un triste accident, un tas de formalités s'imposait. Le corps de Souleyman devait être déposé à la morgue ; il ne serait rendu aux siens qu'une fois l'enquête sur la bavure bouclée.

Une voiture de police nous ramena au village. Je ne saisissais pas tout à fait ce qui se passait. J'étais dans une sorte de bulle évanescente, tantôt suspendu dans le vide, tantôt m'effilochant comme une volute de fumée. Je me rappelais juste l'insoutenable cri de la mère lorsque le ferronnier rentra chez lui. Immédiatement, la foule était là, hagarde, incrédule. Les vieux se tapaient dans les mains, catastrophés ; les jeunes étaient outrés. J'arrivai chez moi dans un état lamentable. Dès que j'eus franchi le seuil du patio, mon père, qui somnolait au pied de son arbre indéfinissable, accusa un soubresaut. Il avait compris qu'un malheur était arrivé. Ma mère n'eut pas le courage de me demander de quoi il retournait. Elle se contenta de porter les mains sur ses joues. Mes autres sœurs accoururent, la marmaille dans les jupons. Dehors, les premiers gémissements se mirent à fuser çà et là, funestes, chargés de colère et de drame. Ma jumelle Bahia me soutint par le bras et m'aida à regagner ma chambre sur les toits. Elle m'allongea sur mon grabat, m'apporta une bassine d'eau, me débarrassa de ma chemise souillée de vomissures et entreprit de me laver au-dessus de la ceinture. Entre-temps, la nouvelle se répandit dans le village, et toute ma famille se dépêcha d'aller consoler celle du ferronnier. Bahia attendit de me mettre au lit avant de s'éclipser à son tour.

Je m'assoupis...

Le lendemain, Bahia revint ouvrir mes fenêtres et me remettre des vêtements propres. Elle me raconta qu'un colonel américain, accompagné d'autorités militaires irakiennes, était venu la veille présenter ses condoléances aux parents endeuillés. Le Doyen l'avait reçu chez lui, mais dans la cour, pour lui signifier qu'il n'était pas le bienvenu. Il ne croyait pas à la version de l'accident et n'admettait pas, non plus, que l'on puisse tirer sur un simple d'esprit, c'est-à-dire sur un être pur et innocent, plus proche du Seigneur que les saints. Des équipes de télévision souhaitèrent couvrir l'événement et proposèrent de consacrer un reportage au ferronnier afin de l'entendre s'exprimer sur cette affaire. Là encore, le Doyen se montra ferme, il refusa catégoriquement que des étrangers troublent le deuil de son village.

4.

Trois jours plus tard, une fourgonnette de chez nous, dépêchée par le Doyen en personne, ramena le corps de Souleyman de la morgue. Ce fut un moment terrible. Jamais les gens de Kafr Karam n'avaient connu une atmosphère semblable. Le Doyen exigea que l'enterrement se déroulât dans la dignité et la stricte intimité. Seule une délégation d'Anciens, relevant d'une tribu alliée, fut tolérée au cimetière. Une fois les funérailles accomplies, chacun retourna dans ses quartiers méditer le sortilège qui avait ravi à Kafr Karam son être le plus pur, qui fut sa mascotte et son pentacle. Le soir, les vieux et les jeunes se réunirent chez le ferronnier et psalmodièrent des versets jusque tard dans la nuit. Mais Yacine et sa bande, qui affichaient ouvertement leur indignation, ne l'entendirent pas de cette oreille ; ils préférèrent se retrouver chez Sayed, le fils de Basheer le Faucon, un jeune homme peu bavard et mystérieux que l'on disait proche de la mouvance intégriste et qu'on soupçonnait d'avoir fréquenté l'école de Peshawar du temps des Taliban. C'était un grand garçon d'une trentaine d'années, au visage ascétique et imberbe, avec juste une minuscule touffe de poils follets sur la lèvre inférieure qui, ajoutée au grain de beauté sur la joue, l'embellissait. Il vivait à Bagdad, et ne rentrait à Kafr Karam qu'en fonction des événements. Il était arrivé la veille, pour assister à l'enterrement de Souleyman... Vers minuit, d'autres garçons insomniaques le rejoignirent. Sayed les reçut avec beaucoup de déférence et les installa dans une grande salle tapissée de nattes en osier et de coussins. Pendant que tout le monde piochait dans les corbeilles pleines de cacahuètes en sirotant du thé, Yacine ne tenait pas en place. On l'aurait cru possédé par le démon. Son regard exacerbé n'arrêtait pas de traquer les nuques basses et de leur chercher noise. Comme personne ne faisait cas de lui, il se retourna carrément contre son plus fidèle compagnon, Salah, le gendre du ferronnier :

— Je t'ai vu pleurer au cimetière.

— C'est vrai, reconnut Salah, ignorant où l'autre voulait en venir.

— Pourquoi ?

— Pourquoi quoi ?

— Pourquoi tu as pleuré ?

Salah fronça les sourcils :

— D'après toi, pourquoi on pleure ?... J'avais du chagrin, voyons. J'ai pleuré parce que la mort de Souleyman m'a fait de la peine. Qu'est-ce qu'il y a de choquant, à pleurer quelqu'un qu'on a aimé ?

— Ça, j'ai compris, insista Yacine. Mais pourquoi les pleurs ?

Salah sentait les choses lui échapper.

— Je ne comprends pas ta question.

— La mort de Souleyman m'a fendu le cœur, dit Yacine. Mais je n'ai pas versé une seule larme. Je n'arrive pas à croire que tu puisses te donner en spectacle de cette façon. Tu as pleuré comme une femme, et ça, c'est inadmissible.

Le mot « femme » ébranla Salah. Ses mâchoires roulèrent dans son visage comme des poulies.

— Les hommes pleurent aussi, fit-il remarquer à son chef de bande. Même le Prophète avait cette faiblesse.

— J'en ai rien à cirer, explosa Yacine. Tu n'avais pas à te conduire comme une *femme*, ajouta-t-il en appuyant sur le dernier vocable.

Salah se leva d'un bloc, scandalisé. Il fixa longtemps Yacine d'un œil blessé avant de ramasser ses sandales et de sortir dans la nuit.

Dans la grande salle, où s'était entassée une vingtaine d'individus, les regards couraient dans tous les sens. Personne ne comprenait quelle mouche avait piqué Yacine, pourquoi il s'était conduit d'une manière aussi abjecte avec le gendre du ferronnier. Un malaise s'installa dans la pièce. Après un long silence, Sayed, le maître de céans, toussota dans son poing. En sa qualité d'hôte, il devait trancher.

Il leva sur Yacine un regard acéré :

— Mon père m'avait raconté une histoire qu'enfant, je n'avais pas bien saisie. À cet âge, j'ignorais que les histoires avaient une morale. C'était l'histoire d'un gros bras égyptien qui régnait en satrape sur les bas quartiers du Caire. Un hercule droit sorti d'une fonderie des temps antiques, aussi dur avec les autres qu'avec lui-même et dont la moustache énorme évoquait les cornes d'un bélier. Je ne me souviens plus de son nom, mais j'ai gardé intacte l'image que je m'étais faite de lui. Une sorte de Robin des faubourgs, aussi prompt à retrousser ses manches qu'à rouler des mécaniques sur la place infestée de portefaix et de montreurs d'ânes.

Lorsqu'il y avait un différend entre voisins, on venait se soumettre à son arbitrage. Ses décisions étaient sans appel. Mais le gros bras n'avait pas la langue dans la poche. Il était vaniteux, aussi irascible qu'exigeant ; comme personne ne contestait son autorité, il s'était autoproclamé roi des laissés-pour-compte et hurlait sur les toits que personne au monde n'était en mesure de le regarder droit dans les yeux. Ses propos ne tombèrent pas dans l'oreille d'un sourd. Un soir, le chef de la police le convoqua au poste. Nul ne sait ce qu'il s'était passé, cette nuit-là. Le lendemain, c'est un gros bras méconnaissable qui retourna chez lui, la nuque basse, les yeux fuyants. Il ne portait ni blessures ni traces de coups, mais une évidente marque de l'infamie sur les épaules soudain tombantes. Il s'était enfermé dans son taudis jusqu'à ce que les voisins se mettent à se plaindre d'une forte odeur de décomposition. Quand on a défoncé la porte, on a trouvé le gros bras étendu sur sa paillasse, mort depuis plusieurs jours. Plus tard, un flic avait laissé entendre que lorsque le gros bras s'était trouvé en face du chef de la police, et sans que ce dernier lui reproche quoi que ce soit, il s'était jeté à ses pieds pour implorer son pardon. Il ne s'en était jamais relevé.

— Et alors ? dit Yacine à l'affût des insinuations.

Sayed ébaucha un petit sourire narquois :

— Mon père a arrêté là l'histoire.

— C'est du n'importe quoi, grommela Yacine conscient de ses limites lorsqu'il s'agissait de déchiffrer les insinuations.

— C'est ce que j'ai pensé, au début. Avec le temps, j'ai essayé de trouver une morale à cette histoire.

— Je peux la connaître ?

— Non. C'est ma morale à moi. À toi de lui en trouver une à ta convenance.

Sur ce, Sayed se leva et rejoignit sa chambre qui se trouvait à l'étage.

Les convives comprirent que la soirée était finie. Ils ramassèrent leurs sandales et quittèrent la demeure. Ne restèrent dans la pièce que Yacine et sa « garde prétorienne ».

Yacine était hors de lui ; il s'estimait floué, dévalorisé devant ses hommes. Pas question, pour lui, de rentrer sans tirer au clair cette histoire. De la tête, il congédia ses compagnons et monta cogner à la porte de Sayed.

— J'ai pas compris, dit-il à ce dernier.

— Salah non plus n'avait pas compris où tu voulais en venir, lui dit Sayed sur le palier.

— J'avais l'air naze avec ton conte à la con. Je parie que tu l'as inventé et qu'il n'a pas plus de morale qu'une sottise.

— C'est toi qui cumules les sottises, Yacine. Et tu te conduis exactement comme ce gros bras cairote...

— Alors, éclaire ma lanterne si tu ne tiens pas à ce que je foute le feu à ton gourbi. Je déteste que l'on me prenne de haut, et je ne permettrai à personne, je dis bien à *personne*, de me faire tourner en bourrique. Je n'ai peut-être pas suffisamment d'instruction, mais de l'orgueil j'en ai à revendre.

Sayed n'était pas intimidé. Bien au contraire, son sourire s'accentuait au fur et à mesure que Yacine prenait la mouche.

Il lui dit, sur un ton monocorde :

— Qui se nourrit de la lâcheté des autres, engrosse la sienne ; tôt ou tard, elle finira par lui bouffer les tripes, puis l'âme. Depuis quelque temps tu te conduis en tyran, Yacine. Tu bouscules l'ordre des choses, ne respectes plus la hiérarchie tribale ; tu t'insurges contre tes aînés, vexes tes proches, aimes à les humilier en public ; tu hausses le ton pour un oui ou pour un non, si bien qu'au village, on n'entend plus que toi.

— Pourquoi veux-tu que je sois aux petits soins avec ces bons à rien ?

— Tu te conduis exactement comme eux. S'ils regardent leur nombril, tu regardes tes biceps. C'est du pareil au même. Personne n'a rien à envier et rien à reprocher à personne, à Kafr Karam.

— Je t'interdis de m'associer à ces crétins. Je ne suis pas un lâche.

— Prouve-le... Vas-y, qu'est-ce qui t'empêche de passer à l'acte ? Depuis des lustres, des Irakiens croisent le fer avec l'ennemi. Nos villes s'émiettent tous les jours à coups de voitures piégées, d'embuscades et de bombardements. Les prisons sont pleines de nos frères, et nos cimetières sont saturés. Et toi, tu te dresses sur tes ergots, dans ton village perdu ; tu cries sur les toits ta haine et ton indignation et, une fois vidé de ton fiel, tu rentres chez toi et tu éteins. Trop facile... Si tu penses ce que tu dis, joins le geste à la parole et rentre-leur dedans, à ces fumiers d'Américains. Sinon, mets de l'eau dans ton vin et lève le pied.

D'après ma jumelle Bahia – elle tenait l'histoire de la bouche même de la sœur de Sayed qui avait suivi la confrontation en écoutant à la porte –, Yacine s'était retiré petitement sans ajouter un traître mot.

Son cadavre sur les bras, Kafr Karam s'empêtrait dans ses faux-fuyants. La mort de Souleyman la déboussolait. Elle ne savait quoi en faire. Son dernier fait d'armes remontait à la guerre contre l'Iran, il y avait une génération ; huit de ses enfants étaient revenus du front dans des cercueils plombés qu'on n'était même pas autorisé à ouvrir. Qu'avait-on enterré, à l'époque ? Des planches, des patriotes ou une part de sa dignité ? Avec Souleyman, c'était une autre paire de manches. Il s'agissait d'un horrible et vulgaire accident, et les gens n'arrivaient pas à se décider : Souleyman était-il un martyr ou un pauvre bougre qui s'était trouvé au mauvais endroit au mauvais moment ?... Les Anciens appelaient à l'apaisement. Nul n'est infaillible, disaient-ils. Le colonel américain était sincèrement désolé. Son unique tort : il n'aurait pas dû parler d'argent au ferronnier. À Kafr Karam, on ne parle jamais d'argent à quelqu'un qui porte le deuil. Aucune compensation ne pourrait minimiser le chagrin d'un père effondré sur la tombe de son enfant – sans l'intervention de Doc Jabir, cette histoire d'indemnisation aurait viré à l'affrontement.

Les semaines passèrent, et, petit à petit, le village recouvra son âme grégaire et ses routines. Ce qui est fait est fait. Certes, la mort violente d'un simple d'esprit suscite plus de colère que de chagrin. Hélas ! on ne change pas le cours des choses. Par souci d'équité, Dieu n'aide pas Ses saints ; le diable seul prend soin de ses suppôts.

En bon croyant, le ferronnier se rangea du côté de la fatalité. On le vit, un matin, décadenasser son atelier et reprendre son chalumeau.

Les débats reprirent chez le barbier, et les jeunes retournèrent au *Safir* lapider le temps à coups de dominos quand les parties de cartes s'essoufflaient.

Sayed, le fils de Basheer le Faucon, ne resta pas longtemps parmi nous. Ses affaires le rappelèrent d'urgence en ville. Quelles affaires ? Personne ne le savait. Cependant, son passage éclair à Kafr Karam avait marqué les esprits ; son franc-parler avait séduit les jeunes, et son charisme avait forcé le respect et des grands et des petits. Plus tard, nos chemins se croiseront. Ce sera lui qui m'élèvera dans ma propre estime ; il m'initiera aux règles élémentaires de la guérilla et m'ouvrira toutes grandes les portes du Sacrifice suprême.

Sayed parti, Yacine et sa bande réinvestirent la place, renfrognés et agressifs, raison pour laquelle Omar le Caporal ne traînait plus dans les rues. Devenu l'ombre de lui-même depuis l'incident au café, le déserteur passait le plus clair de son temps reclus dans son gourbi. Quand il était contraint de mettre le nez dehors, il traversait le village en coup de vent pour aller cuver sa honte loin des provocations et ne rentrait qu'à la tombée de la nuit, généralement à quatre pattes. Souvent, des galopins le surprenaient en train de se soûler la gueule au fond du cimetière ou bien plongé dans un coma éthylique, les bras en croix, la chemise ouverte sur son ventre de cachalot... Puis, sans bruit, il disparut de la circulation.

Après l'enterrement de Souleyman, auquel je n'avais pas assisté, j'étais resté chez moi. Les souvenirs de la bavure me tourmentaient sans relâche. Dès que je m'endormais, les cris du GI noir me sautaient dessus. Je rêvais de Souleyman en train de courir, l'échine roide, les bras ballants, le corps penché tantôt d'un côté, tantôt de l'autre. Une multitude de minuscules geysers giclait dans son dos. Au moment où sa tête explosait, je me réveillais en hurlant. Bahia se tenait à mon chevet, une casserole pleine de compresses gorgées d'eau. « Ce n'est rien, me disait-elle. Je suis là. Ce n'est qu'un cauchemar... »

Mon cousin Kadem me rendit visite un après-midi. Il s'était enfin décidé à se dissocier de son muret. Il m'apporta des cassettes audio. La première fois, il était gêné. Il avait le sentiment d'abuser de la situation. Il me demanda si la paire de souliers, qu'il m'avait offerte, était de ma pointure, histoire de détendre l'atmosphère. Je lui répondis qu'elle était toujours dans sa boîte.

— Elle est neuve, tu sais ?

— Je sais, lui dis-je. Je sais surtout ce qu'elle représente pour toi. Ton geste m'a profondément touché, merci.

Il me recommanda de ne pas trop m'oublier dans ma chambre si je tenais à remonter la pente. Bahia était de son avis. Il me fallait vaincre le choc et reprendre une vie normale. Moi, je ne tenais pas à sortir dans la rue ; j'avais peur que l'on me demandât de raconter dans le détail ce qui s'était passé au check point, et cette idée de remuer le couteau dans la plaie m'épouvantait. Kadem n'était pas d'accord. « Tu n'as qu'à les envoyer valdinguer », me dit-il.

Il continua de me rendre visite, et nous passâmes des heures à parler de tout et de rien. Ce fut grâce à lui qu'un soir je pris mon courage à deux mains et sortis de ma tanière. Kadem me proposa de nous dégourdir les jambes loin du village. À mi-chemin entre Kafr Karam et les vergers des Haïtem, le plateau s'affaissait subitement, et une vaste échancrure écartelait la vallée sur des kilomètres, le lit jalonné de petits monticules de grès et d'arbustes épineux. Le vent, à cet endroit, se découvrait un talent de baryton.

Il faisait beau et, malgré un voile de poussière suspendu à l'horizon, nous assistâmes à un superbe coucher de soleil.

Kadem me passa alors les écouteurs de son baladeur. Je reconnus Faïrouz, la diva du Liban.

— Est-ce que tu sais que j'ai repris mon luth ? me confia-t-il.

— Ça, c'est une excellente nouvelle.

— Je compose quelque chose en ce moment. Je te ferai écouter une fois que j'aurai fini.

— Une chanson d'amour ?

— Toutes les chansons arabes le sont, me dit-il. Si l'Occident pouvait comprendre notre musique, s'il pouvait seulement nous écouter chanter, percevoir notre pouls à travers celui de nos cithares, notre âme à travers celle de nos violons – s'il pouvait, ne serait-ce que l'espace d'un prélude, accéder à la voix de Sabah Fakhri, ou de Wadï Es-Safi, au souffle éternel d'Abdelwaheb, à l'appel langoureux d'Ismahane, à l'octave supérieure d'Oum Kalsoum ; s'il pouvait communier avec notre univers, je crois qu'il renoncerait à sa technologie de pointe, à ses satellites et à ses armadas pour nous suivre jusqu'au bout de notre art...

J'étais bien, avec Kadem. Il savait trouver des mots apaisants, et sa voix inspirée m'aidait à relever la tête. J'étais soulagé de le voir renaître. C'était un garçon magnifique ; il ne méritait pas de se délabrer au pied d'un muret.

— J'étais à deux doigts de sombrer, m'avoua-t-il. Depuis des mois et des mois, ma tête ressemblait à une urne funéraire ; sa cendre obscurcissait ma vision des choses, me sortait des narines et des oreilles. Je ne voyais pas le bout du tunnel. Puis, la mort de Souleyman m'a ressuscité. Comme ça, ajouta-t-il en claquant des doigts. Ça m'a ouvert les yeux. Je ne veux pas finir sans avoir vécu. Jusque-là, je n'ai fait que subir. Comme Souleyman, je ne comprenais pas grand-chose à ce qui m'arrivait. Mais pas question de finir comme lui. La première question qui m'est venue à l'esprit à l'annonce de sa mort a été : Quoi ? Souleyman est mort ? Pourquoi ? A-t-il vraiment existé ?... Et c'est vrai, cousin. Ce pauvre bougre avait ton âge. On le voyait tous les jours dans la rue, à errer dans son univers à lui. Des fois à courir derrière ses visions. Et pourtant, maintenant qu'il n'est plus, je me demande s'il a vraiment existé... De retour du cimetière, alors que je me dirigeais machinalement vers mon muret, je me suis surpris en train de rentrer chez moi. Je suis monté dans ma chambre, j'ai ouvert le coffre serti de cuivre qui évoquait un sarcophage au fond du débarras, sorti mon luth de son étui et... je t'assure, sans même l'accorder, je me suis mis aussitôt à improviser. J'étais comme emporté, ensorcelé.

— Je crève d'envie de t'entendre.

— Il reste juste quelques petites retouches à mettre au point.

— Et tu l'as appelé comment, ton morceau ?

Il me regarda dans les yeux.

— Je suis superstitieux, cousin. Je n'aime pas parler des choses que je n'ai pas encore achevées. Mais, pour toi, je ferai une exception, à condition que tu la gardes pour toi.

— C'est promis.

Ses yeux se mirent à luire dans l'obscurité quand il me confia :

— Je l'ai intitulé *Les Sirènes de Bagdad.*

— Celles qui chantent ou bien celles des ambulances ?

— C'est à chacun de voir.

5.

À Kafr Karam, la vie reprenait son cours, creuse comme le jeûne.

Quand on n'a rien, on fait avec – question de mentalité.

Les hommes ne sont que de furtives prouesses, de longanimes supplices, des Sisyphe innés, pathétiques et bornés ; ils ont la vocation de subir jusqu'à ce que mort s'ensuive.

Les jours passaient leur chemin, semblables à une caravane fantôme. Ils surgissaient de nulle part, au petit matin, sans grâce ni panache, et disparaissaient le soir, subrepticement, happés par les ténèbres. Cependant, les enfants continuaient de naître, et la mort de veiller à l'équilibre des choses. À soixante-treize ans, notre voisin était devenu papa pour la dix-septième fois, et mon grand-oncle s'était éteint sur son lit de vieillesse, entouré des siens. Telle est la *sunna* de l'existence. Ce que le vent du désert emporte, la mémoire le restitue ; ce que les tempêtes de sable effacent, nous le retraçons de nos mains.

Khaled Taxi avait accordé la main de sa fille aux Haïtem, dont les vergers se trouvaient à quelques encablures du village. Ce fut une première. Certains avaient même crié à la farce. D'habitude, les Haïtem, gens aisés et taciturnes, choisissaient leurs brus dans la ville, auprès des familles émancipées, sachant se tenir à table et recevoir le beau monde. Qu'ils se tournent subitement vers nous, il y avait de quoi en désarçonner plus d'un... Ce retour aux sources était de bon augure. Depuis le temps qu'ils nous snobaient, on n'allait pas faire la fine bouche maintenant que l'un de leurs rejetons s'était épris d'une vierge de chez nous. De toutes les façons, un mariage en perspective, pauvre ou pas, valait le détour. Enfin un événement heureux qui promettait de nous venger d'un quotidien insipide, récurrent, mortel de nullité !...

Au *Safir*, il y avait du nouveau. Le troquet s'était doté d'un téléviseur et d'une antenne parabolique – un don de Sayed, le fils de Basheer le Faucon, « pour que les jeunes de Kafr Karam ne perdent pas de vue la réalité tragique de leur pays ». Du jour au lendemain, le café borgne s'était transformé en un véritable réfectoire pour troufions instables. Majed le cafetier s'en arrachait les cheveux. Déjà son commerce tirait la langue ; si, en plus, les clients devaient s'amener avec leurs casse-croûte gargantuesques et leurs paquetages, c'était carrément la fin des haricots. Les clients ne se gênaient pas. Dès l'aube, sans se donner la peine de se débarbouiller la figure, ils venaient frapper à sa porte pour qu'il leur ouvre le café ; à croire qu'ils campaient dans la rue. Une fois la télé allumée, on zappait sur l'ensemble des chaînes pour prendre le pouls de l'humanité, ensuite on se branchait sur Al Jazeera et on ne bougeait plus. À midi, l'estaminet pullulait de jeunes surexcités. Les commentaires et les invectives battaient leur plein. À chaque fois que la caméra soulevait un pan du drame national, les protestations et les appels au meurtre ébranlaient le quartier. On huait les partisans de la guerre préventive, on applaudissait les anti-Yankees, on sifflait les députés stipendiés traités d'opportunistes et de valetaille de Bush... Aux premières loges, Yacine et sa bande faisaient figure d'invités de choix. Même lorsqu'ils arrivaient en retard, ils trouvaient leurs sièges vacants. Derrière eux, deux ou trois rangées de sympathisants. Au fond de la salle, le menu fretin. Le cafetier ne savait où donner de la tête. Les joues dans le creux de ses paumes et son thermos négligé au bout du comptoir, il fixait d'un œil affligé la troupe oiseuse en train de bousiller ses meubles dans un tohu-bohu ahurissant.

Les premiers jours, mon cousin Kadem et moi allions au *Safir*. Cela nous changeait un peu les idées. Parfois, au détour d'une remarque anecdotique, les rires cassaient la baraque, et il n'y avait pas mieux qu'une réflexion décalée pour nous remettre d'aplomb. Et voir tous ces damnés au regard vide se désopiler la rate, parce que l'un des leurs avait gaffé, c'était une thérapie d'une insoupçonnable efficacité. Mais les drôleries, à la longue, exacerbent les mœurs, et il arrivait souvent qu'un plaisantin l'apprenne à ses dépens. Les marioles, qui sautaient sur n'importe quelle occasion pour amuser la galerie, commençaient à taper sur le système. Comme il fallait s'y attendre, Yacine dut remettre les pendules à l'heure.

La nuit était tombée depuis un bon bout de temps, et on suivait les informations sur Al Jazeera. Le présentateur du JT nous emmenait du côté de Fellouja où des batailles opposaient l'armée irakienne, renforcée par les troupes américaines, à la résistance populaire. La ville assiégée s'était juré de rendre l'âme plutôt que de déposer les armes. Défigurée, enfumée, elle se battait avec une touchante pugnacité. On parlait de centaines de morts, en majorité des femmes et des enfants. Dans le café, un silence sépulcral taraudait les cœurs. On assistait, impuissants, à une véritable boucherie ; d'un côté des soldats suréquipés, appuyés par des chars, des drones et des hélicos, de l'autre une populace livrée à elle-même, prise en otage par une cohorte de « rebelles » déguenillés et affamés qui détalaient tous azimuts, armés de fusils et de lance-roquettes crasseux... Ce fut alors qu'un jeune barbu s'écria :

— Ces mécréants d'Américains ne l'emporteront pas au paradis. Dieu renversera le ciel sur leurs têtes. Pas un GI ne quittera l'Irak en entier. Ils peuvent toujours plastronner, ils finiront comme ces armées impies de naguère qui furent réduites en chair à saucisse par les oiseaux d'Ababill. Dieu leur enverra les oiseaux d'Ababill.

— Foutaises !

Le barbu se raidit, la pomme d'Adam en travers de la gorge.

Il se retourna vers le « blasphémateur ».

— Qu'est-ce que tu as dit ?

— Tu as très bien entendu.

Le barbu en était abasourdi. Sa figure congestionnée tressautait de colère.

— Tu as dit foutaises ?

— Ouais, foutaises ! C'est exactement ce que j'ai dit : foutaises. Pas une syllabe de moins, et pas une syllabe de plus : fou-tai-ses. Ça te pose un problème ?

Toute la salle avait tourné le dos à la télé pour voir où les deux jeunes hommes voulaient en venir.

— Te rends-tu compte de ce que tu es en train de dire, Malik ? s'étouffa le barbu.

— Apparemment, c'est toi qui débites des âneries, Haroun.

Un remous parcourut la salle.

Yacine et sa bande suivaient avec intérêt ce qui se passait au fond de la salle. Haroun le barbu semblait sur le point de succomber à une apoplexie tant l'insolence blasphématoire de Malik dépassait les bornes.

— Je parlais des oiseaux d'Ababill, voyons, gémit le barbu. Il s'agit d'un important chapitre coranique.

— Je ne vois pas le rapport avec ce qui se passe à Fellouja, dit Malik, intraitable. Ce que je vois, sur cet écran, c'est une ville assiégée, des musulmans sous les décombres, des rescapés à la merci d'une roquette ou d'un missile, et, tout autour, des brutes sans foi ni loi en train de nous marcher dessus dans notre propre pays. Et toi, tu nous parles des oiseaux d'Ababill. Tu mesures un peu le ridicule ?

— Tais-toi, le supplia Haroun. Le diable est en toi.

— C'est ça, ricana Malik avec dédain. Dès que tu perds pied, tu fais porter le chapeau au diable. Réveille-toi, Haroun. Les oiseaux d'Ababill sont morts avec les dinosaures. Nous sommes à l'aube du troisième millénaire, et des salopards venus d'ailleurs sont en train de nous traîner dans la boue tous les jours que Dieu fait. L'Irak est occupé, monsieur. Regarde un peu la télé. Qu'est-ce qu'elle te raconte, la télé ? Qu'est-ce que tu vois, là, sous ton nez, pendant que tu lisses doctement ta barbe ? Des impies sont en train d'assujettir des musulmans, d'avilir leurs notables et de jeter leurs héros dans des cages aux folles où des poufiasses en treillis leur tirent les oreilles et les testicules en se faisant photographier pour la postérité... Qu'est-ce qu'il attend, Dieu, pour leur rentrer dedans ? Depuis le temps qu'ils le narguent chez Lui, dans Ses temples sacrés et dans le cœur de Ses fidèles. Pourquoi ne bouge-t-Il pas le petit doigt pendant que ces fumiers bombardent nos souks et nos fêtes, abattent nos gens comme des chiens à chaque coin de rue ? Où sont donc passés Ses oiseaux d'Ababill qui réduisirent en pâture les armadas ennemies de naguère fonçant sur les terres bénies à dos d'éléphant ? Je reviens de Bagdad, mon cher Haroun. Je t'épargne les détails. Nous sommes seuls au monde. Nous ne devons compter que sur nous-mêmes. Aucun renfort ne nous viendra du ciel, aucun miracle ne nous tendra la perche... Dieu a d'autres chats à fouetter. La nuit, quand je retiens mon souffle au fond de mon lit, je ne L'entends même pas respirer. La nuit, toute la nuit, leur appartient. Et le jour, lorsque je lève les yeux au ciel pour L'implorer, je ne vois que leurs hélicos – leurs oiseaux d'Ababill à eux – qui nous ensevelissent sous leurs fientes incendiaires.

— Il n'y a plus de doute : tu as vendu ton âme au diable.

— Je la lui offrirais sur un plateau d'argent qu'il n'en voudrait pas.

— *Astaghfirou Llah.*

— C'est ça... Pour l'instant les GI profanent nos mosquées, molestent nos saints et mettent nos prières dans des bouteilles comme des mouches. Qu'est-ce qu'il Lui faut de plus pour le faire sortir de Ses gonds, *ton* Dieu ?

— Tu t'attendais à quoi, crétin ? tonna Yacine.

Tous les regards se déportèrent sur Yacine.

Ce dernier posa ses mains sur ses hanches et dévisagea le blasphémateur avec mépris.

— Tu t'attendais à quoi, grande gueule ? Hein ?... Que le Seigneur s'amène sur son cheval blanc, burnous au vent, pour croiser le fer avec ces avortons ?... *Nous sommes Sa colère*, fulmina-t-il.

Son cri fit l'effet d'une déflagration dans le café. On entendit juste quelques gosiers déglutir.

Malik essaya de soutenir le regard de Yacine, mais ne put empêcher ses pommettes de tressaillir.

Yacine se frappa la poitrine avec le plat de la main :

— Nous sommes la colère de Dieu, dit-il sur un ton caverneux, nous sommes Ses oiseaux d'Ababill... Ses foudres et Ses coups de gueule. Et nous allons foutre en l'air ces salopards de Yankees ; nous allons leur marcher dessus jusqu'à ce que leur merde leur sorte par les oreilles, jusqu'à ce que leurs calculs leur giclent par le trou du cul... C'est clair ? Est-ce que tu as compris ? Est-ce que tu as compris où est la colère de Dieu, p'tit con ? Elle est là, elle est en nous. Nous allons reconduire ces démons en enfer, un à un, jusqu'au dernier. C'est aussi vrai que le jour se lève à l'est...

Yacine traversa la salle pendant qu'on lui cédait fébrilement le passage. Ses yeux dévoraient le blasphémateur. Son souffle rappelait celui d'un python progressant inexorablement sur sa proie.

Il s'arrêta devant Malik, nez contre nez, plissa les paupières pour concentrer les feux de son regard :

— Si jamais je t'entends douter une seule fraction de seconde de notre victoire sur ces chiens enragés, je jure devant Dieu et les gars qui sont réunis ici que je t'arracherai le cœur de ma main nue.

Kadem me tira par un bout de ma chemise et, de la tête, me fit signe de le suivre dehors.

— Il y a de l'électricité dans l'air, me dit-il.

— Yacine s'est grillé un fusible. Dix camisoles de force ne le retiendraient pas.

Kadem me tendit son paquet de cigarettes.

— Non, merci.

— Mais si, insista-t-il. Ça va te changer de l'air du temps.

En cédant, je m'aperçus que ma main tremblait.

— Il me fout les jetons, avouai-je.

Kadem m'offrit le feu de son briquet avant d'allumer sa cigarette. Il renversa la tête en arrière et souffla sa fumée dans la brise.

— Yacine est un tocard, dit-il. À ma connaissance, rien ne l'empêche de sauter dans un autocar et d'aller guerroyer à Bagdad. À la longue, son numéro va finir par lasser, sinon par lui attirer de sérieux ennuis... On va chez moi ?

— Pourquoi pas ?

Kadem habitait une petite maison en pierres, au dos de la mosquée. Chez ses parents, un couple de vieillards valétudinaires. Il me fit monter dans sa chambre, au premier. La pièce était grande et bien éclairée. Il y avait un lit à deux places cerné de carpettes, une chaîne stéréo *made in* Taïwan qui paraissait naine au milieu de deux grosses enceintes acoustiques, une commode flanquée d'une glace ovale, et une chaise rembourrée.

Dans l'encoignure près de la porte, érigé sur une toison de bélier battue en neige, un luth... *Le* luth – le roi des orchestres orientaux, le plus noble et le plus mythique des instruments de musique, celui-là même qui élevait ses virtuoses au rang de divinités et qui transformait en olympes d'interlopes tripots. Je connaissais l'histoire rocambolesque de ce luth, fabriqué par le grand-père de Kadem en personne, un musicien hors pair qui fit le bonheur des Cairotes dans les années 1940, avant de conquérir Beyrouth, Damas, Amman et de devenir une légende vivante du Machrek au Maghreb. Le grand-père de Kadem avait joué pour les princes et les sultans, les raïs et les tyrans, ensorcelé femmes et enfants, maîtresses et amants. On racontait qu'il fut la cause d'innombrables conflits conjugaux dans les milieux huppés arabes. D'ailleurs, ce fut un capitaine jaloux qui lui logea cinq balles dans le buffet, à Alexandrie, alors qu'il se produisait sous les lumières tamisécs du *Cléopâtre*, lc club le plus branché de l'époque, vers la fin des années 1950...

En face du luth, comme pour se livrer à un permanent trafic d'influence, un cadre sculpté trônait sur la table de chevet, exposant la photo de Faten, la première épouse de mon cousin.

— Elle était belle, n'est-ce pas ? dit Kadem en accrochant sa veste à un clou.

— Elle était très belle, reconnus-je.

— Ce cadre n'a jamais bougé de sa place. Même ma deuxième épouse l'a laissé où elle l'a trouvé. Ça la gênait, c'est sûr, mais elle s'était montrée compréhensive. Une seule fois, la première semaine de notre mariage, elle avait tendu la main sur lui pour le retourner. Elle n'osait pas se déshabiller avec ce regard immense posé sur elle. Puis, petit à petit, elle avait appris à cohabiter avec... Thé ou café ?

— Thé.

— Je descends t'en chercher.

Il déboula l'escalier d'une traite.

Je m'approchai du cadre. La jeune mariée souriait, les yeux aussi grands que la fête derrière elle. Son visage radieux supplantait l'ensemble des lampions alentour. Je me rappelle, lorsque, adolescente, elle sortait avec sa mère faire des courses, on se dépêchait de faire le tour des maisons pour la regarder passer. Elle était sublime.

Kadem revint avec un plateau. Il posa la théière sur la commode et entreprit de nous verser deux verres de thé fumant.

— Je l'avais aimée dès que je l'avais vue, me surprit-il. (À Kafr Karam on ne parlait jamais de ces choses-là.) Je n'avais pas sept ans. Et à cet âge sans réelle anticipation, je savais que nous étions faits l'un pour l'autre.

Il poussa un verre dans ma direction, les yeux débordants d'évocations splendides. Il était sur un nuage, le sourire vaste, les sourcils défroncés.

— À chaque fois que j'entendais jouer du luth, je pensais à elle. Je crois bien que j'ai voulu devenir musicien juste pour la chanter. C'était une fille épatante, généreuse et d'une humilité !... Avec elle à mes côtés, je n'avais besoin de rien d'autre. Elle était plus que tout ce que je pouvais espérer.

Une larme menaça de lui rouler sur les cils ; il se détourna aussitôt et feignit d'ajuster le couvercle de la théière.

— Bon, fit-il, et si on mettait un peu de musique ?

— Excellente idée, l'approuvai-je, soulagé.

Il farfouilla dans un tiroir et en sortit une cassette audio qu'il glissa dans la chaîne stéréo.

— Écoute-moi ça...

C'était de nouveau Faïrouz, la diva du monde arabe, interprétant son impérissable *Passe-moi la flûte.*

Kadem s'étendit sur son lit, croisa les pieds et, le verre de thé au poing, il s'exclama :

— Purée !... Aucun ange ne lui arriverait à la cheville. Ce n'est pas une sirène qui chante, c'est le souffle cosmique qui se délecte de son éternité...

Il se hissa sur un coude pour me dévisager. Son regard me traversait de part et d'autre, comme si j'étais transparent.

Il écouta encore et encore, dans un état extatique :— Tu te rends compte !... Si je devais mettre une voix sur la Rédemption, ce serait celle de Faïrouz... Et l'entendre comme je l'entends à cet instant précis, savourer sa voix jusque dans ses moindres frémissements, c'est vouloir, en même temps, vivre mille ans et mourir sur-le-champ...

Nous écoutâmes la cassette jusqu'au bout, chacun dans son petit univers, semblables à deux mioches perdus dans leurs songes. Les bruits de la rue et le piaillement des marmots ne nous atteignaient pas. Nous voltigions parmi les volutes des violons, loin, très loin de Kafr Karam, de Yacine et de ses excès. Le soleil nous inondait de ses bienfaits, nous couvrait d'or. Dans son cadre, la défunte nous souriait. Un moment, je crus la voir bouger sous sa *bière.*

Kadem se roula un joint et téta dedans avec délectation. Il riait silencieusement, parfois en cadençant d'une main languissante le souffle inaltérable de la cantatrice. Au détour d'un refrain, il se mit à chanter, lui aussi, la poitrine palpitante ; il avait une voix magnifique.

— Quand me feras-tu entendre *Les Sirènes de Bagdad* ?

Il souleva un sourcil et me pointa du doigt :

— Tu ne lâches pas prise, toi.

— Tu m'avais promis.

Il se renversa sur un coude et me dit :

— Je te ferai écouter le temps venu.

La cassette finie, il en enclencha une autre, puis une autre, des anciennes chansons d'Abdelhalim Hafez à celles d'Abdelwaheb, en passant par Ayam Younes, Najat et d'autres gloires éternelles du *tarab el arabi*.

La nuit nous surprit complètement soûls de joints et de chants.

La télé que Sayed avait offerte aux désœuvrés de Kafr Karam se révéla être un cadeau empoisonné. Elle n'apporta au village que tapage et discorde. Beaucoup de familles disposaient d'une télé. Mais, à la maison, avec le père sur son trône et l'aîné à sa droite, on gardait ses commentaires pour soi. Au café, cela se passait différemment. On pouvait conspuer, débattre à bâtons rompus et changer d'avis au gré des sautes d'humeur. Sayed avait frappé dans le mille. La haine étant aussi contagieuse que le rire, les débats dérapaient, creusant le fossé entre ceux qui étaient au *Safir* pour se divertir et ceux qui s'amenaient pour « s'instruire », et ce furent ces derniers qui imposèrent leur façon de voir. On se mit à suivre pas à pas, tous ensemble, le malheur national. Les sièges de Falloudja, de Bassorah et les raids sanglants sur les autres villes du pays brassaient large. Les attentats horrifiaient un instant, enthousiasmaient le plus souvent. On ovationnait les embuscades réussies, on déplorait les escarmouches qui avaient mal tourné. La capture de Saddam enchanta l'assistance, dans un premier temps, avant de la frustrer : le raïs piégé comme un rat, méconnaissable avec sa barbe de clodo et son regard hébété, exposé triomphalement et sans vergogne aux caméras de la planète était, aux yeux de Yacine, le plus grave affront fait aux Irakiens. C'est un monstre, lui rappelait-on. Ouais, mais un monstre de chez nous, rétorquait Yacine ; en l'humiliant de cette façon, on jetait l'opprobre sur les Arabes du monde entier.

On ne savait plus par quel bout prendre les événements, quel attentat était une prouesse et quel autre relevait de la lâcheté. Ce qui était vilipendé la veille se retrouvait encensé le lendemain. Les avis s'entrechoquaient dans d'invraisemblables surenchères, et il devenait de plus en plus fréquent d'en venir aux mains.

La situation dégénérait, et les Anciens refusaient d'intervenir publiquement – chacun préférant briefer son garnement chez lui, à la maison. Kafr Karam subissait les plus graves malentendus de son histoire. Les silences et soumissions cumulées à travers les âges et les régimes despotiques remontaient à la surface, pareils aux cadavres enfouis dans la vase du fleuve et qui, las de croupir au fond des eaux troubles, remontent en surface choquer les vivants...

Yacine et sa bande – les jumeaux Hassan et Hossein, Salah le gendre du ferronnier, Adel et Bilal le fils du barbier – disparurent, et le village connut une relative quiétude.

Trois semaines plus tard, la station de pompage désaffectée, qui se délabrait à une vingtaine de kilomètres de Kafr Karam, fut incendiée par des inconnus. On rapporta qu'une patrouille de police irakienne aurait été attaquée et qu'il y aurait eu des morts parmi les forces de l'ordre, deux véhicules détruits et des fusils emportés par les agresseurs. La rumeur se chargea d'élever l'embuscade au rang de fait d'armes et, dans les rues, on se mit à parler de groupes furtifs entrevus çà et là à la faveur de la nuit, jamais suffisamment approchés pour être identifiés ou capturés. Un climat de tension tint les esprits en alerte. Tous les jours, on attendait des nouvelles du « front » qui venait, supposait-on, de jeter les amarres dans les parages.

Un soir, pour la première fois depuis l'occupation du pays par les troupes américaines et leurs alliés, un hélicoptère militaire survola à trois reprises le secteur. Il n'y avait plus de doute désormais ; il se passait des choses dans la région.

Au village, on se prépara au pire.

Dix, vingt jours... Un mois... Rien à l'horizon, ni convoi ni mouvements suspects.

Comme aucune descente musclée ne cibla le village, les gens décompressèrent ; les Anciens reprirent leurs antiennes chez le barbier, les jeunes leur chahut au *Safir*, et le désert retrouva sa nudité rasante et son infinie platitude.

Tout sembla rentrer dans l'ordre.

6.

Khaled Taxi était sur son trente et un. Des lunettes de soleil à deux sous sur la figure, les cheveux oints rejetés en arrière, il se pavanait dans la rue en jetant des coups d'œil impatients sur sa montre. Malgré la canicule, il était engoncé dans un costume trois-pièces qui avait connu de beaux jours dans une vie antérieure. Une cravate clownesque s'étalait sur son ventre, d'un jaune criard vergeté de marron. De temps à autre, il sortait un minuscule peigne de la poche intérieure de sa veste et le passait dans sa moustache.

— Ils arrivent ? lançait-il vers la terrasse où son fils de quatorze ans se tenait en faction.

— Pas encore, lui répondait le garçon, la main en visière alors qu'il avait le soleil dans le dos.

— Qu'est-ce qu'ils fichent ? J'espère qu'ils n'ont pas changé d'avis.

Le garçon se hissait sur la pointe des pieds et se remettait à scruter le lointain pour montrer à son père combien il veillait au grain.

Les Haïtem se faisaient attendre. Ils avaient une heure de retard et aucune poussière ne se manifestait au milieu de leurs vergers. Le cortège en partance de

Kafr Karam était prêt. Cinq voitures astiquées et enrubannées attendaient en face du patio de la mariée, les portières ouvertes à cause de la fournaise. Un homme les surveillait, repoussant d'un geste exaspéré les mioches qui gravitaient autour.

Pour la énième fois, Khaled Taxi consulta sa montre. À bout, il rejoignit son gosse sur la terrasse.

Les Haïtem n'avaient pas invité beaucoup de monde, à Kafr Karam. Ils avaient imposé une liste assez courte de gens triés sur le volet sur laquelle figuraient le Doyen et ses femmes, Doc Jabir et sa famille, Basheer le Faucon et ses filles et cinq ou six autres notables. Mon père n'eut pas droit aux honneurs. Puisatier attitré des Haïtem trente ans durant – il avait creusé l'ensemble des puits dans les vergers, installé les motopompes et les arroseurs rotatifs et tracé un grand nombre de rigoles d'irrigation –, il était resté, aux yeux de ses anciens employeurs, un simple étranger. Ma mère n'avait pas apprécié cette forme d'ingratitude, mais le vieux, du pied de son arbre, n'en avait cure. De toutes les façons, il n'avait pas grand-chose à se mettre pour se rendre à la fête.

Le soir rampait sur le village. Le ciel était serti de milliers d'étoiles. La chaleur promettait de maintenir son siège jusque tard dans la nuit. Kadem et moi nous tenions sur la terrasse de ma maison, assis sur deux chaises geignardes autour d'une théière. Nous regardions dans la même direction que les voisins : les vergers des Haïtem.

Aucun véhicule ne se décidait à rejoindre la piste blanchâtre que parcouraient, par intermittence, des trombes de poussière levées par le vent.

Bahia venait régulièrement vérifier si nous avions

besoin de ses services. Je la trouvai un peu fébrile et remarquai qu'elle montait de plus en plus nous voir, nous apportant par-ci des biscuits, remplissant par-là nos verres. Son manège finit par m'intriguer et je ne tardai pas à suivre son regard ; ma sœur jumelle avait un œil sur le cousin. Elle rougit violemment lorsque je la surpris, à travers la vitre, en train de lui sourire.

Finalement, le cortège arriva, et le village entra en transe dans un vacarme de klaxons et de youyous. La rue était bondée de mioches turbulents ; il avait fallu supplier à droite et à gauche pour permettre à la Mercedes fleurie de se frayer un passage dans la cohue. Les Haïtem n'avaient pas lésiné sur les moyens ; les dix voitures dépêchées étaient de grosses cylindrées excessivement décorées ; on aurait dit des arbres de Noël, avec leurs paillettes multicolores, leurs ballons et leurs rubans tentaculaires. Les conducteurs portaient le même costume noir et la même chemise blanche surmontée d'un nœud papillon. Un cameraman ramené de la ville immortalisait l'événement, son appareil sur l'épaule, un essaim de galopins autour de lui ; des flashes fulminaient à tort et à travers.

Une carabine salua par des coups de feu la sortie de la mariée, superbe dans sa robe blanche. Un formidable remous traversa la place lorsque le cortège fit un petit tour du côté de la mosquée avant de rejoindre la piste carrossable. Les gosses couraient derrière les voitures en criant à tue-tête, et tout ce beau monde accompagna sa vierge jusqu'au sortir de la bourgade, shootant au passage dans le flanc des chiens errants.

Kadem et moi étions debout contre la balustrade de la terrasse. Nous regardions s'éloigner le cortège, lui captif de ses souvenirs, moi amusé et émerveillé à la fois. Au loin, dans l'obscurité naissante, on pouvait entrevoir, parmi la masse noire des vergers, les lumières de la fête.

— Tu connais le marié ? demandai-je à mon cousin.

— Pas vraiment. Je l'ai croisé, il y a cinq ou six ans, chez un ami musicien. On n'a pas été présentés, mais il m'a paru simple. Rien à voir avec son père. Je crois que c'est un bon parti.

— Je l'espère. Khaled Taxi est quelqu'un de bien, et sa fille est exquise. Est-ce que tu sais que j'avais un œil sur elle ?

— Je ne tiens pas à le savoir. Elle appartient à quelqu'un d'autre désormais, et tu dois effacer ces trucs de ta tête.

— J'ai dit ça comme ça.

— Faut pas le dire. C'est un péché rien que d'y penser.

Bahia rappliqua de nouveau, les yeux ardents.

— Tu restes dîner avec nous, Kadem ? pépia-t-elle avec des trémolos dans la gorge.

— Non, merci. Les vieux sont un peu souffrants.

— Si, tu vas rester dîner, lui dis-je, péremptoire. Il est presque neuf heures, et ce serait un affront de prendre congé de nous au moment où l'on passe à table.

Kadem serra les lèvres, hésitant.

Bahia guettait sa réponse en se martyrisant les mains.

— D'accord, céda-t-il. Ça fait longtemps que je n'ai pas goûté à la cuisine de ma tante.

— Le souper, c'est moi qui l'ai préparé, lui signala Bahia, la figure écarlate.

Et elle se précipita sur les escaliers, heureuse comme une gamine un jour de l'Aïd.

Nous n'avions pas fini de manger lorsqu'une déflagration se fit entendre au loin. Kadem et moi quittâmes la table pour aller voir. Des voisins apparurent sur leur terrasse, rejoints bientôt par le reste de la famille. Dans la rue, quelqu'un demandait ce qui se passait. Hormis les minuscules lumières derrière les vergers, le plateau paraissait tranquille.

— C'est un avion, cria quelqu'un dans la nuit. Je l'ai vu tomber.

Un bruit de pas de course remonta la rue et s'éloigna vers la place. Les voisins se mirent à évacuer la terrasse pour se précipiter aux nouvelles. Les gens sortaient de leurs maisons et se rassemblaient çà et là. Dans le noir, leurs silhouettes formaient un brouillamini préoccupant. *C'est un crash*, se dit-on à tour de rôle. *Ibrahim a vu un avion en feu s'écraser*. La place du village pullulait de curieux. Les femmes se tenaient devant la porte de leurs patios, essayant de soutirer des bribes d'informations aux passants. *Un avion s'est écrasé, mais très loin d'ici*, les rassurait-on...

Deux phares d'automobile émergèrent soudain des vergers et se ruèrent sur la piste. Ils arrivaient sur nous, à vive allure.

— Ça, c'est mauvais, me dit Kadem en regardant le véhicule fou tanguer sur la piste. Ça, c'est très mauvais.

Il se hâta vers l'escalier.

La voiture manqua de déraper en bondissant sur la bretelle qui desservait Kafr Karam. Ses coups de klaxon nous parvenaient fragmentés, mais inquiétants. Les phares maintenant atteignaient les premières maisons du village, et les coups de klaxon catapultaient les gens contre les murs. Le véhicule traversa le terrain de foot, freina net devant la mosquée et dut patiner sur plusieurs mètres avant de s'arrêter dans un nuage de poussière. Le conducteur sauta à terre tandis que les gens accouraient vers lui. Son visage était décomposé et ses yeux blancs de frayeur. Il montrait les vergers du doigt et balbutiait des sons inintelligibles.

Une autre voiture débarqua derrière ; le chauffeur nous cria, sans se donner la peine de descendre :

— Montez vite. Nous avons besoin d'aide, chez les Haïtem. Un missile est tombé sur la fête.

Réalisant la gravité de la situation, les gens se mirent à courir dans tous les sens. Kadem me poussa dans la deuxième voiture et sauta à côté de moi sur la banquette arrière. Trois jeunes hommes s'entassèrent autour de nous pendant que deux autres s'installaient devant.

— Il faut se dépêcher, cria le chauffeur à la foule. Si vous ne trouvez pas de voitures, allez-y à pied. Il y a beaucoup de monde sous les décombres. Prenez ce que vous pouvez, pelles, couvertures, draps, boîtes à pharmacie et ne traînez pas. Je vous en supplie, faites vite...

Il manœuvra sur place et fonça sur les vergers.

— Tu es sûr qu'il s'agit d'un missile ? lui demanda un passager.

— J'en sais rien, fit le chauffeur, encore sous le choc. Je n'en sais fichtre rien. Les convives s'amusaient, puis les chaises et les tables sont parties dans une bourrasque. C'est fou, dingue ; ça ne ressemble à rien. Des corps, et des cris ; des cris, et des corps. Si ce n'est pas un missile, ça doit être la foudre du ciel...

Un malaise s'empara de moi. Je ne comprenais pas ce que je faisais dans cette voiture qui fonçait à tombeau ouvert dans la nuit, ne comprenais pas pourquoi j'avais accepté d'aller voir l'horreur de près, moi qui me relevais à peine d'une épouvantable bavure. La sueur cascadait dans mon dos, ruisselait sur mon front. Je regardais le chauffeur, les hommes assis devant, ceux à mes côtés, Kadem qui se mordillait les lèvres, et je n'arrivais pas à croire que j'aie pu accepter de les suivre. *Où vas-tu, pauvre diable ?* me cria une voix intérieure. Je ne savais pas si c'était mon corps qui s'insurgeait ou si c'étaient les ornières qui le ballottaient. Je pestais contre moi, les mâchoires bloquées, les poings agrippés à la peur en train de lever comme une pâte dans mon ventre. *Où cours-tu ainsi, abruti ?* Au fur et à mesure que nous approchions des vergers, la peur grandissait, grandissait tandis qu'une sorte de torpeur engourdissait mes membres et mon esprit.

Les vergers baignaient dans une obscurité malsaine. Nous les traversâmes comme un territoire maudit. La maison des Haïtem était intacte. Des ombres se tenaient sur le perron, les unes effondrées sur les marches, la tête dans les mains, les autres appuyées contre le mur. Le lieu du drame se trouvait un peu plus loin, dans un jardin où une grande bâtisse, probablement la salle des fêtes, brûlait au cœur d'un amas d'éboulis fumants. Le souffle de l'explosion avait projeté sièges et corps à une trentaine de mètres à la ronde. Les survivants erraient, en haillons, les mains en avant, semblables à des aveugles. Quelques corps étaient alignés sur le bord d'une allée, mutilés, carbonisés. Des voitures éclairaient la boucherie avec leurs phares pendant que des spectres se démenaient au milieu des décombres. Puis, des hurlements, d'interminables hurlements, des appels et des cris à couvrir la planète. Des femmes cherchaient leurs gosses dans la confusion ; moins elles obtenaient de réponses, plus elles s'égosillaient. Un homme ensanglanté pleurait, accroupi devant le corps d'un proche.

La nausée me coupa en deux au moment où je mis un pied à terre ; je tombai à quatre pattes et déguculai à rendre mes tripes. Kadem tenta de me relever ; très vite il m'abandonna et s'élança vers un groupe d'hommes occupés à secourir des blessés. Je me ramassai au pied d'un arbre et, les bras autour des genoux, contemplai le délire. D'autres voitures revenaient de Kafr Karam, chargées de volontaires, de pelles et de ballots. L'anarchie ajoutait à l'opération de secours une agitation démente. À mains nues, on soulevait les poutres en flammes, les pans des parois défoncées, à la recherche d'un signe de vie. Quelqu'un traîna un moribond jusqu'à moi. *Surtout ne t'endors pas*, le suppliait-il. Comme le blessé sombrait mollement dans le sommeil, l'autre lui assenait des gifles pour l'empêcher de s'évanouir. Un homme s'approcha, se pencha sur le corps. *Viens, tu ne peux plus rien pour lui.* L'autre continuait de gifler le blessé, de plus en plus fort... *Tiens bon, je te dis. Tiens bon... Tenir quoi ?* lui dit l'homme. *Tu vois bien qu'il est mort.*

Je me levai tel un somnambule et courus vers le brasier.

J'ignore depuis combien de temps j'étais là, à renverser et à retourner tout autour de moi. Lorsque je revins à moi, j'avais les mains en sang, boursouflées d'ecchymoses, les doigts déchirés aux jointures ;

j'avais tellement mal que je tombai à genoux, la poitrine polluée de fumée et d'odeurs de crémation.

Le jour se levait sur le sinistre.

De la salle dévastée, des écharpes de fumée montaient dans le ciel, pareilles à des prières consumées. L'air était lourd d'exhalaisons horribles. Les morts – dix-sept, en majorité des femmes et des enfants – reposaient sur une aile du jardin, recouverts de draps. Les blessés gémissaient çà et là, entourés d'infirmiers et de parents. Les ambulances étaient arrivées depuis peu, et les brancardiers ne savaient par où commencer. La confusion s'était atténuée, mais la fébrilité s'accentuait au fur et à mesure que l'on réalisait l'ampleur du drame. De temps à autre, une femme poussait un hurlement, et de nouveau les cris et les mugissements reprenaient. Les hommes tournaient en rond, hébétés, perdus. Les premiers véhicules de police arrivèrent. C'étaient des Irakiens. Leur chef fut immédiatement pris à partie par les rescapés. La situation dégénéra, et des projectiles se mirent à lapider les flics qui remontèrent dans leurs véhicules et déguerpirent. Ils revinrent une heure plus tard, renforcés par deux camions de soldats. Un officier de forte corpulence demanda à s'entretenir avec un représentant de la famille Haïtem. Quelqu'un lui balança un caillou. Les soldats tirèrent en l'air pour calmer les esprits. À cet instant, des équipes de télévision étrangères investirent les lieux. Un père endeuillé leur montra le carnage en criant : « Regardez, il n'y a que des femmes et des enfants. On célébrait un mariage. Où sont les terroristes ? » Tirant un cameraman par le bras pour lui montrer les corps gisant sur la pelouse, il poursuivit : « Les terroristes, ce sont les fumiers qui nous ont balancé le missile... »

Les mains bandées, la chemise lacérée et le pantalon maculé de sang, je quittai les vergers et rentrai à pied chez moi comme on rentre dans la brume...

7.

J'étais quelqu'un d'émotif ; le chagrin des autres m'accablait. Il m'était impossible de passer devant un malheur sans l'emporter avec moi. Enfant, je pleurais souvent dans ma chambre, en m'enfermant à double tour, de peur que ma sœur jumelle – une *fille* – me surprenne baignant dans mes larmes. On la disait plus vigoureuse que moi, moins pleurnicharde. Je ne lui en tenais pas rigueur. J'étais ainsi, et c'est tout. Un être en porcelaine. Ma mère me mettait en garde : « Il faut t'endurcir. Il faut savoir renoncer aux peines des autres ; elles ne sont bonnes ni pour eux ni pour toi. Tu es trop mal loti pour t'attendrir sur le sort d'autrui... » En vain. On ne naît pas brute, on le devient ; on ne naît pas sage, on apprend à l'être. Moi, je suis né dans la misère et la misère m'a élevé dans le partage. Toute souffrance se confiait à la mienne, devenait mienne. Pour le reste, il y avait un arbitre dans le ciel ; il lui appartenait d'apporter au monde les retouches qu'il jugeait nécessaires comme il était libre de ne pas lever le petit doigt.

À l'école, mes camarades de classe me prenaient pour une chiffe molle. Ils avaient beau me provoquer, je ne rendais jamais les coups. Même quand je refusais de tendre l'autre joue, je gardais mes poings dans mes poches. À la longue, les galopins me fichèrent la paix, découragés par mon stoïcisme. En vérité, je n'étais pas une chiffe molle ; j'avais horreur de la violence. Lorsque j'assistais à des échauffourées, dans la cour de récréation, je rentrais le cou dans les épaules et m'apprêtais à recevoir le ciel sur la tête... C'était peut-être ce que j'avais subi chez les Haïtem : le ciel m'était tombé sur la tête. Je me disais que le sortilège qui venait de torpiller la fête, de prolonger les youyous dans d'atterrants cris d'agonie, n'allait plus me quitter. Que nos destins étaient scellés, unis dans la douleur jusqu'à ce que le pire les sépare. Une voix me répétait, en cognant à mes tempes, que la mort qui empestait les vergers viciait en même temps mon âme, que j'étais mort, moi aussi...

Si le hasard avait décidé que je vienne dans les vergers des Haïtem – c'est-à-dire sur la terre des bienheureux, dans la propriété des richards qui nous négligeaient – voir de mes propres yeux l'entière incongruité de l'existence, mesurer au millimètre près l'inconsistance de nos certitudes, abdiquer corps et âme devant la précarité des acquis, c'est que, quelque part, il était temps que je m'éveillasse à moi-même.

On n'entretient pas son barbecue sur une terre brûlée sans se cramer les doigts ou les pieds.

Moi qui ne me souvenais pas d'avoir eu une dent contre qui que ce soit, voilà que je me sentais prêt à mordre, y compris la main qui aurait tenté de me consoler... Sauf que je me retenais. J'étais outré, malade, recouvert d'épines de la tête aux pieds. J'étais un acacia errant dans les limbes, le Christ au paroxysme de son martyre, et mon chemin de croix tournait en rond car je ne comprenais pas. Ce qui était arrivé chez les Haïtem n'avait pas de sens. On ne passe pas de la liesse au deuil sur un vulgaire claquement de doigts. La vie n'est pas un tour de passe-passe, même si souvent, elle ne tient qu'à un fil. On ne meurt pas en vrac, au détour d'un pas de danse ; non, ce qui était arrivé chez les Haïtem ne ressemblait à rien...

Le soir, aux informations, on parla d'un drone américain qui aurait détecté des signaux suspects au niveau de la salle des fêtes. On ne précisa pas lesquels. On se contenta de mentionner que des mouvements terroristes auraient été signalés auparavant dans le secteur, thèse que les riverains réfutèrent en bloc. La hiérarchie américaine essaya néanmoins de se justifier en proposant d'autres arguments sécuritaires puis, lasse de se couvrir de ridicule, elle finit par déplorer la méprise et par présenter ses excuses aux familles des victimes.

Cela s'arrêta là...

Encore un fait divers qui allait faire le tour de la planète avant de tomber au rebut, supplanté par d'autres énormités.

Mais, à Kafr Karam, la colère venait de déterrer la hache de guerre : six jeunes gens demandèrent aux croyants de prier pour eux. Ils promirent de venger leurs morts et de ne rentrer au bercail qu'une fois le dernier *boy* renvoyé chez lui dans un sac en toile cirée... Après les accolades d'usage, les guerriers sortirent dans la nuit et s'y confondirent.

Quelques semaines après, le commissaire de la circonscription fut abattu à bord de son véhicule de service. Le même jour, un engin militaire sauta sur une mine artisanale.

Kafr Karam déplora ses premiers *chahid* – six d'un coup, surpris par une patrouille alors qu'ils s'apprêtaient à attaquer un check point.

Au village, la tension atteignait des proportions démentielles. Tous les jours, de jeunes garçons se volatilisaient. Je ne sortais plus dans la rue. Je ne supportais plus le regard des Anciens surpris de me trouver encore là alors que les braves de mon âge avaient rejoint la résistance, ni le sourire sardonique des adolescents qui me rappelait celui de mes camarades de classe du temps où l'on me traitait de chiffe molle. Je me calfeutrais chez moi et me réfugiais dans les livres ou dans les cassettes audio que Kadem m'envoyait. C'est vrai, j'avais de la colère, j'en voulais aux coalisés, mais je ne m'imaginais pas canardant les badauds à tort et à travers. La guerre, ce n'était pas mon rayon. Je n'étais pas conçu pour exercer la violence – je me croyais en mesure de la subir mille ans plutôt que la pratiquer un jour.

Et une nuit, de nouveau, le ciel me tomba sur la tête. J'avais d'abord pensé à un missile lorsque la porte de ma chambre avait volé dans un fracas. Une bordée d'invectives et de fuseaux éblouissants m'ensevelit. Je n'eus pas le temps de tendre la main vers le commutateur. Une escouade de GI venait de déflorer mon intégrité. *Reste couché ! Bouge pas ou je t'explose... Debout !... Reste couché ! Debout ! Les mains sur la tête ! Pas un geste !* Des torches me clouaient au lit tandis que des canons me tenaient en joue. *Bouge pas ou je t'explose la cervelle !...* Ces cris ! Atroces. Déments. Dévastateurs. À vous démailler fibre par fibre, à vous rendre étranger à vous-même... Des bras m'arrachèrent de mon lit et me catapultèrent à travers la pièce ; d'autres m'interceptèrent, m'écrasèrent contre le mur. *Mains derrière le dos !* Qu'est-ce que j'ai fait ? Qu'est-ce qu'il y a ? Les GI défoncèrent mon armoire, renversèrent mes tiroirs, dispersèrent mes affaires à coups de pied. Ma vieille radio s'émietta sous une godasse. Qu'est-ce qui se passe ? *Où t'as foutu les armes, ordure ?* Je n'ai pas d'armes. Il n'y a pas d'armes ici. *C'est c'qu'on va voir, fumier. Mettez-moi ce salaud avec les autres.* Un soldat m'attrapa par la nuque, un autre m'enfonça un genou dans le bas-ventre. J'étais happé par une tornade, ballotté d'un tumulte à l'autre ; je cauchemardais debout, tel un somnambule pris à partie par des esprits frappeurs. J'avais le vague sentiment que l'on me traînait sur la terrasse, que l'on me bousculait sur les marches de l'escalier ; je ne savais plus si je dégringolais ou si je planais... Un remue-ménage similaire se déroulait au premier étage. Les pleurs de mes neveux transperçaient le tapage ambiant. J'entendis ma jumelle Bahia rouspéter avant de se taire d'un coup, probablement foudroyée par une crosse ou un ranger... Mes sœurs étaient parquées au fond du hall, avec la marmaille, à moitié dévêtues, blafardes. L'aînée, Aïcha, serrait ses gosses contre ses jupons. Elle tremblait comme une feuille et ne se rendait pas compte que ses seins nus débordaient de son corsage. À sa droite, sa cadette Afaf la couturière vacillait, les doigts agrippés à son chemisier. Tirée brutalement de son sommeil, elle avait oublié sa perruque sur la table de chevet ; sa tête chauve luisait sous le plafonnier, aussi lamentable qu'un moignon ; elle en avait tellement honte qu'à sa façon de rentrer le cou dans ses épaules on aurait dit qu'elle cherchait à se réfugier dans son propre corps. Bahia tenait bon, un neveu dans ses bras. Les cheveux embroussaillés et la figure exsangue, elle bravait en silence le fusil braqué sur elle ; un filament de sang s'égouttait sur sa nuque...

Je me sentis défaillir. Ma main chercha en vain un appui.

Des injures fulminaient au fond du couloir, à décorner le diable. Ma mère fut éjectée de sa chambre ; elle se releva et se porta aussitôt au secours de son invalide de mari. *Laissez-le tranquille. Il est malade.* Les soldats sortirent le vieux. Je ne l'avais jamais vu dans un état pareil. Avec son slip défraîchi qui lui arrivait aux genoux et son tricot de peau usé jusqu'à la trame, sa détresse dépassait les bornes. Il était la misère en marche, l'offense dans sa muflerie absolue. *Laissez-moi me rhabiller*, gémissait-il. *Y a mes enfants. C'est pas bien ce que vous faites.* Sa voix chevrotante remplissait le corridor d'une peine inconcevable. Ma mère tentait de marcher devant lui, de nous épargner sa nudité. Ses yeux affolés nous imploraient, nous suppliaient de nous détourner. Je ne pouvais pas me détourner. J'étais hypnotisé par le spectacle qu'ils m'offraient tous les deux. Je ne voyais même pas les brutes qui les encadraient. Je ne voyais que cette mère éperdue, et ce père efflanqué au slip avachi, au bras ballant, au regard sinistré qui titubait sous les ruades. Dans un ultime sursaut, il pivota sur ses talons et tenta de retourner dans sa chambre mettre sa robe. Et le coup partit... Crosse ou poing, quelle différence ? Le coup parti, le sort en fut jeté. Mon père tomba à la renverse, son misérable tricot sur la figure, le ventre décharné, fripé, grisâtre comme celui d'un poisson crevé... et je vis, tandis que l'honneur de la famille se répandait par terre, je vis ce qu'il ne me fallait surtout pas voir, ce qu'un fils digne, respectable, ce qu'un Bédouin authentique ne doit jamais voir – cette chose ramollie, repoussante, avilissante ; ce territoire interdit, tu, sacrilège : le pénis de mon père rouler sur le côté, les testicules par-dessus le cul... Le bout du rouleau ! Après cela, il n'y a rien, un vide infini, une chute interminable, le néant... Toutes les mythologies tribales, toutes les légendes du monde, toutes les étoiles du ciel venaient de perdre leur éclat. Le soleil pouvait toujours se lever, plus jamais je ne reconnaîtrais le jour de la nuit... Un Occidental ne peut pas comprendre, ne peut pas soupçonner l'étendue du désastre. Pour moi, voir le sexe de mon géniteur, c'était ramener mon existence entière, mes valeurs et mes scrupules, ma fierté et ma singularité à une grossière fulgurance pornographique – les portes de l'enfer m'auraient été moins inclémentes !... J'étais fini. Tout était fini. Irrécupérable. Irréversible. Je venais d'étrenner le bât de l'infamie, de basculer dans un monde parallèle d'où je ne remonterais plus. Et je me surpris à haïr ce bras impotent qui ne savait ni rendre les coups ni rabattre un vulgaire slip, ce bras grotesque, translucide et laid qui symbolisait ma propre impuissance ; à haïr mes yeux qui refusaient de se détourner, qui réclamaient la cécité ; à haïr les hurlements de ma mère qui me disqualifiaient. Je regardais mon père, et mon père me regardait. Il devait lire dans mes yeux le mépris que j'avais pour tout ce qui avait compté pour nous, la pitié que m'inspirait subitement l'être que je vénérais par-dessus tout, malgré tout. Je le regardais comme du haut d'une falaise maudite par une nuit d'orage, il me regardait du fond de l'opprobre ; nous savions déjà, à cet instant précis, que nous étions en train de nous regarder pour la dernière fois... Et *à cet instant précis*, alors que je n'osais pas broncher, je sus que plus rien ne serait comme avant, que je ne considérerais plus les choses de la même façon, que la bête immonde venait de rugir au tréfonds de mes entrailles, que, tôt au tard, quoi qu'il arrive, quoi qu'il advienne, j'étais *condamné à laver l'affront dans le sang* jusqu'à ce que les fleuves et les océans deviennent aussi rouges que l'éraflure sur la nuque de Bahia, que les yeux de ma mère, que le faciès de mon père, que la braise en train de me bouffer les tripes en m'initiant déjà à l'enfer qui m'attendait...

Je ne me rappelle pas ce qu'il s'est passé ensuite. Je m'en fichais. Un peu comme une épave, je me laissais dériver au gré des flots. Il n'y avait plus rien à sauver. Les braillements des soldats ne m'atteignaient plus. Leurs fusils, leur zèle ne m'impressionnaient guère. Ils pouvaient remuer ciel et terre, péter le feu des volcans, supplanter le roulement du tonnerre ; ça ne me touchait plus. Je les voyais se démener à travers une baie vitrée, dans un microcosme d'ombres et de silence.

La maison fut passée au peigne fin. Aucune arme ; pas un bout de canif...

Des bras me propulsèrent dans la rue où des garçons se tenaient accroupis, les mains sur la tête.

Kadem était là, lui aussi. Son bras saignait.

Les cris de sommation déclenchaient les délires dans les maisons environnantes.

Des soldats irakiens nous passaient en revue, des listes à la main avec des photos imprimées sur les feuillets. Quelqu'un me releva le menton, promena sa torche sur ma figure, vérifia ses fiches et se rabattit sur mon voisin. À l'écart, au milieu de GI surexcités, des suspects attendaient d'être embarqués ; ils étaient couchés à plat ventre dans la poussière, les poignets ligotés et la tronche dans un sac.

Deux hélicoptères survolèrent le village, nous balayant avec leurs projecteurs. Le roulement de leurs hélices avait quelque chose d'apocalyptique.

Le jour se levait. Les soldats nous emmenèrent derrière la mosquée où une guitoune venait d'être dressée. Nous fûmes interrogés séparément, un à un. Des officiers irakiens me montrèrent des photos ; sur certaines, des visages de cadavres pris dans des morgues ou à l'endroit des tueries. Je reconnus Malik, le « blasphémateur » de l'autre jour au *Safir* ; il avait les yeux écarquillés et la bouche grande ouverte, du sang coulait de son nez et se ramifiait sur son menton. Je reconnus aussi un cousin éloigné, recroquevillé au pied d'un lampadaire, la mâchoire démantibulée.

L'officier me demanda de décliner ma filiation complète ; son secrétaire nota mes déclarations sur un registre, puis on me libéra.

Kadem m'attendait au coin de la rue. Une vilaine entaille lui labourait le bras, partant de la pointe de l'épaule au poignet. Son tricot était barbouillé de sueur et de sang. Il me raconta que les GI avaient bousillé le luth de son grand-père d'un coup de godasse – un luth fabuleux, d'une valeur inestimable ; un patrimoine tribal, voire national. Je ne l'écoutais qu'à moitié. Kadem était abattu. Les larmes voilaient son regard. Sa voix psalmodiante me dégoûtait.

Nous étions restés au pied d'un muret pendant de longues minutes, vidés, pantelants, la tête dans les mains. Le ciel s'éclaircissait lentement pendant qu'à l'horizon, comme surgissant d'une fracture ouverte, le soleil se préparait à s'immoler dans ses propres flammes. Les premiers garnements commençaient à chahuter derrière les clôtures ; bientôt, ils allaient prendre d'assaut la place et les terrains vagues. Le vrombissement des camions annonçait le retrait des troupes. Des vieillards quittaient leurs patios et se hâtaient vers la mosquée. Ils se rendaient aux nouvelles ; qui a été arrêté et qui a été épargné ? Des femmes mugissaient dans les portes cochères, appelaient leurs rejetons ou leurs époux que les soldats avaient embarqués. Petit à petit, tandis que le désespoir s'étendait d'un taudis à l'autre et que les sanglots s'effrangeaient par-dessus les toits, Kafr Karam me remplit d'un fiel qui aurait suffi à l'emporter telle une crue.

— Il faut que je m'en aille d'ici, dis-je.

Kadem me dévisagea, effaré.

— Tu veux aller où ?

— À Bagdad.

— Pour faire quoi ?

— Il n'y a pas que la musique, dans la vie.

Il hocha la tête et médita mes propos.

Je ne portais rien sur moi, hormis un tricot de peau élimé et un vieux pantalon de pyjama. J'étais pieds nus aussi.

— Est-ce que tu peux me rendre un service, Kadem ?

— Ça dépend...

— J'ai besoin de récupérer mes affaires, chez moi.

— Où est le problème ?

— Le problème est que je ne peux pas rentrer chez moi.

Il fronça les sourcils :

— Pourquoi ?

— C'est comme ça, et c'est tout. Veux-tu aller chercher mes affaires ? Bahia saura quoi mettre dans mon sac. Dis-lui que je vais à Bagdad, chez notre sœur Farah.

— Je ne comprends pas. Que s'est-il passé ? Pourquoi ne peux-tu pas rentrer chez toi ?

— Je t'en prie, Kadem. Contente-toi de faire ce que je te demande.

Kadem devinait que quelque chose de très grave s'était produit. Il pensait certainement à un viol.

— Tu veux vraiment savoir ce qui s'est passé, cousin ? lui hurlai-je. Tu tiens vraiment à le savoir ?

— Ça va, j'ai saisi, grogna-t-il.

— Tu n'as rien saisi. Rien de rien.

Ses pommettes tressaillirent lorsqu'il braqua son doigt sur moi :

— Attention, je suis ton aîné. Je ne t'autorise pas à me parler sur ce ton.

— Je crains que plus personne au monde n'ait d'autorité sur moi désormais, cousin.

Je le fixai droit dans les yeux :

— Pire, je me moque comme d'une guigne de ce qui pourrait m'arriver à partir de cette minute, de cette seconde, ajoutai-je. Est-ce que tu vas me chercher ces foutues affaires ou dois-je partir tel que je suis ? Je jure que je suis capable de sauter dans le premier autocar avec juste ce tricot sur le dos et ce pantalon de pyjama. Plus rien ne m'importe désormais, ni le ridicule ni le parjure...

— Ressaisis-toi, voyons.

Kadem essaya de me prendre les poignets.

Je le repoussai.

— Écoute, me fit-il en respirant doucement pour garder son calme. Voilà ce qu'on va faire. On va aller chez moi...

— Je veux partir d'ici.

— S'il te plaît. Écoute, écoute... Je sais que tu es complètement...

— Complètement quoi, Kadem ? Tu n'en sais fichtre rien. C'est quelque chose qu'on ne peut pas imaginer.

— D'accord, mais allons d'abord chez moi. Tu réfléchiras à tête reposée, puis si tu es sûr de vouloir partir, je t'accompagnerai en personne jusqu'à la ville voisine.

— S'il te plaît, cousin, fis-je d'une voix détimbrée, va me chercher mon balluchon et mon bâton de pèlerin. Il faut que j'aille toucher deux mots au bon Dieu.

Kadem comprit que je n'étais plus en mesure d'écouter qui que ce soit.

— Ça va, me dit-il. Je vais chercher tes affaires.

— Je t'attends derrière le cimetière.

— Pourquoi pas ici ?

— Kadem, tu poses trop de questions, et j'ai mal à la tête.

Des deux mains, il me pria de rester tranquille et s'éloigna sans se retourner.

Kadem revint alors que je finissais de lapider un arbuste rachitique.

Après avoir erré dans le cimetière, j'avais pris place sur une butte et commencé à déterrer les cailloux alentour pour les lancer contre le fagot de branches drapé de poussière et de sachets en plastique.

À chaque fois que mon bras se décomprimait, un *han* de rage me raclait la gorge. C'était comme si je renversais les montagnes, chassais la nuée de mauvais présages qui s'agglutinait sur mes pensées, plongeais la main dans le souvenir de la veille pour lui arracher le cœur.

Partout où se hasardait mon regard, il était intercepté par *cette chose* abominable entrevue dans le hall.

À deux reprises, un ressac impétueux m'avait soulevé le ventre, m'obligeant à m'accroupir pour dégueuler. Mon corps tanguait sur mes talons, parcouru de spasmes fulgurants ; j'ouvrais la bouche, et ne rendais rien, hormis un râle de bête fauve.

Dans la chaleur matinale, les parages puaient. Sans doute une charogne en décomposition. Cela ne me dérangeait pas. Je n'arrêtais pas d'exhumer les pierres et de les projeter contre l'arbuste ; j'en avais les doigts lacérés.

Derrière moi, le village se levait du mauvais pied ; le ras-le-bol débordait çà et là – un père rabrouant son garnement, un cadet s'insurgeant contre son aîné. Je ne me reconnaissais pas dans cette colère. Je voulais quelque chose qui soit plus grand que ma peine, plus vaste que ma honte.

Kadem se faufila entre les tombes qui boursouflaient d'ecchymoses le carré des disparus. De loin, il me montra mon sac. Bahia le suivait, la tête dans un foulard de mousseline. Elle portait la robe noire des adieux.

— On croyait que les soldats t'avaient emmené, me dit-elle, la figure taillée dans un morceau de cire.

De toute évidence, elle n'était pas venue me dissuader de partir. Ce n'était pas son genre. Elle comprenait mes motivations et, manifestement, les approuvait en bloc, sans réserve et sans regrets. Bahia était une fille de sa tribu. Même si, dans la tradition ancestrale, l'honneur se devait d'être une affaire d'hommes, elle savait le reconnaître et l'exiger.

J'arrachai le sac de la main de Kadem et entrepris de fouiller dedans. La brutalité de mon geste n'échappa pas à ma sœur. Elle ne la condamna pas :

— Je t'ai mis deux tricots, deux chemises, deux pantalons, des chaussettes, ta trousse de toilette...

— Mon argent ?

Elle tira de son giron une petite liasse soigneusement pliée et ficelée, la tendit à Kadem qui me la remit aussitôt :

— Uniquement mon argent, fis-je à ma sœur. Pas un sou de plus.

— Il n'y a là-dedans que tes économies, je t'assure... Je t'ai mis une casquette aussi, ajouta-t-elle en réprimant un sanglot. À cause du soleil.

— Très bien. Maintenant, détournez-vous que je me change.

J'enfilai un pantalon à fines rayures, ma chemise à carreaux, les chaussures que m'avait offertes mon cousin.

— Tu as oublié ma ceinture.

— Elle est dans la pochette extérieure du sac, me dit Bahia. Avec ta lampe de poche.

— Très bien.

Je finis de m'habiller, puis, sans un regard pour ma sœur et mon cousin, m'emparai de mon sac et dévalai un raidillon en direction de la piste carrossable. *Ne te retourne pas*, m'intimait une voix intérieure. *Tu es déjà ailleurs. Il n'y a rien pour toi, par ici. Ne te retourne pas.* Je me retournai... vis ma sœur debout sur la butte, fantomatique dans sa robe que le vent entortillait, et mon cousin, les mains sur les hanches, le menton dans le cou. Je rebroussai chemin. Ma sœur vint se blottir contre moi. Ses larmes inondèrent mes joues. Je sentais son corps malingre tressaillir dans mon étreinte.

— Je t'en prie, me dit-elle, fais attention à toi.

Kadem m'ouvrit ses bras. Nous nous jetâmes l'un contre l'autre. Notre accolade dura une éternité.

— Tu es sûr que tu ne veux pas que je t'accompagne jusqu'au village voisin ? me demanda-t-il, la gorge nouée.

— Ce n'est pas la peine, cousin. Je connais le chemin.

Je les saluai de la main et me dépêchai de rejoindre la piste.

Sans me retourner.

Bagdad

8.

J'avais marché jusqu'au croisement des chemins qui se trouvait à une dizaine de kilomètres du village. De temps en temps, je me retournais dans l'espoir de voir arriver un véhicule ; pas un nuage de poussière ne s'élevait sur la piste. J'étais seul, infinitésimal au milieu du désert. Le soleil retroussait ses manches. La journée s'annonçait caniculaire.

Il y avait un abribus de fortune à l'embranchement. Avant, l'autocar desservant Kafr Karam s'y arrêtait. Maintenant, l'endroit semblait largué par les hommes et les bêtes. La toiture en tôle ondulée avait rompu, et des plaques de ferraille pendouillaient par-dessus le banc. Je m'étais assis à l'ombre et j'avais attendu deux heures – aucun mouvement à l'horizon.

J'avais poursuivi mon chemin jusqu'à une bretelle qu'empruntaient d'habitude les camions-frigos qui ravitaillaient en fruits et légumes les localités enclavées de la région. Depuis l'embargo, leurs déplacements avaient considérablement diminué, mais il arrivait qu'un commerçant ambulant passât par là. C'était une sacrée trotte, et la chaleur grandissante m'écrasait.

J'aperçus deux taches noires sur un tertre surplombant la bretelle. C'étaient deux garçons d'une vingtaine d'années environ. Ils se tenaient à croupetons sous le soleil, immobiles et impénétrables. Le plus jeune me décocha un regard vif ; l'autre traçait des cercles dans la poussière avec un bout de branche. Ils portaient le même pantalon de jogging d'un blanc douteux et des chemises fripées et crasseuses. Un gros sac gisait à leurs pieds, évoquant une proie terrassée.

J'avais pris place sur un monticule de sable et j'avais feint de tripoter les lacets de mes souliers. Un sentiment bizarre m'envahissait à chaque fois que je levais les yeux sur les deux étrangers. Le plus jeune avait une façon déplaisante de se pencher sur son compagnon pour lui chuchoter des choses à l'oreille. Son compagnon hochait la tête sans arrêter de remuer sa branche. Une seule fois, il me jeta un œil qui me mit mal à l'aise. Au bout d'une vingtaine de minutes, le plus jeune se leva brusquement et se dirigea de mon côté. Ses yeux ensanglantés m'effleurèrent et je sentis un souffle brûlant me cingler le visage. Il passa devant moi et alla uriner contre un buisson desséché.

Je fis mine de consulter ma montre et repris la piste en pressant le pas. Une folle envie de me retourner me tenaillait ; je tins bon. Après m'être suffisamment éloigné, je vérifiai s'ils me suivaient. Ils étaient de nouveau sur leur tertre, accroupis par-dessus leur sac, semblables à deux rapaces veillant une charogne.

Quelques kilomètres plus loin, une camionnette me rattrapa. Je me mis sur le bord de la piste et agitai le bras. La camionnette manqua de me renverser et passa dans un tintamarre de ferraille et de soupapes surmenées. Dans la cabine, je reconnus les deux individus de tout à l'heure. Ils regardaient droit devant eux.

Vers midi, j'étais épuisé. La sueur fumait sur mes vêtements. Je me déportai sur un arbre – le seul à des lieues à la ronde – debout sur une bosse. Ses branches épineuses et chauves zébraient le sol d'une ombre squelettique. Je l'occupai comme un chameau se jette sur une flaque d'eau.

La faim et la soif accentuèrent ma fatigue. Je retirai mes souliers et m'allongeai sous l'arbre de façon à ne pas perdre de vue la piste. Il me fallut des heures avant de déceler, au loin, un véhicule. Ce n'était encore qu'un point grisâtre qui se faufilait parmi les réverbérations, mais je l'avais reconnu aux scintillements qu'il reflétait par intermittence. Je remis aussitôt mes chaussures et courus vers la piste. À ma grande déception, le point changea de direction et s'estompa au large.

Ma montre indiquait quatre heures. Le village le plus proche se trouvait à une quarantaine de kilomètres au sud. Pour le rejoindre, je devais renoncer à la piste carrossable et je ne tenais pas à traîner dans les parages. Je regagnai l'arbre et attendis.

Le soleil déclinait quand un nouveau point sémillant apparut à l'horizon. Je jugeai sage de m'assurer qu'il progressait bien dans ma direction avant de quitter mon abri. C'était un camion brinquebalant aux ailes arrachées. Il arrivait sur moi. Je me dépêchai de l'intercepter en priant les saints patrons de ne pas me laisser tomber. Le camion ralentit. J'entendis ses plaquettes de frein grincer à se déboîter.

Le chauffeur était un petit bonhomme déshydraté, à la figure en papier mâché et aux bras maigres comme des baguettes de pain. Il transportait des caissons vides et des matelas usés.

— Je vais à Bagdad, lui dis-je en grimpant sur le marchepied.

— C'est pas la porte à côté, mon gars, fit-il après m'avoir dévisagé. Tu sors d'où, toi ?

— De Kafr Karam.

— Ah ! le trou du cul... Je m'arrête à Basseel. C'est pas tout à fait le bon chemin, mais y a des taxis qui transitent par là-bas.

— Ça me convient.

Le chauffeur me considéra avec méfiance.

— Est-ce que je peux jeter un œil sur ce que t'as dans ton cabas ?

Je lui tendis mon sac par la vitre. Il l'étala sur le tableau de bord et vérifia minutieusement son contenu.

— Bon, passe de l'autre côté.

Je le remerciai et contournai le capot. Il se pencha pour m'ouvrir la portière dont la poignée extérieure manquait à l'appel. Je m'installai sur le siège du mort, ou plus précisément sur ce qu'il en restait.

Le chauffeur démarra dans un cafouillis métallique.

— Tu n'as pas un peu d'eau ?

— Juste derrière toi, y a une outre. Si t'as faim, il reste un bout de mon casse-croûte dans la boîte à gants.

Il me laissa me désaltérer et manger en paix. Un voile de chagrin obscurcissait son visage émacié.

— Ne m'en veux pas si j'ai fouillé tes affaires. Je tiens pas à avoir des emmerdes. Y a tellement de gens armés qui traînent sur les routes...

Je ne dis rien.

Nous parcourûmes des kilomètres en silence.

— Tu n'es pas bavard, dis donc, toi, me fit le conducteur qui espérait peut-être un peu de compagnie.

— Non.

Il haussa les épaules et m'oublia.

Nous atteignîmes une route asphaltée, croisâmes quelques camions qui roulaient à toute allure dans le sens inverse, de rares taxis Toyota déglingués, peints en orange et blanc, chargés de passagers. Le chauffeur pianotait sur son volant, la tête ailleurs. Le vent de la course entortillait la mèche chenue sur son front.

À un check point, des soldats nous obligèrent à quitter le bitume et à emprunter une piste fraîchement tracée au bulldozer. Le chemin était cabossé, passablement aménagé, avec, parfois, des déviations si serrées qu'il était impossible d'avancer à plus de dix kilomètres à l'heure. Le camion tanguait dans les crevasses et manquait de briser ses lames de suspension. Nous ne tardâmes pas à rejoindre d'autres voitures détournées par le poste de contrôle. Un fourgon râlait sur le bas-côté, le capot en l'air ; ses passagers, des femmes voilées de noir et des enfants, étaient descendus regarder le conducteur aux prises avec le moteur. Personne ne s'arrêta pour leur donner un coup de main.

— Tu penses qu'il y a eu du grabuge sur la nationale ?

— Nous ne serions pas en train de rouler paisiblement, me dit le conducteur. Ils nous auraient passés au peigne fin d'abord, puis ils nous auraient laissés griller sous le soleil, et peut-être passer la nuit à la belle étoile. Il s'agit sans doute d'un convoi militaire. Pour éviter que les voitures de kamikazes ne se jettent dessus, les soldats dévient tout le monde sur les pistes, y compris les ambulances.

— Ça va faire un grand détour ?

— Pas tellement. Nous arriverons à Basseel avant la tombée de la nuit...

— J'espère trouver un taxi pour Bagdad.

— Un taxi, la nuit ?... Il y a un couvre-feu, et il est en vigueur. Dès que le soleil se couche, tout l'Irak doit se terrer. Tu as au moins tes papiers sur toi ?

— Oui.

Il passa son bras sur sa bouche et me fit :

— T'as intérêt.

Nous débouchâmes sur une ancienne piste, plus large et nivelée. Les voitures s'élancèrent pour rattraper leur retard. Elles soulevèrent des trombes de poussière derrière elles et nous distancèrent très vite.

— C'est la compagnie que j'approvisionnais en denrées alimentaires avant, me dit le chauffeur en me montrant du menton un cantonnement militaire en haut d'une colline.

La caserne était ouverte aux quatre vents, les remparts effondrés ; on pouvait voir le baraquement aux fenêtres et aux portes emportées par les pillards. Le bloc en dur, qui avait dû abriter le commandement et l'administration de l'unité, semblait avoir essuyé un séisme. Les toits n'étaient plus qu'un fatras de poutres noircies. Les façades éventrées portaient la morsure des missiles briseurs d'abris. Une avalanche de paperasse s'était échappée des bureaux pour aller gauchir contre les grillages derrière les hangars. Des engins bombardés exposaient leurs carcasses sur le parking tandis qu'un château d'eau monté sur un échafaudage métallique, probablement scié à la base par obus, écrasait un mirador carbonisé. Sur le fronton de ce qui fut une caserne moderne, le portrait d'un Saddam Hussein joufflu, au sourire carnassier, s'était écaillé sous la furie des mitrailles.

— Paraît qu'ils n'ont pas tiré un seul coup de feu, les nôtres. Ils s'étaient débinés comme des lapins avant l'arrivée des troupes américaines. La honte !

Je contemplais l'amas de désolation sur la colline que le sable envahissait sournoisement. Un chien sortit de la guérite devant l'entrée principale de la caserne, brun et famélique, s'étira puis, le museau raclant le sol, disparut derrière un tas d'éboulis.

Basseel était une bourgade coincée entre deux énormes rochers polis par les tempêtes de sable. Elle se recroquevillait au fond d'une cuvette qui, dans la canicule, rappelait un hammam. Ses gourbis en torchis s'agrippaient désespérément aux flancs des collines, séparées les unes des autres par un enchevêtrement de ruelles tortueuses à peine assez larges pour laisser passer une charrette. L'avenue centrale, taillée dans le lit d'une rivière disparue depuis l'âge de pierre, la traversait en coup de vent. Le drapeau noir sur les toits indiquait que la communauté était chiite, histoire de se démarquer des agissements des sunnites et de se ranger du côté des thuriféraires du nouveau régime.

Depuis que les check points jalonnaient la nationale, ralentissant ainsi la circulation et transformant une simple virée en une interminable expédition, Basseel était devenue un gîte d'étape obligatoire pour les usagers de la route. Des gargotes et des troquets, que des chapelets de lampions annonçaient à des kilomètres dans la nuit, avaient poussé comme des champignons à sa périphérie. Plus bas, le village était plongé dans l'obscurité. Pas un lampadaire n'éclairait les ruelles.

Une cinquantaine de véhicules, en majorité des citernes de carburant, se serraient les coudes sur un parking de fortune à l'entrée de la bourgade. Une famille bivouaquait un peu à l'écart, près de son fourgon. Des gamins dormaient çà et là, enveloppés dans des draps. Sur une aile dégagée, des routiers avaient allumé un feu et bavardaient autour d'une théière ; leurs ombres vacillantes s'entremêlaient dans une danse reptilienne.

Mon bienfaiteur parvint à se glisser au milieu des voitures garées n'importe comment et rangea son camion à proximité d'un estaminet aux allures de repaire de brigands. Il y avait des tables et des chaises déployées sur une courette qu'occupait déjà un peloton de voyageurs aux visages ternes. Dans le brouhaha, on entendait une radiocassette crachoter de vieilles chansons du Nil.

Le chauffeur m'invita à le suivre dans une gargote voisine, tapie sous un assemblage de bâches et de palmes vermoulues. La salle était pleine de gens hirsutes et poussiéreux amoncelés autour des tables nues. Il y en avait qui étaient assis à même le sol, trop affamés pour attendre qu'une chaise se libère. Toute cette confrérie de naufragés ruchait autour de ses assiettes, les doigts dégoulinants de sauce et les mâchoires branlantes ; des paysans et des routiers éprouvés par les pistes et les contrôles qui essayaient de reprendre des forces pour affronter les déboires du lendemain. Tous me rappelaient mon père car ils portaient sur la figure une marque qui ne trompe pas : le sceau des vaincus.

Mon bienfaiteur me laissa sur le seuil de l'établissement et enjamba quelques dîneurs pour s'approcher du comptoir où un gros bonhomme en djellaba prenait les commandes, rendait la monnaie et engueulait ses serveurs en même temps. Je promenai mon regard sur la salle dans l'espoir d'apercevoir une connaissance. Je ne reconnus personne.

Mon chauffeur revint, la mine déconfite :

— Bon, il faut que je te laisse, maintenant. Mon client n'arrivera pas avant demain soir. Il va falloir te débrouiller sans moi.

Je dormais sous un arbre quand le vrombissement des moteurs me réveilla. Le ciel n'était pas encore clair que déjà les camionneurs manœuvraient nerveusement pour sortir du parking. Le premier convoi dévalait le chemin abrupt qui contournait le village. Je courus d'un véhicule à l'autre à la recherche d'un conducteur charitable. Aucun n'accepta de me prendre.

Un sentiment de frustration et de rage me gagnait au fur et à mesure que le parking se vidait. Mon désespoir frisa la panique quand il ne resta que trois voitures sur place ; un fourgon familial dont le moteur refusait de démarrer, et deux guimbardes inoccupées ; leurs passagers étaient probablement dans un troquet en train de déjeuner. J'attendis leur retour, le ventre froissé.

— Hé ! me lança un homme debout devant l'entrée d'un estaminet. Qu'est-ce que tu fabriques près de ma tire ? Éloigne-toi fissa sinon je t'arrache les burnes.

De la main, il me fit signe de m'écarter. Il me prenait pour un voleur. Je me dirigeai sur lui, mon sac sur le dos. Il porta ses poings à ses hanches et me considéra avec dégoût tandis que je m'approchais.

— On ne peut plus boire un café tranquille ?

C'était un grand échalas au visage cuivré. Il portait un pantalon en toile propre et une veste à carreaux ouverte sur un tricot de laine vert bouteille. Une grosse montre enchâssée dans un bracelet doré enserrait son poignet. Il avait la gueule d'un flic, avec son regard haut perché et son rictus de brute.

— Je vais à Bagdad, lui dis-je.

— J'en ai rien à cirer. T'approche pas de ma tire, OK ?

Il me tourna le dos et regagna une table à proximité de l'embrasure.

Je rejoignis le chemin caillouteux qui contournait le village et pris place au pied d'un arbre.

Une première voiture passa, tellement encombrée que je n'eus pas le courage de la suivre des yeux pendant qu'elle cahotait en direction du nord.

Le fourgon dont le moteur cafouillait tout à l'heure me frôla presque en descendant la piste dans un grincement de tôle.

Le soleil surgit derrière la colline, lourd et menaçant. Plus bas, vers le village, les gens émergeaient de leurs terriers.

Une voiture montra son museau. Je me levai et tendis le bras, le pouce en exergue. La voiture me dépassa, roula une centaine de mètres ; alors que je m'apprêtais à me rasseoir, elle s'immobilisa. Je ne compris pas si c'était pour moi ou s'il s'agissait d'un problème mécanique. Le chauffeur klaxonna, puis il sortit sa main par la portière et me fit signe de m'amener. Je m'emparai de mon sac et me mis à courir comme pour rattraper la chance de ma vie.

C'était l'homme du café, celui qui m'avait pris pour un voleur.

— Cinquante billets, et je te dépose à Al Hillah, me proposa-t-il à bout portant.

— C'est d'accord, acceptai-je, content de fiche le camp de Basseel.

— Je peux savoir ce que t'as dans ton balluchon ?

— Seulement des effets vestimentaires, monsieur, lui dis-je en vidant le contenu du sac sur le capot.

L'homme m'observa, le rictus figé. Je soulevai ma chemise pour lui montrer que je ne cachais rien sous le ceinturon. Il dodelina de la tête et, du menton, m'invita à monter.

— Tu viens d'où ?

— De Kafr Karam.

— Jamais entendu parler... Tu me passes mon paquet de cigarettes, il est dans la boîte à gants.

Je m'exécutai.

Il actionna son briquet et rejeta la fumée par les narines. Après m'avoir dévisagé, il démarra.

Au bout d'une demi-heure de course, durant laquelle il s'était perdu dans ses pensées, il se souvint de moi :

— Pourquoi tu ne dis rien ?

— C'est dans ma nature.

Il alluma une autre cigarette et revint à la charge :

— Par les temps qui courent, ce sont ceux qui en parlent le moins qui en font le plus... Tu vas à Bagdad pour t'engager dans la résistance ?

— Je vais chez ma sœur... Pourquoi dis-tu ça ?

Il fit pivoter le rétroviseur dans ma direction.

— Regarde-toi, là-dedans, mon gars. T'as l'air d'une bombe sur le point de péter.

Je regardai dans le rétroviseur et ne vis que deux yeux brûlants dans une figure torturée.

— Je vais chez ma sœur, dis-je.

Il remit machinalement le rétroviseur à l'endroit et haussa les épaules :

— J'en ai rien à cirer.

Et il m'ignora.

Après une heure de poussière et de nids-de-poule, nous atteignîmes la nationale. J'étais soulagé de retrouver le bitume et de me soustraire aux secousses qui m'esquintaient les vertèbres. Des autocars et des semi-remorques se pourchassaient à vive allure. Trois voitures de police nous croisèrent ; leurs occupants paraissaient décontractés. Nous traversâmes un hameau surpeuplé avec plein d'échoppes sur le trottoir. Un policier en uniforme disciplinait la cohue, la casquette rejetée en arrière, la chemise trempée dans le dos et sous les aisselles. Au centre du village, un attroupement nous ralentit ; c'était un souk ambulant que la foule assiégeait. Les ménagères vêtues de noir butinaient dans les étals, la main hardie, mais le couffin souvent vide. L'odeur des légumes avariés, conjuguée à la chaleur torride et aux nuées de mouches qui déferlaient sur les monceaux de nourriture, donnait le tournis. Au bout de la place, à un arrêt de bus, nous assistâmes à une formidable bousculade autour d'un autocar ; malgré les coups de ceinturon qu'il assenait à l'aveuglette, le receveur ne parvenait pas à contenir l'assaut des passagers.

— Regarde-moi ce bétail, soupira mon chauffeur.

Je n'étais pas d'accord, mais je ne fis aucun commentaire.

La route s'élargit une cinquantaine de kilomètres plus loin. De deux, elle passa à trois voies et s'engrossa rapidement. Par endroits, on avançait pare-chocs contre pare-chocs à cause des check points. Vers midi, nous n'avions pas encore parcouru la moitié du chemin. De temps à autre, on débouchait sur la carcasse d'une remorque calcinée repoussée sur le bas-côté pour dégager le passage, sinon de vastes taches noires indiquaient l'endroit où des véhicules avaient été surpris par des déflagrations ou des fusillades nourries. Des bris de verre, des pneus éclatés et des morceaux de ferraille s'alignaient le long de la chaussée. À un virage, nous tombâmes sur les restes d'un Humvee américain renversé dans un fossé, probablement foudroyé par une roquette car le coin convenait très bien aux embuscades.

Le chauffeur me suggéra de nous arrêter pour casser la croûte. Il opta pour une station-service. Après avoir fait le plein, il m'invita à me rafraîchir dans une sorte de kiosque réaménagé en buvette. Le garçon nous servit deux sodas passablement glacés et des brochettes douteuses dans un sandwich dégoulinant de coulis de tomates qui me retourna les tripes. Je voulus payer mon écot, le chauffeur refusa du revers de la main. Nous nous reposâmes une vingtaine de minutes et reprîmes la route.

Le chauffeur avait mis des lunettes de soleil et conduisait comme s'il était seul au monde. Je me casai dans mon siège, me laissant bercer par le ronronnement du moteur...

Quand je revins à moi, les voitures n'avançaient plus. La pagaille régnait à une embouchure, sous un soleil de plomb. Les gens avaient quitté leurs tacots et grommelaient leur ras-le-bol sur la chaussée.

— Qu'est-ce qui se passe ?

— Il se passe qu'on n'est pas près de sortir de l'auberge.

Un hélicoptère nous survola en rase-mottes avant de virer brusquement dans un raffut terrifiant. Il tournoya par-dessus une colline, au loin, et se positionna en vol stationnaire. Soudain, il libéra une paire de roquettes qui fendit l'air dans un sifflement strident. Nous vîmes deux gerbes de flammes et de poussière s'élever sur une crête. Tout de suite, un frisson déferla sur la route et les gens se dépêchèrent de remonter dans leurs voitures. Certains perdirent leur sang-froid et firent demi-tour, provoquant une réaction en chaîne qui, en moins de dix minutes, réduisit de moitié la file d'attente.

Mon chauffeur suivit d'un œil amusé la panique qui s'emparait des voyageurs et profita de leur défection pour avancer sur plusieurs centaines de mètres.

— Y a pas le feu, me rassura-t-il. L'hélico est là pour lever le gibier. En quelque sorte, il prêche le faux. Si c'était sérieux, il y aurait au moins deux Cobra pour se couvrir mutuellement... J'ai été « négro des sables » pendant huit mois. Je connais très bien leurs trucs, aux Américains.

Soudain, il s'emballa :

— J'ai été interprète dans les troupes américaines. « Négro des sables », c'est le blaze qu'on nous donne, à nous les collabos... De toutes les façons, pas question de faire demi-tour. Al Hillah n'est qu'à cent kilomètres et j'ai pas envie de passer une autre nuit à la belle étoile. Si tu as peur, tu descends.

— Je n'ai pas peur.

La circulation se normalisa une heure plus tard. Arrivés à hauteur du check point, nous comprîmes un peu les raisons qui avaient conduit à la pagaille. Il y avait deux corps étendus sur un remblai, criblés de balles ; ils portaient un pantalon de jogging blanc ensanglanté et une chemise crasseuse. C'étaient les deux hommes qui, la veille près de Kafr Karam, guettaient un véhicule, accroupis sur un tertre, un gros sac à leurs pieds.

— Encore une bavure, maugréa mon chauffeur. Les *boys* tirent d'abord, et vérifient ensuite. C'est l'une des raisons qui m'ont poussé à rendre le tablier.

J'avais les yeux rivés au rétroviseur, incapable de détacher mon regard des deux cadavres.

— Huit mois, je te dis, poursuivit le chauffeur. Huit mois à supporter leur arrogance et leurs sarcasmes de demeurés. Les *boys*, c'est juste de la réclame hollywoodienne. Du tape-à-l'œil démagogique. Ils n'ont pas plus de scrupules qu'une bande de hyènes lâchée dans une bergerie. Je les ai vus tirer sur des gosses et sur des vieillards comme s'ils s'entraînaient sur des cibles en carton...

— J'ai vu ça.

— Je crois pas, petit. Si t'as encore ta tête, c'est que t'as pas vu grand-chose. Moi, je me suis grillé un câble. Je cauchemarde toutes les nuits. J'étais interprète auprès d'un bataillon de la Régulière. Des chérubins par rapport aux Marines. Et j'ai été servi. En plus, ils se payaient ma tronche et me traitaient comme une merde. Pour eux, je n'étais qu'un traître à ma nation. J'ai mis huit mois à m'en apercevoir. Un soir, je suis allé trouver le capitaine pour lui annoncer que je rentrais chez moi. Il m'a demandé ce qui n'allait pas. Je lui ai répondu : tout. En vérité, je ne tenais surtout pas à ressembler à ces cow-boys râleurs et bornés. Même vaincu, je vaux mieux que ça.

Des policiers et des soldats nous adressaient de grands signes pour nous secouer un peu. Ils ne contrôlaient personne, trop occupés à désengorger la route. Mon chauffeur accéléra.

— Ils nous prennent pour des attardés, grogna-t-il. Nous, les Arabes, les êtres les plus fabuleux de la terre, qui avons tant donné au monde, qui lui avons appris à ne pas se moucher à table, à se torcher, à cuisiner, à calculer, à se soigner... Qu'ont-ils gardé de nous, ces dégénérés de la modernité ? Une caravane de dromadaires enfaîtant les dunes au coucher du soleil ? Un poussah en robe blanche satinée et en keffieh claquant ses millions dans les casinos de la Côte d'Azur ? Des clichés, des caricatures...

Vexé par ses propres paroles, il alluma une cigarette et m'ignora jusqu'à notre arrivée à Al Hillah. Il me conduisit droit sur la gare routière, pressé de se débarrasser de moi, et me tendit la main :

— Bon vent, petit.

J'extirpai ma liasse ficelée de la poche arrière de mon pantalon pour le payer.

— Qu'est-ce que tu fais ? me demanda-t-il.

— Ben, vos cinquante billets.

Il repoussa mon argent du même revers de la main qu'il avait eu tout à l'heure à la station.

— Garde ton fric pour toi, mon garçon. Et oublie ce que je t'ai dit. Je raconte que des âneries depuis que je me suis grillé un câble. Tu m'as jamais vu, d'accord ?

— D'accord.

— Fous le camp, maintenant.

Il m'aida à récupérer mon sac, fit demi-tour sur place et quitta la gare, sans un signe d'adieu.

9.

L'autocar ahanait. C'était un vieux bus pétaradant et fiévreux, puant le fuel et le caoutchouc surchauffé ; il donnait l'impression d'être arrivé au bout du rouleau. Il ne roulait pas, il se traînait, pareil à une bête blessée à deux doigts de rendre l'âme. À chaque fois qu'il ralentissait, mon cœur se serrait. Allait-il nous lâcher en plein désert ? Deux crevaisons et une panne nous avaient considérablement retardés, sous un soleil de plomb. Les roues de remplacement ne disaient rien qui vaille ; elles étaient aussi lisses et peu fiables que celles qui avaient éclaté.

Le chauffeur était exténué ; il chavirait lorsqu'il avait rangé son cric. Je ne le quittai pas des yeux. Une main dans un pansement à cause d'une roue récalcitrante, il semblait très mal en point ; je craignais qu'il s'affaissât sur son volant. De temps en temps, il portait une bouteille d'eau à sa bouche et buvait longuement sans se soucier de la route, puis il se remettait à s'éponger dans un torchon accroché au dossier de son siège. Il devait avoir la cinquantaine, paraissait dix ans de plus, avec ses yeux enfoncés dans un crâne ovoïde, chenu sur les tempes et dégarni au milieu. Il n'arrêtait pas d'insulter les chauffards qu'il croisait.

Dans le bus, c'était le silence. L'air conditionné ne fonctionnait pas, et il régnait à bord une chaleur mortelle. Toutes les fenêtres étaient ouvertes, et les passagers étaient effondrés sur leurs sièges. La plupart d'entre eux s'étaient assoupis ; le reste regardait défiler le paysage d'un œil absent. Trois rangées derrière moi, un jeune homme au front plissé s'entêtait à tripoter sa radio de poche, balayant sans cesse les stations dans un bruit de friture agaçant. Lorsqu'il captait une chanson, il s'attardait dessus une minute puis, de nouveau, il repartait à la recherche d'autres centres d'émission. Son manège me tapait sur le système.

J'avais hâte de sortir de ce cercueil itinérant.

Nous roulions depuis trois heures, sans escales. Il était prévu de nous arrêter chez un gargotier pour casser la croûte, mais le remplacement des deux roues et le rafistolage des durites avaient faussé le programme du receveur.

La veille, lorsque mon bienfaiteur m'avait déposé à la gare d'Al Hillah, j'avais loupé l'autocar de quelques minutes. J'avais donc attendu le suivant, annoncé quatre heures plus tard. Il était arrivé à temps, mais il n'y avait qu'une vingtaine de passagers. Le receveur nous avait expliqué que son bus ne partirait pas sans au moins quarante voyageurs à bord, sinon la navette ne couvrirait pas ses frais. Nous avions attendu et prié pour que d'autres passagers nous rejoignent. Le chauffeur tournait autour de son car et hurlait « Bagdad ! Bagdad ! » Parfois, il se dirigeait sur des gens encombrés de bagages et leur demandait s'ils allaient à Bagdad. Lorsqu'ils lui faisaient non de la tête, il se rabattait sur d'autres voyageurs. Tard dans l'après-midi, le chauffeur nous avait priés de descendre et de récupérer nos bagages dans les soutes. Il y eut quelques protestations, puis tout le monde se rassembla sur le trottoir pour voir l'autocar retourner au dépôt. Ceux qui habitaient la ville étaient rentrés chez eux ; les transitaires avaient regagné les abribus pour y passer la nuit. Et quelle nuit ! Des voleurs avaient tenté de dépouiller un dormeur. La victime armée d'un gourdin ne s'était pas laissé approcher. Les agresseurs s'étaient repliés une première fois puis étaient revenus plus nombreux et, la police s'étant inscrite aux abonnés absents, nous avions assisté à une ignoble raclée. Nous étions restés à l'écart, barricadés derrière nos valises et nos sacs, et aucun de nous n'avait osé se porter au secours de la victime. Le pauvre bougre s'était défendu avec vaillance. Il rendait coup pour coup. Au final, les voleurs l'avaient jeté à terre, s'étaient acharnés sur lui et, après l'avoir délesté de ses affaires, ils l'avaient emmené avec eux. Il était environ trois heures du matin, et depuis, plus personne n'avait fermé l'œil.

Encore un barrage militaire. Une longue chaîne de véhicules avançait lentement, en serrant à droite. Il y avait des panneaux de signalisation au milieu de la chaussée, ainsi que de grosses pierres pour délimiter les deux voies. Les soldats étaient irakiens. Ils contrôlaient l'ensemble des passagers, vérifiaient le coffre des voitures, les soutes, les sacs, passaient au peigne fin les hommes dont la mine ne leur revenait pas. Ils montèrent dans notre autocar, demandèrent nos papiers et comparèrent certains faciès aux photos de recherchés qu'ils détenaient.

— Vous deux, descendez, ordonna un caporal.

Deux jeunes hommes se levèrent et, résignés, quittèrent l'autocar. Un soldat procéda à leur fouille, puis il les somma d'aller chercher leurs affaires et de le suivre jusqu'à une guitoune dressée à une vingtaine de mètres sur le sable.

— Ça va, dit le caporal au chauffeur. Tu peux partir.

L'autocar cafouilla. Nous regardâmes les deux passagers debout devant la guitoune. Ils ne paraissaient pas inquiets. Le caporal les bouscula à l'intérieur de la tente et ils disparurent de notre vue.

Les immeubles périphériques de Bagdad apparurent enfin, emmitouflés dans un voile ocre. La tempête de sable était passée par là, et l'air était chargé de poussière. C'est mieux ainsi, pensai-je. Je ne tenais pas à retrouver une ville défigurée, sale et livrée à ses démons. J'avais beaucoup aimé Bagdad, autrefois. Autrefois ? Il me semblait que ça remontait à une vie antérieure. C'était une belle ville, Bagdad, avec ses grandes artères, ses boulevards huppés, rutilants de vitrines et de terrasses ensoleillées. Pour le paysan que j'étais, c'était vraiment les Champs-Élysées tels que je les imaginais du fond de mon trou à rats à Kafr Karam. J'étais fasciné par les enseignes au néon, la décoration des magasins et passais une bonne partie de mes nuits à arpenter les avenues que la brise rafraîchissait. À voir tant de monde déambuler dans les rues, et tant de filles splendides se déhancher sur les esplanades, j'avais le sentiment de m'offrir tous les voyages auxquels ma condition m'empêchait d'accéder. Je n'avais pas le sou, mais j'avais des yeux pour contempler jusqu'au vertige et un nez pour pomper à pleines narines les senteurs capiteuses de la plus fabuleuse ville du Moyen-Orient que le Tigre irriguait de ses bienfaits, charriant dans ses méandres la féerie de ses légendes et celle de ses romances. C'est vrai que l'ombre du Raïs faussait ses lumières, mais elle ne m'atteignait pas. J'étais un jeune étudiant ébloui, qui échafaudait dans sa tête des projets mirobolants. Chaque beauté que me suggérait Bagdad devenait mienne : comment ne pas succomber aux charmes de la cité des houris sans s'y identifier un peu ? Et encore, me disait Kadem, il fallait la voir avant l'embargo...

Si Bagdad avait survécu à l'embargo onusien juste pour narguer l'Occident et ses trafics d'influence, elle ne survivrait assurément pas à l'affront que lui infligeaient ses propres avortons.

Et j'étais venu, à mon tour, y sécréter mon fiel. J'ignorais comment m'y prendre, cependant j'étais certain de lui porter un vilain coup. C'était ainsi depuis la nuit des temps. Les Bédouins, aussi démunis soient-ils, ne badinaient pas avec le sens de l'honneur. L'offense se devait d'être lavée dans le sang, seule lessive autorisée pour garder son amour-propre. J'étais le garçon unique de ma famille. Mon père étant invalide, c'était à moi qu'échéait la tâche suprême de venger l'outrage subi, quitte à y laisser ma peau. La dignité ne se négocie pas. Si on venait à la perdre, les linceuls du monde entier ne suffiraient pas à nous voiler la face, et aucune tombe n'accueillerait notre charogne sans se fissurer.

Mû par je ne sais quel maléfice, j'allais sévir, moi aussi, souiller de mes mains les murs que j'avais caressés, cracher sur les baies vitrées dans lesquelles j'avais soigné mon image, décharger mon quota de cadavres dans le Tigre sacré, anthropophage à son corps défendant, jadis friand de vierges sublimes que l'on offrait aux divinités, aujourd'hui gavé d'indésirables dont les dépouilles pourrissantes polluaient ses eaux vertueuses...

L'autocar traversa un pont longeant le fleuve. Je ne voulais pas regarder les squares que je devinais ravagés ni les gens qui fourmillaient sur les trottoirs et que, déjà, je n'aimais plus. Comment pouvais-je aimer après ce que j'avais vu à Kafr Karam ? Comment me croire encore capable d'apprécier d'illustres inconnus après avoir été déchu de l'estime de moi-même ? Étais-je encore moi-même ? Si oui, qui étais-je ?... Ça ne m'intéressait pas de le savoir. Ça n'avait aucune espèce d'importance pour moi désormais. Des amarres avaient rompu, des tabous étaient tombés, et un monde de sortilèges et d'anathèmes venait de pousser sur leurs décombres. Ce qui était terrifiant, dans cette histoire, était l'aisance avec laquelle je passais d'un univers à l'autre sans me sentir dépaysé. C'est d'une facilité ! Je m'étais couché garçon docile et affable, et je m'étais réveillé dans la chair d'une colère inextinguible. Je portais ma haine comme une seconde nature ; elle était mon armure et ma tunique de Nessus, mon socle et mon bûcher ; elle était tout ce qui me restait en cette vie fallacieuse et injuste, ingrate et cruelle.

Je n'étais pas venu retrouver les souvenirs heureux, mais les proscrire à jamais. Entre Bagdad et moi, le temps des candeurs fleuries était révolu. Nous n'avions plus rien à nous dire. Nous nous ressemblions comme deux gouttes d'eau ; nous avions perdu notre âme et nous nous apprêtions à faucher celle des autres.

L'autocar s'arrêta au niveau d'une sorte de cour des miracles. La place était envahie par un cheptel de gosses déguenillés au regard fourbe et aux mains baladeuses. C'étaient des enfants des rues, faunesques et détritivores que les orphelinats et les centres de rééducation en faillite avaient déversés par contingents dans la ville. Un phénomène récent, que je n'avais même pas soupçonné. À peine les premiers voyageurs avaient-ils mis un pied à terre que quelqu'un se mit à crier au voleur ! Une bande de galopins s'était approchée des soutes et s'était servie dans la foulée. Le temps de comprendre, et la bande filait déjà de l'autre côté de la chaussée, son larcin sur l'épaule.

Je me dépêchai de m'éloigner, mon sac bien serré sous mon bras.

La clinique Thawba se trouvait à quelques îlots d'immeubles de la gare routière. Je décidai de m'y rendre à pied, pour soulager mes courbatures. Des voitures étaient garées çà et là dans un petit parking quadrillé de palmiers amochés. Les temps avaient changé, et la clinique aussi ; elle n'était plus que l'ombre d'elle-même, avec ses fenêtres hagardes et son fronton terni.

Je gravis les marches d'un perron au haut duquel un agent de la sécurité se curait les dents avec une allumette.

— Je viens voir le docteur Farah, lui dis-je.

— Montre voir ton rendez-vous.

— Je suis son frère.

Il me demanda d'attendre sur le perron et se rendit dans un box s'entretenir avec un guichetier. Ce dernier me jeta un œil méfiant avant de décrocher le téléphone, resta en ligne deux minutes. Je le vis hocher la tête, puis acquiescer en direction de l'agent qui revint me chercher pour me conduire dans une salle d'attente aux canapés crevés.

Farah arriva une dizaine de minutes plus tard, dans son tablier blanc, son stéthoscope sur la poitrine. Elle était resplendissante, maquillée avec soin, avec cependant un peu trop de rouge sur les lèvres. Elle m'accueillit sans enthousiasme, comme si nous nous voyions tous les jours. C'était sans doute à cause de son travail qui ne lui laissait aucun répit. C'est vrai qu'elle avait maigri. Ses baisers étaient furtifs et son accolade manquait d'entrain.

— Tu es arrivé quand ? me demanda-t-elle.

— À l'instant.

— Bahia m'a téléphoné avant-hier pour m'annoncer ta visite.

— Nous avons perdu beaucoup de temps sur la route. Avec tous ces barrages militaires et ces déviations forcées...

— Tu étais obligé ? me dit-elle avec une pointe de reproche.

Je ne saisis pas tout de suite, mais la fixité de son regard m'aida à y voir clair. Ce n'était pas de la lassitude, ce n'était pas à cause de son travail ; ma sœur n'était pas ravie de me revoir.

— Tu as déjeuné ?

— Non.

— J'ai trois patients à soigner. Je vais te conduire dans une chambre. Tu prends d'abord un bon bain, car tu sens très fort, ensuite une infirmière t'apportera de quoi manger. Si je tarde, allonge-toi sur le lit et repose-toi jusqu'à mon retour...

Je ramassai mon sac et la suivis le long d'un corridor, puis à l'étage au-dessus où elle me fit entrer dans une pièce meublée d'un lit et d'une table de chevet. Il y avait un petit téléviseur sur un support mural et, derrière un rideau en plastique, une douche.

— Le savon et le shampoing sont dans le placard,

ainsi que des serviettes. L'eau est rationnée, me signala-t-elle. Ne la laisse pas couler inutilement.

Elle consulta sa montre.

— Il faut que je me dépêche.

Et elle se retira.

Je demeurai un bon moment à fixer l'endroit où elle se tenait en me demandant si, quelque part, je ne faisais pas fausse route. Certes, Farah avait toujours été distante. C'était une rebelle et une battante, la seule fille de Kafr Karam à avoir osé enfreindre les règles tribales et faire exactement ce qu'elle avait envie de faire. Son audace et son insolence avaient certainement forgé son tempérament, la rendant plus agressive et moins conciliante, mais son accueil me troublait. Notre dernière rencontre remontait à deux ans. Elle était venue nous rendre visite à Kafr Karam et, même si elle était restée parmi nous moins longtemps que prévu, à aucun moment elle n'avait paru nous prendre de haut. C'est vrai qu'il était rare de l'entendre rire, mais de là à la soupçonner capable de recevoir son propre frère avec un tel détachement...

Je me défis de mes vêtements, plongeai sous le jet de la douche et entrepris de me savonner de la tête aux pieds. En sortant de sous l'eau, j'eus le sentiment d'avoir fait peau neuve. J'enfilai des vêtements propres et m'étendis sur le matelas-éponge recouvert d'une toile cirée. Une infirmière m'apporta un plateau de nourriture. Je mangeai comme une brute et m'assoupis immédiatement.

Quand Farah revint, le jour déclinait. Elle semblait plus détendue. Elle s'assit d'une fesse sur le bord du lit et croisa sès mains blanches sur un genou.

— Je suis passée plus tôt mais, comme tu dormais à poings fermés, je n'ai pas voulu te réveiller.

— Ça fait deux jours et deux nuits que je n'ai pas fermé l'œil.

Elle se gratta la tempe, ennuyée.

— Tu as choisi le mauvais moment pour débarquer. Bagdad est l'endroit le plus dangereux de la terre aujourd'hui.

Son regard, tout à l'heure fixe, se mit à se dérober.

— Je te dérange ? lui demandai-je.

Elle se leva et alla allumer le plafonnier. Geste ridicule, car la pièce était bien éclairée. Elle se retourna brusquement et me dit :

— Qu'est-ce que tu es venu chercher à Bagdad ?

De nouveau, cette pointe de reproche qui exacerba ma susceptibilité.

Nous n'avions jamais été très proches, Farah et moi. Elle était beaucoup plus âgée que moi, et partie très tôt de la maison ; nos rapports étaient donc restés vagues. Même du temps où j'étais à l'université, nous ne nous voyions qu'occasionnellement. Maintenant qu'elle se tenait devant moi, je me rendis compte qu'elle n'était qu'une étrangère. Pis, que je ne l'aimais pas.

— Il n'y a que des emmerdes à Bagdad, dit-elle.

Elle passa la langue sur ses lèvres.

— Nous sommes dépassés, à la clinique. Tous les jours, on nous submerge de malades, de blessés, de gens mutilés. La moitié de mes confrères ont baissé les bras. Comme la paie ne suit plus, nous ne sommes qu'une vingtaine à continuer de sauver les meubles.

Elle sortit une enveloppe de sa poche et me la tendit.

— Qu'est-ce que c'est ?

— Un peu d'argent. Trouve-toi un hôtel pour quelques jours, le temps pour moi de voir comment te caser.

Je n'en revenais pas.

Je repoussai l'enveloppe.

— Dois-je comprendre que tu n'as plus ton appartement ?

— Je l'ai toujours, sauf que je ne peux pas t'héberger.

— Pourquoi ?

— Je ne peux pas.

— Comment ça ? Je ne te suis pas. Chez nous, on se débrouille pour...

— Je ne suis pas à Kafr Karam, dit-elle. Je suis à Bagdad.

— Je suis ton frère. On ne ferme pas sa porte au nez de son frère.

— Désolée.

Je la dévisageai. Elle évitait de me regarder. Je ne la reconnaissais plus. Elle ne ressemblait pas à l'image que j'avais gardée d'elle. Ses traits ne me disaient rien ; c'était quelqu'un d'autre.

— Je te fais honte, c'est ça ? Tu as rompu avec tes origines ; tu es une fille de la ville, moderne et tout, moi, je demeure le plouc qui gâche le décor ? Madame est médecin. Elle vit seule dans un appartement chic dans lequel elle ne reçoit plus ses parents de peur d'être la risée de ses voisins de palier...

— Je ne peux pas t'héberger parce que je vis avec quelqu'un, m'interrompit-elle sur un ton sec.

Une avalanche de glace s'abattit sur moi.

— Tu vis avec quelqu'un ? Comment ça ? Tu t'es mariée sans que la famille le sache ?

— Je ne suis pas mariée.

Je bondis sur mes jambes.

— Tu vis avec un homme ? Tu vis dans le péché ?

Elle leva sur moi un regard aride.

— C'est quoi le péché, petit frère ?

— Tu n'as pas le droit, c'est... C'est interdit par, par... Enfin, tu es devenue folle ? Tu as une famille. Est-ce que tu as pensé à ta famille ? À son honneur ? Au tien ? Tu es, tu ne peux pas vivre dans le péché, pas toi...

— Je ne vis pas dans le péché, je vis ma vie.

— Tu ne crois plus en Dieu ?

— Je crois en ce que je fais, et ça me suffit.

10.

J'avais erré dans la ville à ne plus pouvoir mettre un pied devant l'autre. Je ne voulais penser à rien, ne rien voir, ne rien entendre. Les gens tourbillonnaient autour de moi ; je les ignorais. Combien de fois un klaxon m'avait-il rejeté sur le trottoir ? J'émergeais un instant de mes opacités, puis y replongeais comme si de rien n'était. Je me sentais à l'aise dans le noir, à l'abri de mes tourments, hors de portée des questions qui fâchaient, seul dans ma colère en train de creuser son lit dans mes veines, de se confondre avec les fibres de mon être. Farah était de l'histoire ancienne. Je l'avais chassée de mon esprit sitôt que je l'avais quittée. Elle n'était qu'un succube, une putain ; elle n'avait plus de place dans ma vie. Dans la tradition ancestrale, lorsqu'un proche dévoyait, il était systématiquement banni de notre communauté. Quand c'était une fille qui fautait, le rejet n'en était que plus expéditif.

La nuit me rattrapa sur un banc, dans une place en disgrâce attenant à une station de lavage autour de laquelle croupissaient des énergumènes de tout poil, saqués par les anges et les démons, venus échouer par ici comme des baleines que les vertiges de l'océan n'interpellent plus – un ramassis de clochards ivres morts ensevelis sous leurs chiffons, de gamins shootés à la colle de cordonnier, de femmes déchues mendiant au pied des arbres, leurs nourrissons sur les cuisses... Il n'était pas ainsi, le quartier, autrefois. Il n'était pas chic, mais paisible et propret, avec ses boutiques lumineuses et ses badauds débonnaires. Maintenant, il était infesté d'orphelins affamés, de jeunes lycanthropes recouverts de hardes et d'escarres, qui ne reculeraient devant rien pour sévir.

Le sac contre ma poitrine, je surveillais une bande de louveteaux qui rôdait autour de mon banc.

— Qu'est-ce que tu veux ? dis-je à un morveux venu s'asseoir près de moi.

C'était un mioche d'une dizaine d'années, au visage tailladé et aux narines ruisselantes. Ses cheveux s'entortillaient par-dessus son front tel un nid de serpents sur la tête de Méduse. Il avait des yeux inquiétants et un sourire perfide au coin de la bouche. Il portait une chemise qui lui arrivait aux mollets, un pantalon déchiré, et il était pieds nus. Ses orteils abîmés et noirs de saleté sentaient la bête crevée.

— J'ai le droit de me reposer, non ? glapit-il en soutenant mon regard. C'est un banc public, c'est pas ta propriété.

Le manche d'un couteau dépassait de sa poche.

À quelques mètres, trois galopins feignaient de s'intéresser à une touffe de gazon. En réalité, ils nous observaient en catimini et attendaient un geste de leur camarade pour s'approcher.

Je me levai et m'éloignai. Le gamin sur le banc lâcha un juron obscène dans ma direction et me montra son bas-ventre. Ses trois acolytes me dévisageaient en ricanant. Le plus âgé d'entre eux n'avait pas treize ans, mais ils puaient la mort à des lieues à la ronde.

Je pressai le pas.

Quelques ruelles plus loin, des ombres surgirent de l'obscurité et me foncèrent dessus. Pris au dépourvu, je m'écrasai contre un mur. Des mains se cramponnèrent à mon sac et essayèrent de me l'arracher. Je lançai mon pied, atteignis une jambe et me repliai sur une porte. Les esprits frappcurs redoublèrent de férocité. Je sentis les sangles de mon sac craquer et me mis à assener des coups à l'aveuglette. Au bout d'une lutte acharnée, mes assaillants lâchèrent prise et s'enfuirent. Quand ils passèrent sous un lampadaire, je reconnus les quatre louveteaux de tout à l'heure.

Je m'accroupis sur le trottoir et, la tête dans la main, je respirai à pleine poitrine pour recouvrer mon souffle.

— C'est quoi ce pays ? m'entendis-je dire dans un halètement.

En me relevant, j'eus l'impression que mon sac s'était allégé. Effectivement, une entaille lui traversait le flanc, et la moitié de mes affaires avait disparu. Je portai la main à la poche arrière de mon pantalon et fus soulagé de constater que mon argent était encore là. Ce fut alors que je me mis à courir vers le centre-ville, bondissant sur le côté à chaque fois qu'une ombre me croisait.

Je dînai chez un marchand de grillades, assis à une table dans un coin, loin de la porte ou des fenêtres, un œil sur mes brochettes et l'autre sur les clients qui entraient et sortaient comme dans un moulin. Aucune tête ne me revenait, et chaque regard qui se posait sur moi me crispait. J'étais mal à l'aise au milieu de ces êtres hirsutes qui suscitaient en moi autant de méfiance que d'effroi. Ils n'avaient pas grand-chose en commun avec les gens de mon village, sauf peut-être la forme humaine qui ne tempérait guère leur aspect de brutes. Tout en eux m'inspirait une froide animosité. J'avais le sentiment de m'aventurer sur un territoire ennemi – pis, sur un champ de mines, et m'attendais à tout instant à partir en morceaux.

— Détends-toi, me dit le serveur en posant une assiettée de frites devant moi. Ça fait une minute que je te tends le plat, et toi, tu me fixes sans me voir. Qu'est-ce qu'il y a ? Tu as échappé à une rafle ou bien tu sors indemne d'un attentat ?

Il m'adressa un clin d'œil et alla s'occuper d'un client.

Après avoir ingurgité mes brochettes et mes frites, j'en commandai d'autres, puis d'autres. Une faim inouïc absorbait ce que j'avalais, et plus je mangeais, plus elle s'accentuait. J'avais vidé une bouteille de soda d'un litre, un carafon d'eau, deux paniers de pain et une bonne vingtaine de brochettes garnies. Cette boulimie soudaine m'effrayait.

Je demandai l'addition pour y mettre un terme.

— Est-ce qu'il y a un hôtel dans le coin ? fis-je au caissier pendant qu'il me rendait la monnaie.

Il souleva un sourcil, me considéra de guingois :

— Il y a une mosquée à l'autre bout de la rue, derrière le square. C'est sur ta gauche, à la sortie. Les gens de passage y sont hébergés pour la nuit. Là-bas, au moins, tu peux dormir sur tes deux oreilles.

— Je veux aller dans un hôtel.

— Ça se voit que tu n'es pas d'ici. Tous les hôtels sont surveillés. Et les gérants sont tellement emmerdés par la police que la plupart ont mis la clef sous le paillasson... Va à la mosquée. Les descentes là-bas sont rares, en plus c'est gratis.

— À ta place, c'est ce que je ferais, me souffla le serveur en glissant derrière moi.

Je ramassai mon sac et sortis dans la rue.

La mosquée était, en réalité, un dépôt transformé en salle de prières au rez-de-chaussée d'un bâtiment de deux étages coincé entre un grand bazar désaffecté et un immeuble. La rue était parcimonieusement éclairée par un lampadaire avec, de part et d'autre, des épiceries aux devantures barricadées. L'endroit me déplut d'emblée. C'était un coupe-gorge. Il était onze heures du soir, et, hormis des chats de gouttière en train de remuer les tas d'ordures sur les trottoirs, pas âme qui vive. La salle de prières était évacuée, et les sans-abri regroupés dans une autre pièce assez large pour accueillir une cinquantaine de personnes. Le parterre était tapissé de couvertures fanées. Un lustre dardait ses lumières sur les masses informes qui se recroquevillaient çà et là. Ils étaient une vingtaine de misérables à hanter les lieux, couchés tout habillés, les uns la bouche ouverte, les autres en position fœtale ; ça sentait les pieds et la guenille.

Je choisis de m'étendre dans une encoignure, à côté d'un vieillard. Le sac en guise d'oreiller, je fixai le plafond et attendis.

Le lustre s'éteignit. Des ronflements fusèrent, s'intensifièrent puis s'espacèrent. J'écoutais le sang battre à mes tempes, ma respiration s'emballer ; des assauts de nausée partaient de mon ventre et finissaient en éructations étouffées. Une seule fois, l'image de mon père tombant à la renverse fulgura dans ma tête ; tout de suite je la chassai de mon esprit. J'étais trop mal loti pour m'encombrer de souvenirs dérangeants.

Je rêvai qu'une meute de chiens me pourchassait à travers un bois obscur peuplé de hurlements et de branches griffues. J'étais nu, les jambes et les bras ensanglantés, et les cheveux ruisselants de fientes. Soudain, un précipice écarta la broussaille. J'allais basculer dans le vide quand l'appel du muezzin me réveilla.

Dans la salle, la plupart des dormeurs avaient plié bagage. Le vieillard était parti, lui aussi. Il ne restait que quatre misérables loques encore couchées. Quant à mon sac, il n'était plus là. Je portai ma main à la poche arrière de mon pantalon ; mon argent avait disparu.

Assis sur le trottoir, le menton dans les mains, je regardais des policiers en uniforme contrôler les voitures. Ils demandaient les papiers des conducteurs, vérifiaient ceux de leurs passagers, parfois ils faisaient descendre tout le monde et procédaient à des fouilles systématiques. Les coffres des voitures étaient passés au crible ; on regardait sous les capots, et sous les châssis. La veille, au même endroit, l'interception d'une ambulance avait tourné au drame. Le médecin avait tenté d'expliquer qu'il s'agissait d'une urgence. Les policiers n'avaient rien voulu savoir. Le médecin avait fini par s'énerver et un brigadier lui avait foutu son poing dans la figure. Puis ça avait dégénéré. Les coups partaient des deux côtés, les insultes ripostaient aux menaces. Finalement, le brigadier avait sorti son pistolet et avait tiré dans la jambe du médecin.

Le quartier était mal famé. Deux jours avant l'incident de l'ambulance, un homme avait été abattu exactement là où la police dressait le barrage. C'était un quinquagénaire. Il sortait de la boutique d'en face, un sac de provisions dans les bras. Il s'apprêtait à monter dans sa voiture quand une moto s'était arrêtée à sa hauteur. Trois coups de feu, et le bonhomme s'était écroulé, la tête contre son sachet.

Au même endroit, trois jours plus tôt, un jeune député s'était fait descendre. Il était à bord de son véhicule quand une moto l'avait rattrapé. Une rafale, et le pare-brise s'était recouvert de toiles d'araignée. Le véhicule avait effectué une embardée sur le trottoir, renversé une piétonne avant de s'écraser contre un lampadaire. Le tueur encagoulé s'était dépêché d'ouvrir la portière. Il avait tiré le jeune député à l'extérieur, l'avait étalé sur le sol et criblé de balles à bout portant. Ensuite, sans se presser, il était remonté sur sa moto et avait disparu dans un vrombissement.

C'était sans doute pour pallier les tueries que la police avait investi les lieux. Mais Bagdad était une passoire. Elle prenait l'eau de partout. Les attentats y étaient monnaie courante. On ne bouchait un trou que pour en dégager d'autres, plus meurtriers. Ce n'était plus une ville ; c'était un champ de bataille, un stand de tir, une gigantesque boucherie. J'avais quitté une ville coquette, je retrouvais une hydre ratatinée, arc-boutée contre ses fêlures. Quelques semaines avant les bombardements alliés, les gens croyaient le miracle encore possible. Partout, à travers la planète, à Rome comme à Tokyo, à Madrid et à Paris, au Caire et à Berlin, les peuples défilaient en masse – des millions d'inconnus convergeaient sur le centre de leurs villes pour dire non à la guerre. Qui les avait entendus ?

La boîte de Pandore ouverte, la bête immonde se surpassait. Plus rien ne semblait en mesure de l'assagir. Bagdad se décomposait. Longtemps façonnée dans l'ancrage des répressions, voilà qu'elle se défaisait de ses amarres de suppliciée pour se livrer aux dérives, fascinée par sa colère suicidaire et le vertige des impunités. Le tyran déchu, elle retrouvait intacts ses silences forcés, sa lâcheté revancharde, son mal grandeur nature, et conjurait au forceps ses vieux démons. N'ayant à aucun moment attendri ses bourreaux, elle ne voyait pas comment s'apitoyer sur elle-même maintenant que tous les interdits étaient levés. Elle se désaltérait aux sources de ses blessures, à l'endroit où le bât de l'infamie la marquait : sa rancune. Grisée par sa souffrance et l'écœurement qu'elle suscitait, elle se voulait l'incarnation de tout ce qu'elle ne supportait pas, y compris l'image qu'on se faisait d'elle et qu'elle rejetait en bloc ; et c'était dans la désespérance la plus crasse qu'elle puisait les ingrédients de son propre martyre.

Cette ville était folle à lier.

Les camisoles ne lui seyant guère, elle leur préférait les ceintures explosives et les étendards taillés dans les suaires.

Deux semaines... Ça faisait deux semaines que j'errais parmi les décombres, sans le sou et sans repères. Je dormais n'importe où, me nourrissais de n'importe quoi, sursautant au gré des déflagrations. On se serait cru sur le front, avec ces interminables cordons de fil barbelé délimitant les quartiers de haute sécurité, ces barricades de fortune, ces obstacles antichars contre lesquels les voitures de kamikaze se désintégraient, ces miradors surplombant les façades, ces herses en travers des chaussées, et ces gens somnambuliques qui ne savaient plus à quel saint se vouer et qui, dès qu'un attentat était perpétré, se ruaient sur les lieux du drame comme des mouches sur une goutte de sang.

J'étais fatigué, abattu, révolté et écœuré à la fois. Chaque jour, mon mépris et ma colère levaient d'un cran. Bagdad m'injectait sa propre folie. Je voulais lui rentrer dedans de plein fouet.

Ce matin, en m'arrêtant devant une vitrine, je ne m'étais pas reconnu. J'avais les cheveux embroussaillés, le visage fripé que deux yeux chauffés à blanc rendaient repoussant, la bouche gercée ; mes vêtements laissaient à désirer ; j'étais devenu un clochard.

— Ne reste pas là, me lança un policier.

Je mis un certain temps pour m'apercevoir qu'il s'adressait à moi.

D'une main dédaigneuse, il me fit signe de débarrasser le plancher.

— Allez, allez, dégage...

Je ne sais pas depuis combien d'heures j'étais assis sur le trottoir, face au poste de contrôle. Je me levai, un peu dans les vapes à cause de la faim qui me tenaillait. Ma main partit à la recherche d'un appui, ne rencontra que du vide. D'un pas titubant, je m'éloignai.

J'avais marché, marché... C'était comme si j'avançais dans un monde parallèle. Les boulevards s'écartaient devant moi, semblables à des gueules géantes. Je chavirais au milieu de la foule, le regard trouble, les mollets ciselés. De temps à autre, un bras excédé me repoussait. Je me remettais debout et continuais mon chemin sans but précis.

Sur un pont, un attroupement entourait un véhicule incendié. Je fendis la cohue aussi aisément qu'un brise-glace la mer gelée.

Le fleuve clapotait sur les berges, sourd aux clameurs des damnés. Un vent chargé de sable me cinglait le visage. Je ne savais quoi faire de mon ombre, ni quoi faire de mes pas.

— Hé !

Je ne me retournai pas. Je n'avais pas la force de me retourner ; un faux mouvement, et je m'écroulais. Il me semblait que le seul moyen de tenir sur mes jambes était de marcher, la tête dans des œillères, et surtout de ne pas me laisser distraire.

Un klaxon brailla encore, et encore... Puis un bruit de pas me rattrapa, et une main me retint par l'épaule.

— Tu es sourd ou quoi ?

Un rondouillard se mit en travers de mon chemin. Je ne le reconnus pas tout de suite, à cause de ma vue vacillante. Il écarta les bras, libérant son gros ventre qui déboula sur ses cuisses. Son sourire ressemblait à une écorchure.

— C'est moi...

Ce fut comme si une oasis émergeait de mon délire. Tout mon être en frémit. Je ne crois pas avoir connu une telle délivrance, un tel bonheur avant. L'homme qui me souriait me ramenait sur terre, me ressuscitait. Il devenait d'emblée mon unique recours, mon ultime salut. C'était Omar le Caporal.

— Je t'en bouche un coin, pas vrai ? s'exclama-t-il, ravi. Regarde comme je suis sapé, dit-il en tournant sur lui-même. Une vraie star, hein ?

Il lissa le devant de sa veste, son pantalon droit...

— Pas une once de cambouis, pas un faux pli, s'écria-t-il. Impec, ton cousin. Aussi neuf qu'un sou. Tu te rappelles, à Kafr Karam ? J'avais tout le temps une tache d'huile ou de graisse sur mes habits. Eh bien, depuis que je suis à Bagdad, ça ne m'arrive plus.

Son enthousiasme s'affaissa d'un coup. Il venait de se rendre compte que je n'étais pas bien, que j'avais du mal à tenir sur mes jambes, que j'étais sur le point de m'évanouir.

— Mon Dieu ! D'où est-ce que tu sors ?

Je l'avais fixé comme s'accroche à une branche un sinistré emporté par la crue et je lui avais dit :

— J'ai faim.

11.

Omar m'avait emmené dans une gargote. Il n'avait pas dit un traître mot pendant que je mangeais. Il comprenait que je n'étais pas en mesure d'entendre quoi que ce soit. J'étais penché sur mon assiette comme sur mon propre destin. Je n'avais d'yeux que pour les frites ramollies que j'engloutissais par poignées, et pour le pain que je déchirais avec férocité. Il me semblait que je ne me donnais même pas la peine de mastiquer. J'avais la gorge écorchée par les bouchées effrénées, les doigts poisseux, du jus plein le menton. Des clients attablés à proximité me considéraient avec horreur. Il avait fallu qu'Omar fronce les sourcils pour qu'ils détournent leurs regards.

Quand j'eus fini de m'empiffrer, il me conduisit dans une boutique pour m'acheter des habits. Ensuite, il me déposa dans des douches publiques. Au sortir du bain, je me sentais un peu mieux.

— Je présume que tu n'as pas où aller, me dit Omar avec une pointe d'embarras.

— Non.

Il se gratta le menton.

— Tu n'es pas obligé, lui dis-je, susceptible.

— C'est pas ça, cousin. Tu es entre de bonnes mains, sauf qu'elles ne sont pas tout à fait libres. Je partage un petit studio avec un associé.

— C'est pas grave. Je me débrouillerai.

— Je ne suis pas en train de te larguer. J'essaie seulement de gamberger. Il n'est pas question, pour moi, de t'abandonner à ton sort. Bagdad ne pardonne pas aux égarés.

— Je ne veux pas te tracasser. Tu as déjà assez fait pour moi.

Du plat de la main, il me pria de le laisser réfléchir. Nous étions dans la rue, moi debout sur le trottoir, lui adossé contre son fourgon, les bras croisés et le menton sur l'index, sa bedaine telle une barrière entre nous.

— Tant pis, dit-il soudain. Je dirai à mon colocataire d'aller se faire voir ailleurs le temps de te trouver quelque chose. C'est un type bien. Il a de la famille par ici.

— Tu es sûr que je ne te dérange pas ?

Il donna un coup de reins pour se redresser et m'ouvrit la portière.

— Monte, cousin. On va se serrer les coudes.

Comme j'hésitais, il me prit par l'épaule et me bouscula sur le siège.

Omar habitait au premier étage d'un immeuble à Salman Park, un quartier périphérique au sud-est de la ville. Une bâtisse lépreuse, que desservait une ruelle infestée de marmaille. Le perron tombait en ruine, et les portes étaient à moitié sorties de leurs gonds. Dans la cage d'escalier aux relents miasmatiques, les boîtes aux lettres battaient de l'aile, certaines complètement arrachées. Une pénombre malsaine jetait sa noirceur sur les marches craquelées.

— Il n'y a pas d'éclairage, m'avertit Omar. À cause des voleurs. On remplace l'ampoule, et ils la bousillent dans la minute qui suit.

Deux fillettes en bas âge jouaient sur le palier, la figure repoussante de saleté.

— Leur mère est fêlée, me chuchota-t-il. Elle les laisse là toute la journée et se fiche de savoir ce qu'elles font. Des fois, des passants les ramassent sur la chaussée. Et la mère, elle n'est pas contente quand on lui dit de faire attention à ses petites... Nous sommes dans un monde de dingues.

Il ouvrit la porte et s'écarta pour me laisser entrer. La pièce était petite, aussi chichement meublée qu'une grotte de troglodyte. Il y avait un matelas à deux places étalé à même le sol, un caisson en bois sur lequel reposait une petite télé et, contre le mur, un tabouret. Un placard cadenassé faisait face à la fenêtre qui donnait sur la cour. C'était tout. Une geôle offrirait plus de confort à son détenu que le studio d'Omar à ses convives.

— C'est mon royaume, s'exclama le Caporal dans un geste théâtral. Dans l'armoire murale, tu trouveras des couvertures, des boîtes de conserve et des biscuits. J'ai pas de cuisine, et pour chier, je dois rentrer le ventre pour me glisser jusqu'au bidet.

Il désigna du pouce le petit coin.

— L'eau est rationnée. Une fois par semaine, et ça arrive au compte-gouttes. Si tu es absent ou distrait, tu attendras la prochaine distribution. Inutile de rouspéter. À part les emmerdes, tu ne ferais qu'aggraver ta soif... J'ai deux jerricans dans les toilettes. Pour se laver la figure car la flotte n'est pas potable.

Il tripota le cadenas et retira la chaînette sur les battants pour me montrer ce que contenait le placard.

— Fais comme chez toi... Il faut que je file si je ne veux pas être viré. Je serai de retour dans trois ou quatre petites heures. J'apporterai de la nourriture et on parlera du bon vieux temps jusqu'à prendre les chimères pour argent comptant.

Avant de s'en aller, il me recommanda de fermer la porte à double tour et de ne dormir que d'un œil.

Quand Omar revint, le soleil déclinait.

Il occupa le tabouret et me regarda m'étirer sur le matelas.

— Tu as dormi vingt-quatre heures d'affilée, m'annonça-t-il.

— Sans blague !

— Jc t'assure que c'est vrai. J'ai essayé de te réveiller ce matin, mais tu n'as pas réagi. Je suis revenu à midi, et tu étais toujours plongé dans un sommeil profond. Même l'explosion qui s'est produite dans le coin ne t'a pas atteint.

— Il y a eu un attentat ?

— On est à Bagdad, cousin. Quand ce n'est pas une bombe qui pète, c'est une bonbonne de gaz. Cette fois, ça a été un accident. Il y a eu des morts, mais j'ai pas regardé les chiffres. Je me rattraperai la prochaine fois.

Je me sentais patraque, mais content de me savoir sous un toit, avec Omar à mes côtés. Mes deux semaines de clochardisation accélérée m'avaient laminé. Je n'aurais pas tenu le coup plus longtemps.

— Est-ce que je peux savoir ce que tu es venu fabriquer à Bagdad ? me demanda Omar en scrutant ses ongles.

— Venger une offense, répondis-je sans hésitation.

Il leva les yeux sur moi. Son regard était triste.

— De nos jours, on vient à Bagdad venger une offense contractée ailleurs, ce qui fait que l'on se trompe grossièrement de cible... Que s'est-il passé à Kafr Karam ?

— Les Américains.

— Qu'est-ce qu'ils t'ont fait ?

— Je ne peux pas te raconter.

Il hocha la tête.

— Je comprends... On va marcher un peu, me dit-il en se levant. Après, on ira grignoter dans un resto. On cause mieux quand on a quelque chose dans le bide...

Nous avions parcouru le quartier de long en large, en parlant de broutilles, laissant à plus tard le vif du sujet. Omar était soucieux. Une vilaine ride lui cisaillait le front. Le menton dans le creux de la gorge et les mains dans le dos, il traînait la patte comme si un fardeau l'accablait. Il n'arrêtait pas de shooter dans les boîtes de conserve qu'il rencontrait sur son chemin. Le soir tombait doucement sur la ville engrossée de délires. De temps à autre, des voitures de police nous dépassaient, les sirènes hurlantes, puis le charivari ordinaire des quartiers populeux reprenait son cours, presque imperceptible à cause de sa banalité.

Nous dînâmes dans un petit restaurant sur la place. Omar connaissait le patron. Il n'y avait que deux clients, un homme aux allures de jeune premier, avec ses lunettes en fer-blanc et son costume sobre, et un routier poussiéreux qui ne quittait pas des yeux son camion rangé en face, à portée d'une bande de galopins.

— Tu es à Bagdad depuis combien de temps ? me demanda Omar.

— Une vingtaine de jours, à peu près.

— Tu dormais où ?

— Dans des squares, sur les berges du Tigre, dans des mosquées. Ça dépendait. Je me couchais là où mes mollets me lâchaient.

— Comment en es-tu arrivé là, bon sang ? Si tu avais vu ta gueule, hier. Je t'avais reconnu de loin, mais quand je me suis approché, j'ai eu un doute. On aurait dit qu'une grosse pute syphilitique t'avait pissé dessus pendant que tu lui lapais la foufoune.

Je retrouvai en vrac le Caporal de Kafr Karam. Bizarrement, son obscénité ne me révulsa pas outre mesure.

— J'étais venu avec l'idée d'être hébergé chez ma sœur dans un premier temps, lui racontai-je. Mais ça n'a pas été possible. J'avais un peu d'argent sur moi, de quoi tenir un petit mois. D'ici là, avais-je pensé, j'aurais trouvé un point de chute. La première nuit, j'avais dormi dans une mosquée. Au matin, mes affaires et mon argent avaient disparu. La suite, je te laisse deviner... Comment a réagi ton colocataire ? dis-je pour changer de sujet.

— C'est un brave gars. Il sait ce que c'est.

— Je te promets de ne pas abuser de ton hospitalité.

— Ne déconne pas, cousin. Tu ne m'encombres pas. Tu aurais fait la même chose pour moi si j'étais dans ta situation. Nous sommes des Bédouins. Nous n'avons rien à voir avec les gens d'ici...

Il joignit les mains sur la bouche et posa sur moi deux yeux intenses :

— Si tu m'expliquais maintenant ton histoire de

vengeance ? Qu'est-ce que tu comptes faire précisément ?

— Aucune idée...

Il gonfla les joues et libéra un soupir incoercible. Sa main droite revint sur la table, s'empara d'une cuillère et commença à touiller la soupe froide au fond de l'assiette. Omar devinait ce que j'avais derrière la tête. Les paysans qui rappliquaient des quatre coins du bled pour renforcer les rangs des *fedayin* étaient légion. Tous les matins, des autocars en déversaient par contingents sur les gares routières. Les motivations étaient plurielles, mais l'objectif était le même. Il crevait les yeux.

— Je n'ai pas le droit de m'opposer à ton choix, cousin. Nul ne détient la vérité. Personnellement, j'ignore si je suis dans le tort ou pas. Aussi je n'ai pas de leçon à te donner. Tu as été offensé, tu es le seul à décider de ce qu'il y a lieu de faire.

Il y avait plein de fausses notes dans sa voix.

— Il s'agit d'honneur, Omar, lui rappelai-je.

— Je ne veux pas discutailler là-dessus. Mais il faut que tu saches exactement où tu mets les pieds. La résistance, tu vois ce qu'elle fait tous les jours. Des milliers d'Irakiens sont tombés sous ses coups. Pour combien d'Américains ? Si cette question ne te concerne pas, c'est ton problème. Mais moi, je ne suis pas d'accord.

Il commanda deux cafés pour gagner du temps et rassembler ses arguments, et poursuivit :

— Pour être franc, j'étais venu à Bagdad casser la baraque, au sens propre du terme. Je n'ai jamais réussi à digérer l'affront que Yacine m'avait fait au café. Il m'avait manqué de respect, et depuis, à chaque fois que j'y pense – c'est-à-dire plusieurs fois par jour – je manque d'air. À croire que j'en suis devenu asthmatique.

L'évocation de l'incident essuyé à Kafr Karam le mit mal à l'aise. Il extirpa un mouchoir de sa poche et s'épongea dedans.

— Je suis persuadé que cette offense va me coller au cul jusqu'à ce qu'elle soit lavée dans le sang, avoua-t-il. Il n'y a aucun doute, là-dessus : tôt ou tard, Yacine le paiera de sa vie...

Le serveur posa deux tasses de café à côté de nos assiettes. Omar attendit de le voir se retirer pour se remettre à s'éponger. Ses épaules replètes vibraient.

Il dit :

— J'ai honte de ce qui s'est passé à Kafr Karam, au *Safir*. J'avais beau me soûler, pas moyen. J'ai décidé d'aller voir aillcurs si j'y étais. J'étais gonflé à bloc. Je voulais péter le feu à transformer d'un bout à l'autre le pays en brasier. Tout ce que je portais à la bouche avait un goût de sang, tout ce que je respirais puait la crémation. Mes mains réclamaient l'acier des culasses et je te jure que je sentais céder la détente quand je remuais le doigt. Pendant que l'autocar me conduisait à Bagdad, je n'avais d'yeux que pour les tranchées que je me voyais en train de creuser dans le désert, des abris et des postes de commandement. Je réfléchissais en soldat du génie, tu comprends ?... Il se trouve que je suis arrivé à Bagdad le jour où il y a eu cette énorme bousculade sur le pont suite à une fausse alerte et qui a coûté la vie à un millier de manifestants. Quand j'ai vu ça, cousin, quand j'ai vu tous ces cadavres par terre, toutes ces montagnes de chaussures à l'endroit où la bousculade a eu lieu, quand j'ai vu ces visages de gosses bleus avec leurs yeux mi-clos, quand j'ai vu tout ce gâchis causé par des Irakiens à des Irakiens, je m'étais dit tout de suite, ça c'est pas ma guerre. Ça s'est coupé net, cousin.

Il porta la tasse de café à ses lèvres, avala une gorgée et m'invita à en faire autant. Son visage frémissait, et ses narines évoquaient un poisson en train de suffoquer.

— J'étais venu pour rejoindre les *fedayin*, dit-il. Je n'avais rien d'autre en tête. Même l'affaire Yacine était reportée à plus tard. Je lui réglerais son compte le moment venu. D'abord, j'avais des litiges avec le déserteur que j'étais. Il me fallait retrouver les armes que j'avais abandonnées sur le terrain à l'approche de l'ennemi, mériter le pays que je n'avais pas su défendre alors que j'étais censé mourir pour lui... Mais, bordel ! on ne mène pas la guerre contre son propre peuple juste pour emmerder le monde.

Il attendit ma réaction qui ne vint pas, fourragea dans ses cheveux d'un air découragé. Mon silence l'embarrassait. Il comprenait que je ne partageais pas ses émotions, que j'étais solidement campé sur les miennes. Nous étions ainsi, nous les Bédouins. Lorsque nous nous taisions, ça signifiait que tout avait été dit, et qu'il n'y avait plus rien à ajouter. Il revoyait le gâchis sur le pont, je ne voyais rien, pas même mon père tombant à la renverse. J'étais dans l'après-choc, l'après-offense ; j'étais dans mon devoir de laver l'affront, mon devoir sacré et mon droit absolu. Moi-même ignorais ce que ça représentait, comment ça se construisait dans mon esprit ; je savais seulement qu'une obligation incontournable me mobilisait. Je n'étais ni inquiet ni galvanisé ; j'étais dans une autre dimension où les seuls repères que j'avais étaient la certitude d'aller jusqu'au bout du serment que mes ancêtres avaient scellé dans le sang et la douleur depuis qu'ils avaient placé l'honneur par-dessus leur propre vie.

— Est-ce que tu m'écoutes, cousin ?

— Oui.

— Les agissements des *fedayin* nous rabaissent aux yeux du monde... Nous sommes les Irakiens, cousin. Nous avons onze mille ans d'histoire derrière nous. C'est nous qui avons appris aux hommes à rêver.

Il vida d'un trait sa tasse et passa le revers de sa main sur ses lèvres.

— Je n'essaie pas de t'influencer.

— Tu sais très bien que c'est impossible.

La nuit était tombée. Un vent chaud rasait les murs. Le ciel était recouvert de poussière. Sur une esplanade, des gamins jouaient au foot, nullement gênés par l'obscurité. Omar marchait à côté de moi. Son pied raclait le parterre, lourd et distrait. Quand nous arrivâmes sous un réverbère, il s'arrêta pour me dévisager.

— Tu crois que je me mêle de ce qui ne me regarde pas, cousin ?

— Non.

— J'ai pas cherché à t'embobiner. Je ne roule pour personne.

— Ça ne m'a pas effleuré l'esprit.

À mon tour, je le dévisageai :

— Il y a des règles dans la vie sans lesquelles l'humanité retournerait à l'âge de pierre, Omar. Certes, elles ne nous conviennent pas toutes, ne sont pas infaillibles ni toujours raisonnables, mais elles nous permettent de garder un certain cap... Tu sais ce que j'aurais aimé faire à l'instant où je te parle ? J'aurais aimé être chez moi, dans ma chambre sur les toits, à écouter ma radio nasillarde et à rêver d'un bout de pain et d'eau fraîche. Mais je n'ai plus de radio, et je ne pourrais plus rentrer chez moi sans mourir de honte avant de franchir le seuil de notre maison.

12.

Omar travaillait comme livreur auprès d'un marchand de meubles, un ancien adjudant qu'il avait connu au bataillon. Ils s'étaient rencontrés par hasard chez un menuisier. Omar venait d'échouer à Bagdad. Il recherchait ses camarades d'unité, mais les adresses qu'il détenait n'avaient plus cours ; beaucoup avaient déménagé ou disparu. Omar était en train de proposer ses services au menuisier quand l'adjudant s'était amené pour commander des tables et des armoires. Les deux hommes s'étaient jetés dans les bras l'un de l'autre. Après les embrassades et les questions d'usage, Omar avait fait part de sa situation à son ancien supérieur. L'adjudant ne roulait pas sur l'or et n'avait pas les moyens de s'offrir de nouvelles recrues, mais l'esprit d'équipe l'avait emporté sur les considérations de rentabilité, et le caporal déserteur fut embauché sur-le-champ. Son employeur lui affecta le fourgon bleu qu'il conduisait et entretenait avec dévotion et lui dénicha le studio à Salman Park. Le salaire que recevait Omar était modique, parfois en retard de plusieurs semaines, mais l'adjudant ne trichait pas. Omar savait depuis le début qu'il allait galérer pour des prunes, cependant il avait un toit et de quoi ne pas crever la dalle. En comparaison de ce qu'il voyait autour de lui, il ne pouvait que louer ses saints et la baraka des siens.

Omar m'emmena voir son employeur en vue de me caser. Il m'avait averti que ça allait être un coup d'épée dans l'eau. Les affaires périclitaient, et les bourses les plus garnies parvenaient à peine à assurer l'ordinaire de la famille. Les gens avaient d'autres priorités, d'autres urgences pour songer à acheter de nouveaux buffets ou à changer leurs fauteuils. L'adjudant, un personnage haut perché à la manière des échassiers, me reçut avec beaucoup d'égards. Omar me présenta comme étant son cousin et lui vanta des mérites qui n'étaient pas forcément les miens. L'adjudant acquiesçait et retroussait des sourcils admiratifs, le sourire en suspens. Quand Omar arriva aux raisons de ma présence dans le dépôt, le sourire de l'adjudant s'effaça. Sans mot dire, il s'éclipsa par une porte dérobée et revint avec un registre qu'il étala sous notre nez. Les rangées d'écriture, en bleu, s'allongeaient démesurément, mais celles des chiffres, soulignées en rouge, ne suivaient pas. Les rentrées d'argent étaient quasi inexistantes, quant au chapitre réservé aux commandes, tracé en vert, il était aussi succinct qu'un communiqué officiel.

— Je suis désolé, nous confia-t-il. C'est la cale sèche.

Omar n'insista pas.

Il appela quelques amis avec son portable, me trimbala d'un bout à l'autre de la ville ; aucun employeur ne nous promit de nous faire signe dès qu'il y aurait du nouveau. Omar en était affecté, et, de mon côté, j'avais le sentiment de le surcharger. Le cinquième jour, ne voyant aucune porte céder, je décidai de ne plus l'importuner.

Omar me traita de crétin :

— Tu resteras chez moi jusqu'à ce que tu puisses voler de tes propres ailes. Que penseraient les nôtres s'ils apprenaient que je t'ai laissé tomber ? Déjà ils ne supportent ni mon langage ordurier ni ma réputation d'ivrogne, je ne vais pas leur permettre de me coller l'étiquette d'un faux jeton. J'ai un tas de défauts, c'est sûr ; je n'irai pas au paradis, c'est certain – mais j'ai mon orgueil, cousin, et j'y tiens.

Un après-midi, tandis qu'Omar et moi nous tournions les pouces dans un recoin du studio, un jeune homme vint frapper à la porte. C'était un garçon effarouché, frêle d'épaules, avec un visage de fille et des yeux d'une limpidité cristalline. Il devait avoir mon âge, une vingtaine d'années. Il portait une chemise tropicale ouverte sur sa poitrine rose, un pantalon en jean serré et des chaussures neuves égratignées sur les flancs. Il était gêné de me trouver là, et le regard insistant qu'il posa sur le caporal m'excluait d'office.

Omar se dépêcha de nous présenter. Il était pris de court, lui aussi ; sa voix trembla curieusement quand il me fit :

— Cousin, voici Hany. Mon associé et mon colocataire.

Hany me tendit une main fragile qui fondit presque dans la mienne puis, sans trop m'accorder d'intérêt, il fit signe à Omar de le suivre sur le palier. Ils refermèrent la porte derrière eux. Quelques minutes plus tard, Omar revint me dire que son associé et lui avaient des problèmes à traiter dans le studio et me demanda si ça ne m'embêtait pas de l'attendre au café du coin.

— Ça tombe bien, je commençais à m'engourdir ici, lui dis-je.

Omar s'assura que je ne le prenais pas mal et me raccompagna jusqu'au bas de l'escalier.

— Tu commandes ce que tu veux, c'est ma tournée.

Ses yeux brillaient d'une jubilation étrange.

— Ça sent la bonne nouvelle, lui dis-je.

— Heu..., s'embrouilla-t-il. Qui sait ? Le ciel n'accouche pas que de tuiles.

Je portai la main à ma tempe dans un salut et me rendis au café le plus proche. Omar m'y rejoignit une heure plus tard. Il paraissait satisfait de l'entretien avec son associé.

Hany nous rendit visite à plusieurs reprises. À chaque fois, Omar me priait d'aller l'attendre au café. À la longue, le colocataire, qui refusait toujours de se familiariser avec moi, déclara un soir qu'il avait été très patient et qu'il était temps pour lui de normaliser son quotidien ; il voulait rentrer au studio. Omar essaya de le raisonner. Hany s'entêta. Il avoua qu'il n'était pas à l'aise chez les gens qui l'hébergeaient et qu'il en avait marre de subir leur hypocrisie alors qu'il pouvait s'en passer. Hany était décidé. La fermeté de son visage et la fixité de son regard ne laissaient aucune chance aux négociations.

— Il a raison, dis-je à Omar. C'est chez lui, ici. Il a été très patient.

Hany avait les yeux rivés sur son associé. Il ne vit même pas la main que je lui tendis pour prendre congé.

Omar s'interposa entre moi et son locataire et, dépité, dit à ce dernier :

— Très bien. Tu veux rentrer ? C'est fait. Mais ce type, c'est mon cousin, et je ne le mettrai à la porte pour rien au monde. Si je ne lui trouve pas un toit ce soir, je dormirai avec lui sur un banc. Et ce sera ainsi toutes les nuits, jusqu'à ce qu'il soit à l'abri.

J'essayai de protester. Omar me poussa sur le palier et claqua la porte derrière nous.

Omar alla d'abord chez une connaissance voir dans quelle mesure elle pouvait m'héberger deux ou trois jours, ne s'entendit pas avec elle ; ensuite, il se rabattit sur son employeur. Ce dernier me proposa de dormir dans son dépôt. Omar accepta le principe, à toutes fins utiles, et continua de frapper à d'autres portes. Quand il reconnut qu'elles résonnaient creux, nous retournâmes au dépôt jouer aux veilleurs de nuit.

Au bout d'une semaine, je constatai qu'Omar était de moins en moins bavard. Il s'était replié sur lui-même et ne prêtait plus attention à ce que je lui disais. Il était malheureux. La précarité de notre situation lui creusait les joues et déposait sa lie au fond de son regard. Je me sentais responsable de son manque d'entrain.

— Que penses-tu de Sayed, le fils du Faucon ? me demanda-t-il un matin.

— Rien de spécial. Pourquoi ?

— J'ai jamais réussi à cadrer ce gars. J'ignore ce qu'il traficote, mais il tient une boutique d'électroménager au centre-ville. Ça te dirait d'aller voir dans quelle mesure il pourrait te donner un coup de main ?

— Bien sûr. Qu'est-ce qui te chiffonne dans cette histoire ?

— Je ne veux pas que tu croies que j'essaie de te larguer.

— Je m'en voudrais.

Je lui tapai sur le poignet pour le rassurer.

— Nous allons le voir, Omar, et tout de suite.

Nous prîmes le fourgon et fonçâmes en direction du centre-ville. Nous dûmes rebrousser chemin à cause d'un attentat qui venait de frapper un commissariat de quartier, contourner une bonne partie de la ville pour atteindre un grand boulevard très animé. Le magasin de Sayed faisait angle avec une pharmacie, dans le prolongement d'un square intact. Omar se rangea à une centaine de mètres de l'établissement. Il n'était pas tranquille.

— Bon, on a de la chance, Sayed est à la caisse, me dit-il. Nous ne sommes pas obligés de poireauter dans le secteur... Tu vas le trouver. Tu feras comme si tu passais par là par hasard et que tu avais cru le reconnaître à travers la vitre. Il va certainement te demander ce que tu fabriques à Bagdad. Tu te contenteras de lui raconter la vérité, que tu traînes dans les rues depuis des semaines, que tu n'as pas où aller, et qu'il ne te reste plus d'argent. Alors, ou il te tendra la perche ou il prétextera un tas d'emmerdes pour te renvoyer dans les cordes. Si tu es pris en charge, pas question de venir me retrouver au dépôt. Pas dans l'immédiat, en tout cas. Tu laisses passer une semaine ou deux. Je ne veux pas que Sayed sache où je crèche ni ce que je fais. Je te saurais gré de ne jamais citer mon nom en sa présence. Moi, je retourne au dépôt. Si tu n'y es pas le soir, je saurai que tu as été embauché.

Avec empressement, il me poussa sur la chaussée, me montra son pouce et se faufila rapidement parmi les voitures qui slalomaient au milieu des piétons.

Sayed griffonnait sur un registre. Il était en chemise, les manches retroussées, à proximité d'un petit ventilateur aux pales vrombissantes. Il remonta ses lunettes sur le haut de son front et plissa les yeux quand il remarqua ma silhouette indécise sur le seuil du magasin. Il mit un certain temps pour me situer dans sa mémoire, car nous n'avions pas été très proches l'un de l'autre. Mon cœur s'affola. Puis le visage du fils du Faucon s'éclaira et un large sourire lui fendit la figure.

— C'est pas vrai, s'écria-t-il en écartant les bras pour m'accueillir.

Il me serra longuement contre lui.

— Mais qu'est-ce que tu fabriques à Bagdad ?

Je lui racontai à peu près ce que m'avait recommandé Omar. Sayed m'écouta avec intérêt, le visage inexpressif. J'avais du mal à savoir si ma détresse le touchait ou pas. Lorsqu'il leva la main pour m'interrompre, je crus qu'il me chassait. À mon grand soulagement, il la posa sur mon épaule et me déclara qu'à partir de cet instant, mes soucis étaient les siens et que si ça m'intéressait, je pourrais travailler dans son magasin et loger à l'étage au-dessus, dans un cagibi.

— Ici, je vends des téléviseurs, des antennes paraboliques, des micro-ondes, etc. Tout ce que tu aurais à faire c'est de tenir à jour les registres des sorties et des arrivages. Tu as été à la fac, si ma mémoire est bonne ?

— En première année de lettres.

— À la bonne heure ! La comptabilité est une question d'honnêteté, et tu es un garçon honnête. Le reste, tu l'apprendras au fur et à mesure. Ce n'est pas la mer à boire, tu verras... Je suis très content de t'accueillir, sincèrement.

Il me fit monter à l'étage voir ma chambre. Le cagibi était occupé par un jeune veilleur de nuit qui fut soulagé d'être affecté à d'autres tâches et de pouvoir, ainsi, rentrer chez lui après la fermeture du magasin. L'endroit me plut. Il y avait un lit de camp, une télé, une table et une armoire pour ranger mes affaires. Sayed m'avança de l'argent afin que je puisse aller prendre un bain et m'acheter une trousse de toilette et des effets vestimentaires. Il m'offrit aussi un repas dans un vrai restaurant.

J'avais dormi comme un ange.

Le lendemain, à huit heures trente, je levai le rideau de fer de la boutique. Les premiers employés – ils étaient trois – attendaient déjà sur le trottoir. Sayed nous rejoignit quelques minutes plus tard et nous présenta les uns aux autres. Les employés ne montrèrent guère d'enthousiasme en me serrant la main. C'étaient de jeunes citadins peu communicatifs et méfiants. Le plus grand, Rachid, s'occupait de l'arrière-boutique à laquelle personne d'autre n'avait accès. Sa tâche consistait à entreposer la marchandise et à veiller sur sa livraison. Le plus âgé, Amr, était le livreur. Le troisième, Ismail, s'occupait du service après-vente, il était ingénieur en électronique.

Le bureau de Sayed faisait office d'accueil. Il trônait en face de la baie vitrée et livrait le reste de la salle aux produits en exposition. Des étagères métalliques parcouraient les murs. Des téléviseurs de marque asiatique, petit ou grand écran, auréolés d'antennes paraboliques et de toutes sortes d'accessoires sophistiqués, encombraient l'essentiel des surfaces allouées. Il y avait aussi des cafetières électriques, des robots, des grils et des ustensiles de cuisine. Contrairement à celui du marchand de meubles, le magasin de Sayed, sis sur une importante avenue commerciale, ne désemplissait pas. Les clients s'y bousculaient à longueur de journée. Certes, la majorité venait se rincer l'œil, mais les sorties étaient constantes.

J'étais bien jusqu'au jour où Sayed m'apprit que des « amis très chers » m'attendaient dans ma chambre à l'étage du dessus. Je revenais de chez le gargotier. Sayed me devança. Il ouvrit la porte, et je vis Yacine et les jumeaux Hassan et Hossein assis sur mon lit de camp. Quelque chose avait frémi à travers mon être. Les jumeaux étaient ravis de me revoir. Ils me bondirent dessus et me rouèrent de coups affectueux en riant. Yacine, lui, ne s'était pas levé. Il se tenait immobile sur le lit, l'échine droite, pareil à un cobra. Il se racla la gorge pour inviter les deux frères à cesser la rigolade et posa sur moi ce regard que personne à Kafr Karam n'osait soutenir.

— Il t'en a fallu du temps pour t'éveiller à toi-même, me dit-il.

Je ne saisis pas ce qu'il entendait par là.

Les jumeaux s'appuyèrent contre le mur et me laissèrent seul au milieu du cagibi, face à Yacine.

— Ça va ? me fit-il.

— Je ne me plains pas.

— Moi, je te plains.

Il se trémoussa pour libérer un pan de sa veste coincé sur son postérieur. Il avait changé, Yacine. Je lui aurais donné dix ans de plus. Quelques mois avaient suffi pour durcir ses traits. Son regard était toujours intimidant, mais les commissures de ses lèvres s'étaient ravinées comme si le rictus qui les écrasait avait fini par les défoncer.

Je décidai de ne pas me laisser impressionner.

— Est-ce que je peux savoir pourquoi tu me plains ?

Il hocha la tête.

— Tu penses que tu n'es pas à plaindre ?

— Je t'écoute.

— Il m'écoute... Enfin, il entend, notre cher fils du puisatier. Avec quoi va-t-on le bassiner maintenant ?

Il me toisa :

— Je me demande comment ça tourne dans ta tête, bonhomme. Il faut être autiste pour ne pas voir ce qui se passe. Le pays est en guerre, et des millions de crétins font comme si de rien n'était. Quand ça pète dans les rues, ils rentrent chez eux et referment leurs volets, pensant ainsi s'en laver les mains. Sauf que ça ne marche pas de cette façon. Tôt ou tard, la guerre flanquera leur hypothétique abri par terre et les surprendra dans leur lit... Je l'ai répété combien de fois, à Kafr Karam ? Je vous le disais : si on ne va pas au feu, le feu viendra à nous. Qui m'a entendu ? Hein, Hassan, qui m'a entendu ?

— Personne, dit Hassan.

— Est-ce que tu as attendu le feu, toi ?

— Non, Yacine, dit Hassan.

— Est-ce que tu as attendu que des fils de chien viennent te tirer de ton grabat, en pleine nuit, pour t'éveiller à toi-même ?

— Non, dit Hassan.

— Et toi, Hossein, est-ce qu'il a fallu que des fils de chien te traînent dans la boue pour que tu te relèves ?

— Non, dit Hossein.

Yacine me toisa de nouveau :

— Je n'ai pas attendu que l'on crache sur mon amour-propre pour m'insurger, moi. Qu'est-ce qu'il me manquait, à Kafr Karam ? De quoi je me plaignais ? J'aurais pu fermer mes volets et me boucher les oreilles. Mais je savais que, si je n'allais pas au feu, le feu allait venir chez moi. Alors, j'ai pris les armes pour ne pas finir comme Souleyman. Question de survie ? Question de logique, seulement. Ce pays est le mien. Des fripouilles cherchent à me l'extorquer. Qu'est-ce que je fais ? Qu'est-ce que je fais, d'après toi ? Tu crois que j'attends que l'on vienne violer ma mère sous mes yeux, et sous mon toit ?

Hassan et Hossein baissèrent la tête.

Yacine respira lentement et, modérant l'acuité de son regard, il me dit :

— Je sais ce qui s'est passé chez toi.

Je fronçai les sourcils.

— Eh oui, ajouta-t-il. Ce qui est tombeau pour les hommes est potager pour leurs tendres moitiés. Les femmes ignorent ce que le mot secret signifie.

Je baissai la tête.

Il s'adossa au mur, croisa les bras sur sa poitrine et me fixa en silence. Ses yeux m'indisposaient. Il croisa les genoux et posa le plat de ses mains dessus.

— Moi, je sais ce que c'est que voir son père vénéré jeté à terre, les couilles en l'air, par une brute, dit-il.

Ma pomme d'Adam se bloqua dans ma gorge. Il n'allait quand même pas déballer mon linge sale sur la voie publique ! Je ne le supporterais pas.

Yacine lisait sur ma figure ce que je criais en mon for intérieur. Il n'en fit pas cas.

Il montra les jumeaux du menton, puis Sayed, et poursuivit :

— Nous tous, ici, moi et les autres, et les mendiants qui gueusent dans la rue, savons *parfaitement* ce que cet outrage signifie... Pas le GI. Il ne peut pas mesurer l'ampleur du sacrilège. Il ne sait même pas ce que c'est, un sacrilège. Dans son monde à lui, on expédie les parents dans des asiles de vieillards et on les y oublie comme le cadet de ses soucis ; on traite sa mère de vieille peau et son géniteur de connard... Que peut-on attendre d'un type comme ça, hein ?

La colère m'étouffait.

Yacine le voyait nettement ; il renchérit :

— Que peut-on attendre d'un morveux qui placerait dans un mouroir la femme qui l'a porté dans son ventre, mis au monde au forceps, conçu fibre par fibre, élevé cran par cran et qui a veillé sur lui autant de fois que l'étoile sur son berger ?... Qu'il respecte nos mères *à nous* ? Qu'il baise la tête des vieillards de *chez nous* ?

Le silence de Sayed et des jumeaux accentuait ma colère. J'avais le sentiment qu'ils m'avaient traîné dans un traquenard et je leur en voulais. Que Yacine se mêlât de ce qui ne le regardait pas, c'était un peu ce qui faisait sa réputation, mais que les autres y prennent part sans vraiment s'impliquer tout à fait, ça m'enrageait.

Sayed comprit que j'étais sur le point d'imploser.

Il dit :

— Ces gens-là n'ont pas plus de considération pour leurs aînés que pour leurs rejetons. C'est ce que Yacine tente de t'expliquer. Il n'est pas en train de te passer un savon. Il te *raconte*. Ce qui est arrivé à Kafr Karam nous bouleverse tous, je t'assure. J'ignorais cette histoire jusqu'à ce matin. Et quand on me l'a rapportée, j'étais fou furieux. Yacine a raison. Les Américains sont allés trop loin.

— Sincèrement, tu t'attendais à quoi ? grogna Yacine, que l'intervention de Sayed agaçait. Qu'ils se détournent devant la nudité d'un sexagénaire handicapé et terrorisé ?

Il tourna la main dans le sens d'une aiguille :

— Pourquoi ?

J'avais perdu l'usage de la parole.

Sayed en profita pour m'assener :

— Pourquoi veux-tu qu'ils se détournent, eux qui peuvent surprendre leurs meilleurs amis en train de culbuter leurs femmes et faire comme si de rien n'était ? La pudeur, c'est quelque chose qu'ils ont perdu de vue depuis des lustres. L'honneur ? Ils ont falsifié ses codes. Ce ne sont que des avortons forcenés, qui renversent les valeurs comme des buffles lâchés dans une boutique de porcelaine. Ils débarquent d'un univers injuste et cruel, sans humanité et sans morale, où le puissant se nourrit de la chair des soumis, où la violence et la haine résument leur Histoire, où le machiavélisme façonne et justifie les initiatives et les ambitions. Que peuvent-ils comprendre à notre monde *à nous*, qui porte en lui les plus fabuleuses pages de la civilisation humaine, où les valeurs fondamentales n'ont pas pris une seule ride, où les serments n'ont pas fléchi d'un cran, où les repères d'antan n'ont pas changé d'un iota ?

— Pas grand-chose, dit Yacine qui se leva et s'approcha de moi, nez contre nez. Pas grand-chose, mon frère.

Et Sayed :

— Ils ignorent ce que sont nos coutumes, nos rêves et nos prières. Ils ignorent surtout que nous avons de qui tenir, que notre mémoire est intacte et nos choix justes. Que connaissent-ils de la Mésopotamie, de cet Irak fantastique qu'ils foulent de leurs rangers pourris ? De la tour de Babel, des Jardins suspendus, de Haroun al-Rachid, des *Mille et Une Nuits* ? Rien ! Ils ne regardent jamais de ce côté de l'Histoire et ne voient en notre pays qu'une immense flaque de pétrole dans laquelle ils laperont jusqu'à la dernière goutte de notre sang. Ils ne sont pas dans l'Histoire ; ils sont dans le filon, dans le pactole, dans la spoliation. Ce ne sont que des mercenaires à la solde de la Finance blanche. Ils ont ramené toutes les valeurs à une effroyable question de fric, toutes les vertus à celle du profit. Des prédateurs redoutables, voilà ce qu'ils sont. Ils marcheraient sur le corps du Christ pour s'en mettre plein les poches. Et quand on n'est pas d'accord, ils sortent leur grosse artillerie et mitraillent nos saints, lapident nos monuments et se mouchent dans nos parchemins millénaires.

Yacine me bouscula vers la fenêtre et me cria :

— Regarde-les ; vas-y, jette un coup d'œil par la vitre et tu verras qui ils sont vraiment : des machines.

— Et ces machines vont se casser les dents à Bagdad, dit Sayed. Et dehors, dans nos rues, se livre le plus grand duel de tous les temps, le choc des titans : Babylone contre Disneyland, la tour de Babel contre l'Empire State Building, les Jardins suspendus contre le Golden Gate Bridge, Schéhérazade contre Ma Baker, Sindbad contre Terminator...

J'étais bluffé, complètement bluffé. J'avais l'impression d'être au centre d'une mascarade, au beau milieu d'une répétition théâtrale, entouré de comédiens médiocres, qui avaient appris par cœur leur texte sans pour autant être en mesure de l'accompagner du talent qu'il méritait, et pourtant... et pourtant... et pourtant, il me semblait que c'était exactement ce que je voulais entendre, que leurs propos étaient ceux-là mêmes qui me faisaient défaut et dont le manque remplissait ma tête de migraines et d'insomnies. Il importait peu de savoir si Sayed était sincère ou si Yacine me parlait avec des mots à lui, des mots qui lui sortaient des tripes ; la seule certitude que j'avais était que la mascarade m'arrangeait, qu'elle m'allait comme un gant, que le secret que je ruminais depuis des semaines était partagé, que ma colère n'était plus seule, qu'elle me restituait l'essentiel de ma détermination. Je peinais à définir cette alchimie qui, dans d'autres conditions, m'aurait fait rire à gorge déployée, en même temps j'en étais soulagé. Ce fumier de Yacine venait de me tirer une sacrée épine du pied. Il avait su me toucher exactement là où il fallait, remuer en moi toutes les saloperies dont je m'étais gavé depuis cette nuit où le ciel m'était tombé dessus. J'étais venu à Bagdad venger une offense. J'ignorais comment m'y prendre. Désormais, la question ne se posait plus.

Aussi lorsque Yacine consentit à m'ouvrir enfin ses bras, c'était comme s'il m'ouvrait le seul chemin qui conduisait à ce que je cherchais plus que tout au monde : l'honneur des miens.

13.

Yacine et ses deux anges gardiens, Hassan et Hossein, ne revinrent plus au magasin. Sayed nous avait conviés à dîner chez lui, tous les quatre, pour fêter nos retrouvailles et sceller notre serment ; ensuite, après le repas, les trois compagnons prirent congé de nous et disparurent de la circulation.

Je repris mon travail de veilleur de nuit qui consistait à ouvrir le magasin aux employés et à le fermer après leur départ. Des semaines s'écoulèrent. Mes collègues ne m'adoptèrent guère. Ils me disaient bonjour le matin et bonne nuit le soir, et rien d'autre entre les deux. Leur indifférence à mon égard m'exaspérait. J'avais pourtant essayé de gagner leur confiance ; à la longue, je me mis à les ignorer moi aussi. Il me restait encore suffisamment de fierté pour m'interdire de sourire bêtement à des gens qui ne savaient pas me le rendre.

Je prenais mes repas sur la place, dans un restaurant à l'hygiène discutable. Sayed s'était entendu avec le gérant pour qu'il m'ouvre une ardoise et envoie la facture au magasin à la fin du mois. Le gérant était un petit bonhomme noiraud, leste et jovial. Nous avions sympathisé. Plus tard, j'allais apprendre que le restaurant appartenait à Sayed, ainsi qu'un kiosque à journaux, deux épiceries, un magasin de chaussures sur le boulevard, un atelier de photographie et une boutique de téléphonie.

Sayed me versait un bon salaire en fin de semaine. Je m'achetais des fringues, de petites bricoles et je mettais le reste dans une sacoche en cuir à l'intention de ma sœur jumelle Bahia ; je comptais lui expédier tout ce que je serais arrivé à mettre de côté.

Les choses se mettaient en place sans difficulté. Je m'étais taillé une petite routine sur mesure. Après la fermeture du magasin, je sortais faire un tour dans le centre-ville. J'aimais marcher. Il y avait tous les jours un centre d'attractions, à Bagdad. Les fusillades ripostaient aux attentats, les raids aux embuscades, les « ratonnades » aux marches de protestation. Les gens s'en accommodaient. Un endroit n'était pas tout à fait remis d'une déflagration ou d'une exécution sommaire que déjà la foule le réinvestissait. Fataliste. Stoïque. Plusieurs fois, je débouchai sur un carnage encore fumant et je restai là à lorgner l'horreur jusqu'à l'arrivée des secours et de l'armée. Je regardais les ambulanciers ramasser les morceaux de chair sur les trottoirs, les pompiers évacuer les immeubles soufflés, les flics interroger les riverains. Les mains dans les poches, je m'oubliais ainsi des heures durant. À m'initier à l'exercice de la colère. Je me demandais, tandis que les proches des victimes levaient les mains au ciel en hurlant leur douleur, si j'étais en mesure d'infliger à d'autres les mêmes souffrances et je m'apercevais que ces questions ne me choquaient pas. Je regagnais ma chambre d'un pas placide. Mes nuits n'étaient jamais rattrapées par le cauchemar des rues.

Une fois, vers deux heures du matin, des bruits feutrés m'avaient réveillé. J'avais allumé à l'étage puis au rez-de-chaussée pour vérifier si un cambrioleur ne s'était pas introduit dans les locaux pendant que je dormais. Il n'y avait personne dans le magasin et aucun produit exposé ne semblait manquer à l'appel. Les bruits venaient de l'arrière-boutique, dont la porte était fermée de l'intérieur. C'était l'aile des réparations, un territoire interdit aux personnes non autorisées. Je n'avais pas le droit d'y accéder. J'étais donc resté dans la salle commerciale jusqu'au départ des intrus. Le lendemain, j'avais signalé l'événement à Sayed. Il m'avait expliqué qu'il arrivait à l'ingénieur d'intervenir très tard pour satisfaire des clients exigeants et il m'avait rappelé que l'atelier des réparations ne relevait pas de mes compétences. J'avais perçu dans son ton une mise en garde péremptoire.

Un vendredi après-midi, alors que je louvoyais parmi les paumés sur les berges du Tigre, Omar le Caporal m'aborda. Ça faisait des semaines que je ne l'avais vu. Il portait le même costume, mais défraîchi, de nouvelles lunettes de soleil grotesques, et il y avait des éclaboussures de cambouis sur le devant de sa chemise que son ventre tendait à rompre.

— Tu me fais la gueule ou quoi ? me dit-il. Je demande tous les jours après toi au dépôt et l'adjudant me répond que tu n'es pas passé. Est-ce que tu me reproches des trucs ?

— Quoi, par exemple ? Tu as été plus qu'un frère pour moi.

— Alors, pourquoi tu me boudes ?

— Je ne te boude pas. Je suis très pris, c'est tout.

Il essaya de lire dans mes yeux si je lui cachais quelque chose. Il était inquiet.

— Je me fais du mauvais sang pour toi, m'avoua-t-il. Tu ne peux pas mesurer combien je regrette de t'avoir fourré dans les bras de Sayed. À chaque fois que j'y pense, je m'arrache les cheveux.

— Tu as tort. Je suis très bien avec lui.

— Je m'en voudrais s'il t'embarquait dans des affaires louches... des... des histoires de sang.

Il avait dégluti plusieurs fois avant de cracher le morceau. Ses lunettes noires me cachaient son regard, mais l'expression de son visage le trahissait. Omar était aux abois, traqué par ce cas de conscience. Il laissait pousser sa barbe en signe de contrition.

— Je ne suis pas venu à Bagdad pour gagner ma vie, Omar. Nous avons déjà parlé de ça. Inutile d'en rajouter.

Ma réplique, loin de le rassurer, l'offusqua. Il fourragea dans ses cheveux, plus embêté que jamais.

— Viens, lui dis-je. On va casser la croûte. C'est moi qui invite.

— Je n'ai pas faim. Pour être franc, je ne mange plus depuis que j'ai eu cette satanée idée de te confier à Sayed.

— S'il te plaît...

— Je dois filer. Je ne tiens pas à ce qu'on me voie avec toi. Tes amis et moi n'affichons pas la même fréquence.

— Je suis libre de voir qui je veux.

— Pas moi.

Il se tritura nerveusement les doigts et, après avoir regardé autour de nous avec méfiance, il me proposa :

— J'ai parlé avec un copain de l'armée à ton sujet. Il est prêt à t'accueillir chez lui pour un certain temps. C'est un ancien lieutenant, un gars sympa. Il est en train de monter une entreprise et a besoin d'un homme de confiance.

— Je suis exactement là où je voulais être.

— T'en es certain ?

— Absolument.

Il dodelina de la tête, la mort dans l'âme.

— Bon, fit-il en me tendant la main, si tu sais ce que tu veux, je n'ai plus qu'à laisser tomber. Si, par contre, tu changeais d'avis, tu sais où me trouver. Tu peux compter sur moi.

— Merci, Omar.

Il rentra le menton dans le cou et s'éloigna.

Au bout d'une dizaine de pas, il se ravisa et rebroussa chemin. Ses pommettes tressaillaient spasmodiquement.

— Encore une chose, cousin, me chuchota-t-il. Si tu tiens à te battre, fais-le proprement. Bats-toi *pour* ton pays, pas *contre* le monde entier. Fais la part des choses et distingue le bon grain de l'ivraie. Ne tue pas n'importe qui, ne tire pas n'importe comment. Il y a plus d'innocents qui tombent que de salauds. Tu le promets ?

— ...

— Tu vois ? Déjà tu fais fausse route. Le monde n'est pas notre ennemi. Rappelle-toi les peuples qui ont protesté contre la guerre préventive, ces millions de gens qui ont marché à Madrid, Rome, Paris, Tokyo, en Amérique du Sud, en Asie. Tous étaient et sont encore de notre côté. Ils ont été plus nombreux à nous soutenir que dans les pays arabes. Ne l'oublie pas. Toutes les nations sont victimes de la boulimie d'une poignée de multinationales. Ce serait atroce de les mettre dans le même sac. Enlever des journalistes, exécuter des membres d'ONG qui ne sont parmi nous que pour nous aider, ce n'est pas dans nos coutumes. Tu veux venger une offense, n'offense personne. Si tu penses que ton honneur doit être sauf, ne déshonore par ton peuple. Ne cède pas à la folie. Je me pendrais haut et court si je te reconnaissais sur un enregistrement filmé confondant exécution arbitraire et fait d'armes...

Il s'essuya le nez sur son poignet, hocha encore la tête, la nuque enfoncée dans les épaules, et conclut :

— Sûr que je me pendrais haut et court, cousin. À partir de maintenant, dis-toi que tout ce que tu vas faire me concerne directement.

Et il se dépêcha de se fondre dans les cohortes déboussolées déambulant le long du fleuve.

Deux mois après mon entretien avec Omar, mes réflexes n'avaient pas changé d'un iota. Réveil à six heures du matin, lever du rideau deux heures plus tard, report sur les registres des arrivages et des sorties de la marchandise, fermeture du magasin en fin d'après-midi. Les employés libérés, nous nous enfermions, Sayed et moi, dans le magasin et nous dressions le bilan des ventes et l'inventaire des nouvelles acquisitions. Une fois la recette établie et les prévisions du lendemain arrêtées, Sayed me remettait le trousseau de clefs et emportait la sacoche bourrée de billets de banque. La routine commençait à me peser, et mon univers rétrécissait comme peau de chagrin. Je ne descendais plus en ville, ne courais plus les cafés. Mon itinéraire se limitait à deux points distants d'une centaine de mètres l'un de l'autre : le restaurant et le magasin. Je dînais tôt, achetais de la limonade et des biscuits dans l'épicerie du coin et me calfeutrais dans ma chambre. Je passais mon temps à reluquer la télé, zappant à tort et à travers, incapable de me concentrer sur une émission ou sur un film. Cette situation accentuait mon dégoût, déformait mon caractère. Je devenais de plus en plus susceptible, de moins en moins patient, et une agressivité que je ne me connaissais pas se mit à caractériser mes propos et gestes. Je ne supportais plus que mes collègues m'ignorent et ne manquais aucune occasion pour le leur signifier. Quand quelqu'un ne répondait pas à mon sourire, je grommelais « tête de con » de façon qu'il m'entende, et s'il avait le culot de froncer les sourcils, je lui faisais face et le narguais. Nous en restions là, et ça me laissait sur ma faim.

Un soir, à bout, je demandai à Sayed ce qu'il attendait pour m'envoyer au feu. Il me répondit sur un ton qui me fit mal : « Chaque chose en son temps ! » J'avais le sentiment que j'étais du menu fretin et que je comptais pour des prunes. Ils ne perdent rien pour attendre, me promettais-je. Un jour, je leur montrerais de quoi j'étais capable. Pour l'instant, l'initiative ne dépendant pas de moi, je me contentais de ruminer mes frustrations et d'échafauder, pour meubler mes insomnies, d'abracadabrants projets de revanche.

Puis tout s'enchaîna...

J'avais mis le dernier client dehors et baissé à moitié le rideau du magasin quand deux hommes me firent signe de reculer pour les laisser entrer. Les employés, Amr et Rachid, qui étaient en train de ranger leurs affaires en vue de prendre congé, suspendirent leurs gestes. Sayed remit ses lunettes ; lorsqu'il reconnut les deux intrus, il se leva de derrière son bureau, extirpa une enveloppe d'un tiroir et, d'une chiquenaude, la poussa sur la table. Les deux hommes échangèrent un regard et croisèrent les mains. Le plus grand, la cinquantaine révolue, avait une gueule patibulaire qui reposait sur son cou adipeux comme une gargouille d'église. Il avait une horrible trace de brûlure sur la joue droite dont l'extension contraignait sa paupière à se plisser un peu. C'était une brute à l'état pur, au regard perfide et au rictus sardonique. Il portait une veste en cuir élimée aux coudes, ouverte sur un tricot vert bouteille parsemé de pellicules. L'autre, la trentaine, montrait ses crocs de jeune loup dans un sourire affecté. Sa désinvolture trahissait l'arriviste pressé de brûler les étapes, persuadé que ses galons de flic avaient des pouvoirs talismaniques. Son jean était neuf, retroussé aux chevilles, par-dessus des mocassins éculés. Il dévisageait Rachid perché sur un escabeau.

— Bonjour, mon bon prince, dit le quinquagénaire.

— Bonjour, capitaine, dit Sayed en tapotant du doigt sur l'enveloppe. Elle t'attendait.

— J'étais en mission, ces derniers jours.

Le capitaine s'approcha de la table, lentement, soupesa l'enveloppe et grogna :

— Elle s'est amincie.

— Le compte y est.

L'officier de police esquissa une grimace sceptique.

— Tu connais mes problèmes de famille, Sayed. J'ai

toute une tribu à entretenir, et ça fait six mois qu'on n'a pas perçu de salaire.

Il montra du pouce son collègue :

— Mon pote est dans la merde, lui aussi. Il veut se marier et n'est pas foutu de dégoter une chambre à coucher.

Sayed crispa les lèvres avant de replonger la main dans le tiroir. Il en sortit quelques billets supplémentaires que le capitaine escamota d'un geste de prestidigitateur.

— T'es un bon prince, Sayed. Dieu te le rendra.

— On traverse une mauvaise passe, capitaine. Il faut s'entraider.

Le capitaine se gratta la joue blessée, feignit d'être gêné et dut puiser dans le regard de son coéquipier la force de crever l'abcès :

— Pour dire la vérité, j'suis pas venu pour l'enveloppe. Mon pote et moi sommes en train de monter une affaire et je me suis dit que tu serais peut-être intéressé, que tu pourrais nous donner un coup de main.

Sayed se rassit et se prit la bouche entre le pouce et l'index.

Le capitaine occupa le siège en face du bureau et croisa les jambes.

— Je lance une petite agence de voyages.

— À Bagdad ? Tu crois que notre pays est une destination prisée ?

— J'ai des parents à Amman. Ils pensent que ce serait bien pour moi d'investir là-bas. J'ai assez roulé ma bosse et, pour être franc avec toi, je ne vois pas le bout de tunnel chez nous. Nous avons sur les bras un deuxième Vietnam, et je ne tiens pas à y laisser ma peau. J'ai trois pruneaux dans le corps et un cocktail Molotov a manqué de me défigurer. J'ai décidé de restituer l'insigne et d'aller en Jordanie faire fortune. Mon affaire est juteuse. Du cent pour cent bénef. Et légal. Si tu veux, je te prends comme associé.

— J'ai assez de tracasseries avec mon propre commerce.

— Arrête. Tu te débrouilles pas mal.

— Pas vraiment.

Le capitaine vissa une cigarette entre ses lèvres et l'alluma avec un briquet jetable. Il souffla la fumée à la figure de Sayed qui se contenta de se détourner légèrement.

— Dommage, dit le policier, c'est une excellente aubaine que tu laisses filer, mon ami. Vraiment, ça ne te tente pas ?

— Non.

— C'est pas grave. Maintenant, et si on passait à l'objet de ma visite ?

— Je t'écoute.

— Est-ce que tu me fais confiance ?

— C'est-à-dire ?

— Depuis que je veille sur tes affaires, est-ce que j'ai essayé de te doubler ?

— Non.

— Est-ce que je me suis montré gourmand ?

— Non.

— Et si je te demandais de m'avancer un peu d'argent pour monter mon affaire, est-ce que tu penses que je ne te rembourserais pas ?

Sayed s'attendait à cette sortie. Il sourit et écarta les bras :

— Tu es quelqu'un de loyal, capitaine. Je t'avancerais les yeux fermés des millions, mais j'ai des dettes jusque-là et la boîte tourne au ralenti.

— À d'autres ! dit le capitaine en écrasant sa cigarette à peine entamée sur le vitrage du bureau. Tu roules sur l'or. Qu'est-ce que tu crois que je fais à longueur de journée ? Je m'attable au café d'en face et je note le ballet de tes fourgons. Tu vends deux fois plus que tu ne reçois. Pour la seule journée d'aujourd'hui, ajouta-t-il en tirant un petit calepin de la poche intérieure de sa veste, tu as sorti deux grands frigos, quatre machines à laver, quatre téléviseurs et un tas de clients sont partis avec divers cartons. Et encore, on n'est que lundi. Au rythme avec lequel tu écoules ta camelote, tu devrais fonder ta propre banque.

— Tu m'espionnes, capitaine ?

— J'suis ton étoile, Sayed. Je veille sur tes petites combines. Est-ce que t'as été embêté par les impôts ? Est-ce que d'autres flics sont venus te soutirer des sous ? Tu es peinard pour le restant de ton trafic. Je sais que tes factures sont aussi fausses que tes déclarations sur l'honneur et je veille à ce qu'elles le demeurent en toute impunité. Et toi, tu me files des miettes et tu crois me couvrir de soie. J'suis pas un mendiant, Sayed.

Il se leva brusquement et marcha droit sur le dépôt. Sayed n'eut pas le temps de le rattraper. Le capitaine s'engouffra dans l'arrière-boutique et montra d'un geste large les innombrables cartons qui s'étageaient en recouvrant les trois quarts de la salle.

— Je parie que toute cette marchandise n'a jamais transité par un poste de douane.

— Tout le monde travaille au noir, à Bagdad.

Sayed transpirait. Il était très en colère, mais tâchait de se retenir. Les deux flics affichaient la mine rassérénée de ceux qui mènent la danse d'une main de fer. Ils savaient ce qu'ils voulaient et comment l'obtenir. Se graisser la patte était la vocation première de l'ensemble des fonctionnaires de l'État, en particulier dans les corps de sécurité ; une bonne vieille pratique héritée du système déchu et qui continuait de s'exercer depuis l'occupation, confortée par la confusion et la paupérisation galopante qui régnaient dans le pays où les enlèvements crapuleux, les pots-de-vin, les détournements de deniers et les extorsions de fonds étaient monnaie courante.

— Il y en a pour combien, là-dedans ? lança le capitaine à son collègue.

— De quoi se payer une île au large du Pacifique.

— Tu crois que nous réclamons la mer à boire, inspecteur ?

— Juste de quoi ne pas crever de soif, chef.

Sayed s'épongea dans un mouchoir. Amr et Rachid se tenaient dans l'embrasure, derrière les deux policiers, à l'affût d'un signe de leur patron.

— Retournons au bureau, bredouilla Sayed au capitaine. On va voir ce que je peux faire pour vous aider à monter votre entreprise.

— Voilà qui est sage, dit le capitaine en déployant ses bras. Attention, s'il s'agit d'une enveloppe comme celle que tu m'as refilée, c'est pas la peine.

— Non, non, fit Sayed pressé d'évacuer le dépôt, on trouvera un arrangement. Retournons au bureau.

Le capitaine fronça les sourcils.

— On dirait que tu as quelque chose à cacher,

Sayed. Pourquoi nous pousses-tu dehors ? Qu'est-ce qu'il y a dans cet entrepôt, hormis ce qu'on voit ?

— Rien, je t'assure. C'est seulement l'heure de la fermeture, et j'ai rendez-vous avec quelqu'un à l'autre bout de la ville.

— T'es sûr ?

— Que veux-tu que je cache ici ? Toute ma marchandise est là, dans son emballage.

Lc capitaine plissa sa paupière droite. Était-il en train de se douter de quelque chose et cherchait-il à mettre à rude épreuve Sayed ? Il s'approcha des murailles de cartons, fouina par-ci, par-là, et se retourna vivement pour voir si Sayed retenait son souffle ou pas. La rigidité d'Amr et de Rachid lui mit la puce à l'oreille. Il s'accroupit pour regarder par-dessous les piles de téléviseurs et des différents boîtiers, avisa une porte dérobée dans un coin et se dirigea sur elle :

— Qu'est-ce qu'il y a, derrière ?

— C'est l'atelier des réparations. Il est fermé à clef. L'ingénieur est parti depuis une heure.

— Je peux y jeter un coup d'œil ?

— C'est fermé de l'intérieur. L'ingénieur y accède de l'autre côté.

Soudain, au moment où le capitaine s'apprêtait à laisser tomber, un fracas retentit derrière la porte, pétrifiant Sayed et ses employés. Le capitaine haussa un sourcil, ravi de prendre son interlocuteur en faute.

— Je t'assure que je le croyais parti, capitaine.

Le capitaine cogna sur la porte.

— Ouvre, mon gars, sinon je défonce la lourde.

— Une minute, je finis une soudure, dit l'ingénieur.

On entendit des grincements, puis des crissements métalliques ; une clef tourna dans la serrure et la porte s'écarta sur l'ingénieur en tricot de peau et en pantalon de survêt. Le capitaine vit une table jonchée de fils de fer, d'écrous minuscules, de tournevis, de petits pots de peinture et de glu et de matériel de soudure autour d'une télé démontée dont le couvercle, remis à la hâte, tomba, dévoilant un écheveau de fils multicolores à l'intérieur du boîtier. Le capitaine plissa de nouveau sa paupière droite. Au moment où il décela la bombe à moitié dissimulée à l'intérieur de l'appareil, à l'endroit du tube cathodique, sa gorge se contracta, et son visage s'obscurcit d'un trait quand l'ingénieur lui posa le canon d'un pistolet sur la nuque.

Resté en retrait, l'inspecteur ne comprit pas tout de suite ce qui se passait. Le silence qui venait de s'abattre dans la salle lui fit porter instinctivement la main à son ceinturon. Il n'atteignit pas son arme. Amr l'attrapa par-derrière, lui mit la main sur la bouche et, de l'autre, lui enfonça profondément un poignard sous l'omoplate. L'inspecteur écarquilla des yeux incrédules, frémit de la tête aux pieds et se laissa tomber doucement par terre.

Le capitaine tremblait de tous ses membres. Il n'arrivait ni à lever les bras en signe de reddition ni à se pencher en avant.

— Je ne dirai rien, Sayed.

— Seuls les morts savent tenir leur langue, capitaine. Je suis navré pour toi, capitaine.

— Je t'en supplie. J'ai six gosses...

— Il fallait y penser avant.

— S'il te plaît, Sayed, épargne-moi. Je jure de ne rien dire. Si tu veux, prends-moi dans ton équipe. Je serai tes oreilles et tes yeux. J'ai jamais applaudi les Américains. Je les déteste. Je suis flic, mais, tu peux vérifier, je n'ai jamais porté la main sur un résistant. Je suis de tout cœur avec vous... Sayed, c'est vrai ce que je te disais ; je compte prendre le large. Ne me tue pas, pour l'amour du ciel. J'ai six gosses, et le plus grand n'a pas quinze ans.

— Tu m'espionnais ?

— Non, je te jure que non. J'ai seulement voulu être gourmand.

— Dans ce cas, pourquoi tu n'es pas venu seul ?

— C'est mon coéquipier.

— Je ne parle pas du crétin qui t'accompagne, mais des gars qui t'attendent dehors, dans la rue.

— Personne ne m'attend dehors, je te jure...

Il y eut un silence. Le capitaine leva les yeux ; quand il vit le sourire satisfait de Sayed, il réalisa la gravité de son erreur. Il aurait dû ruser un peu, faire croire qu'il n'était pas seul. C'était pas de chance.

Sayed m'ordonna d'aller baisser complètement le rideau du magasin. Je m'exécutai. À mon retour dans le dépôt, le capitaine était à genoux, les poignets ligotés dans le dos. Il avait fait dans son froc et pleurait comme un gosse.

— Tu as regardé dehors ? me demanda Sayed.

— J'ai rien relevé d'inhabituel.

— Très bien.

Sayed glissa la tête du capitaine dans un pan d'emballage en plastique et, avec l'aide de Rachid, il l'étala au sol. L'officier se débattit follement. Le sac blanchit de buée. Sayed serra très fort la gueule du sac autour du cou du capitaine. Ce dernier manqua très vite d'air et se mit à se contorsionner et à gigoter. Son corps fut traversé de convulsions brutales qui mirent longtemps à s'espacer avant de ramollir ; elles cessèrent d'un coup après un ultime soubresaut. Sayed et Rachid continuèrent d'écraser de leur poids le capitaine et ne se relevèrent qu'une fois le cadavre totalement raidi.

— Débarrassez-moi de ces deux charognes, ordonna Sayed à Amr et à Rachid. Quant à toi, dit-il en se retournant vers moi, nettoie ce sang avant qu'il sèche.

14.

Sayed avait chargé Amr et Rachid de faire disparaître les corps. L'ingénieur avait proposé de demander une rançon aux familles des deux policiers pour faire croire à un enlèvement et brouiller ainsi les pistes. Sayed lui avait rétorqué « C'est ton problème » avant de me sommer de le suivre. Nous avions pris sa Mercedes noire et traversé la ville pour aller sur l'autre rive du Tigre. Sayed conduisait calmement. Il avait mis un CD de musique orientale dans le lecteur et monté le son. Son flegme naturel me décontractait.

J'avais toujours appréhendé le moment de franchir le pas ; maintenant que je l'avais derrière moi, je ne ressentais rien de particulier. J'avais assisté à la tuerie avec le même détachement que j'observais devant les victimes des attentats. Je n'étais plus le garçon fragile de Kafr Karam. Un autre individu s'était substitué à moi. J'étais sidéré par la facilité avec laquelle on passe d'un monde à l'autre et regrettais presque d'avoir mis si longtemps à le redouter. Elle était loin, la chiffe molle qui dégueulait à la vue d'une giclée de sang et perdait la raison dès qu'un échange de tirs se déclenchait ; loin, la loque qui s'était évanouie lors de la bavure qui avait emporté Souleyman. Je renaissais dans la peau de quelqu'un d'autre, aguerri, froid, implacable. Mes mains ne tremblaient pas. Mon cœur battait normalement. Dans le rétroviseur à ma droite, mon visage ne trahissait aucune expression ; c'était un masque de cire, impénétrable et inaccessible.

Sayed m'emmena dans un petit immeuble cossu, dans un quartier résidentiel. Les vigiles levaient leur barrière dès qu'ils reconnaissaient sa Mercedes. Sayed semblait très respecté des gardes. Il rangea sa voiture dans un garage et m'entraîna dans un appartement luxueux. Ce n'était pas celui où il nous avait conviés, Yacine, les jumeaux et moi. L'endroit était géré par un vieil homme secret et obséquieux qui faisait fonction de factotum. Sayed me recommanda de prendre un bain et de le rejoindre plus tard dans le salon aux fenêtres nimbées de rideaux en taffetas.

Je me déshabillai et glissai dans la baignoire qu'irriguait un robinet chromé gros comme une théière. L'eau était brûlante. Elle m'embauma rapidement.

Le vieil homme nous servit le souper dans un petit salon étincelant d'argenterie. Sayed était sanglé dans une robe de chambre grenat qui lui donnait un air de nabab. Nous dînâmes en silence. On n'entendait que le cliquetis des cuillères que la sonnerie du téléphone portable perturbait de temps à autre. Sayed regardait d'abord le cadran de son appareil puis décidait s'il devait répondre ou pas. L'ingénieur appela à son tour au sujet des deux cadavres. Sayed l'écouta en alignant des « hum » ; quand il rabattit le couvercle de son téléphone, il leva enfin les yeux sur moi et je compris que Rachid et Amr avaient fait du bon boulot.

Le vieil homme nous apporta un panier de fruits.

Sayed continua de me détailler en silence. Peut-être s'attendait-il à ce que je lui fasse la conversation. Je ne voyais pas quel sujet pouvait nous réunir. Sayed était quelqu'un de taciturne, voire hautain. Il avait une façon de diriger ses employés qui me déplaisait. On lui obéissait au doigt et à l'œil, et quand il tranchait, c'était sans appel. Paradoxalement, son autorité me rassurait. Avec un gars de sa stature, je n'avais pas de raison de me poser de questions ; il pensait à tout et semblait préparé à faire face à n'importe quelle éventualité.

Le vieil homme me montra ma chambre et un carillon sur la table de chevet au cas où j'aurais besoin de ses services. Il vérifia ostensiblement que tout était en ordre et se retira sur la pointe des pieds.

Je me mis au lit et éteignis la lampe.

Sayed vint voir si je manquais de quelque chose. Sans allumer. Il resta dans l'embrasure de la porte, une main sur la poignée.

— Ça va ? me demanda-t-il.

— Très bien.

Il hocha la tête, referma à moitié la porte et l'écarta de nouveau.

— J'ai beaucoup apprécié ton sang-froid, au dépôt, me dit-il.

Le lendemain, je retrouvai le magasin et ma piaule au premier. Le commerce reprit son cours. Personne ne vint nous demander si nous n'avions pas vu deux officiers de police dans les environs. Quelques jours plus tard, la photo du capitaine et de son inspecteur orna la une d'un journal qui annonçait leur enlèvement et la rançon qu'exigeaient les ravisseurs pour leur libération.

Rachid et Amr ne me tinrent plus à l'écart et ne me

claquèrent plus de porte au nez. J'étais désormais un des leurs. L'ingénieur continua d'installer ses bombes dans les tubes cathodiques. Bien sûr, il ne trafiquait qu'un téléviseur sur dix, et les clients n'étaient pas tous des transporteurs de la mort. Je remarquai seulement que les destinataires des colis piégés étaient les mêmes, trois jeunes hommes engoncés dans des salopettes de dépanneurs ; ils s'amenaient dans des fourgonnettes frappées sur les flancs d'un vaste logo bleu accompagné d'un écriteau en arabe et en anglais : « Livraison à domicile ». Ils rangeaient leur véhicule derrière le dépôt, signaient des décharges et repartaient.

Sayed disparut une semaine. Quand il revint, je lui fis part de mon souhait de rejoindre Yacine et sa bande. Je crevais d'ennui, et le satané relent de Bagdad me polluait les idées. Sayed me pria de patienter. Pour m'aider à occuper mes nuits, il m'apporta des DVD sur lesquels on avait écrit au feutre indélébile Bagdad, Bassorah, Mossoul, Safwan, etc., suivi d'une date et d'un numéro. C'étaient des enregistrements piqués sur des reportages télévisés ou bien pris par des vidéoamateurs montrant les exactions des coalisés : le siège de Falloudja, les « ratonnades » commises par des soldats britanniques sur des gamins irakiens capturés lors d'une manifestation populaire, l'exécution sommaire pratiquée par un GI sur un civil blessé au cœur d'une mosquée, le tir nocturne et sans sommation d'un hélicoptère américain sur des paysans dont le camion était tombé en panne dans un champ ; bref la filmographie de l'humiliation et des bavures qui avaient tendance à se banaliser. J'avais visionné l'ensemble des DVD sans ciller. C'était comme si on téléchargeait en moi toutes les raisons possibles et imaginables de foutre en l'air le monde. C'était aussi, sans doute, ce qu'espérait Sayed ; m'en mettre plein les yeux, engranger dans mon subconscient un maximum de colère qui, le temps venu, saurait conférer à mes sévices de l'enthousiasme et une certaine légitimité. Je n'étais pas dupe ; j'estimais que j'avais mon overdose de haine et qu'il n'était pas nécessaire d'en rajouter. J'étais un Bédouin, et aucun Bédouin ne peut composer avec une offense sans que le sang soit versé. Sayed avait dû perdre de vue cette règle constante et inflexible qui survivait aux âges et aux générations ; sa vie citadine et ses pérégrinations mystérieuses l'avaient sûrement éloigné de l'âme grégaire de Kafr Karam.

Je revis Omar. Il avait passé la journée à glander dans les tripots. Il m'invita à casser la croûte, ce que j'acceptai, à condition qu'il ne remît pas sur le tapis les sujets qui fâchent. Il se montra compréhensif durant le repas, et d'un coup, ses yeux se remplirent de larmes. Par pudeur, je ne lui demandai pas ce qui le chagrinait. Ce fut lui qui vida son sac. Il me raconta les petites misères que lui faisait Hany, son colocataire. Ce dernier projetait de quitter le pays pour le Liban, et Omar n'était pas d'accord. À la question de savoir ce qui le peinait dans cette décision, il répondit que Hany lui était très cher et qu'il ne survivrait pas à son départ. Nous nous étions quittés sur les berges du Tigre, lui, ivre mort, et moi dégoûté à l'idée de réintégrer ma chambre et mes mélancolies.

Au magasin, la routine prenait des allures de galère. Les semaines me passaient dessus comme un troupeau de buffles. J'étouffais. L'ennui me taillait en pièces. Je n'allais même plus sur les lieux des attentats, et les sirènes de Bagdad ne m'atteignaient plus. Je maigrissais à vue d'œil, ne mangeais presque pas, dormais tard, la tête en éruption. Plusieurs fois, alors que je poireautais derrière la vitrine, je me surpris à soliloquer en gesticulant. Je sentais que je perdais le fil de ma propre histoire, que je me diluais dans mes exaspérations. À bout, je retournai voir Sayed pour lui dire que j'étais *prêt* et qu'il n'avait pas besoin de tout ce cirque pour m'appâter.

Il était dans son petit bureau en train de remplir des formulaires. Après avoir longuement considéré son stylo, il le reposa sur un tas de feuillets, remonta ses lunettes sur le sommet de son crâne et fit pivoter son siège pour me faire face.

— Je ne suis pas en train de t'embobiner, cousin. J'attends des instructions te concernant. Je crois que nous avons quelque chose pour toi, quelque chose d'extraordinaire, sauf que nous ne sommes qu'au stade de la conception.

— Je n'en peux plus d'attendre.

— Tu as tort. Nous sommes en guerre, et non pas à l'entrée d'un stade. Si tu perds patience maintenant, tu ne sauras pas garder ton sang-froid au moment où tu en auras besoin. Retourne à tes occupations et apprends à surmonter tes angoisses.

— Je ne suis pas angoissé.

— Si, tu l'es.

Sur ce, il me congédia.

Un mercredi matin, un camion sauta au bout du boulevard, emportant dans sa déflagration deux immeubles. Il y avait au moins une centaine de corps disloqués par terre. L'explosion avait creusé un cratère de deux mètres et soufflé la majorité des devantures alentour. Jamais je n'avais vu Sayed dans cet état. Il se tenait la tête à deux mains et, vacillant sur le trottoir, il contemplait les dégâts. Je compris que les choses ne s'étaient pas déroulées comme prévu car, depuis le déclenchement des hostilités, le quartier était jusque-là épargné.

Amr et Rachid baissèrent le rideau du magasin, et Sayed m'emmena sur-le-champ de l'autre côté du Tigre. En cours de route, il téléphona à maintes reprises à des « associés » et les invita à le retrouver d'urgence au « numéro 2 ». Il utilisait un langage codé qui ressemblait à une banale conversation entre commerçants. Nous arrivâmes dans un quartier périphérique hérissé de bâtiments décrépits où croupissait une populace livrée à elle-même, puis, nous entrâmes dans le patio d'une maison où deux voitures venaient juste de se ranger. Leurs occupants, deux hommes en costume, nous accompagnèrent à l'intérieur de la maison. Yacine nous y rejoignit quelques minutes plus tard. Sayed n'attendait que lui pour ouvrir la séance. La réunion dura un petit quart d'heure. Elle tourna essentiellement autour de l'attentat qui venait de se produire sur le boulevard. Les trois hommes se consultèrent du regard, incapables d'avancer une hypothèse. Ils ne savaient pas qui était derrière le coup. Je devinai que Yacine et les deux inconnus étaient les chefs des groupes qui opéraient dans les quartiers mitoyens du boulevard et que l'attentat de ce matin les prenait de court tous les trois. Sayed en déduisit qu'un nouveau groupe, inconnu et forcément dissident, essayait de s'immiscer dans leur secteur et qu'il fallait impérativement l'identifier pour l'empêcher de fausser leurs plans d'action et, par voie de conséquence, de chambouler le découpage opérationnel en vigueur. La séance fut levée. Les deux premiers arrivés s'en allèrent, puis Sayed, qui, avant de sauter dans sa voiture, me confia à Yacine « jusqu'à nouvel ordre ».

Yacine n'était pas ravi de me prendre dans son groupe, surtout maintenant que des inconnus s'étaient mis à écumer ses plates-bandes. Il se contenta de me conduire dans une planque, au nord de Bagdad ; un trou à rats à peine plus large qu'un isoloir équipé d'un lit superposé et d'une armoire naine. L'endroit était occupé par un jeune homme filiforme, au visage en lame de couteau d'où surgissait un grand nez crochu que tempérait une mince moustache blonde. Il était en train de dormir lorsque nous avions débarqué. Yacine lui expliqua qu'il devait m'héberger deux ou trois jours. Le jeune homme opina du chef. Yacine parti, il m'invita à prendre place sur le lit d'en bas.

— T'as les flics aux trousses ? me demanda-t-il.

— Non.

— Tu viens d'arriver ?

— Non.

Il pensa que je ne tenais pas à engager la conversation avec lui et laissa tomber.

Nous restâmes assis l'un à côté de l'autre jusqu'à midi. J'étais en colère contre Yacine, et contre ce qui m'arrivait. J'avais le sentiment d'être ballotté tel un vulgaire balluchon.

— Bon, dit le jeune homme, je vais acheter des sandwiches. Poulet ou brochettes d'agneau ?

— Tu m'apportes ce que tu veux.

Il enfila une veste et sortit sur le palier. Je l'entendis dévaler les escaliers, puis plus rien. Je tendis l'oreille. Pas un bruit. On aurait dit que le bâtiment était abandonné. Je m'approchai de la fenêtre et vis le jeune homme se hâter vers la place. Un soleil voilé dardait ses lumières sur le quartier. J'avais envie d'ouvrir la fenêtre et de dégueuler dans le vide.

Le jeune homme m'apporta un sandwich au poulet emballé dans un morceau de journal. Je mordis dedans deux fois et le posai sur l'armoire, le ventre contracté.

— Je m'appelle Obid, me dit le jeune homme.

— Qu'est-ce que je fiche ici ?

— J'sais pas. Moi-même, je ne suis là que depuis une semaine. Avant, j'habitais au centre-ville. C'est là-bas que j'agissais. Puis j'ai échappé à une descente de police. Alors, j'attends d'être affecté dans un autre secteur, sinon dans une autre ville... Et toi ?

Je feignis de n'avoir pas entendu la question.

Le soir, je fus soulagé de voir l'un des jumeaux, Hossein, s'amener. Il annonça à Obid qu'une voiture viendrait le récupérer le lendemain. Obid sauta au plafond.

— Et moi ?

Hossein me gratifia d'un large sourire :

— Toi, tu m'accompagnes illico presto.

Hossein pilotait une petite voiture esquintée. Il était malhabile et n'arrêtait pas de heurter les trottoirs. Il conduisait si mal que les gens s'écartaient d'instinct sur son passage. Et lui, il riait, amusé par la panique qu'il provoquait et par les choses qu'il renversait. J'avais pensé qu'il était ivre ou drogué. Ni l'un ni l'autre ; il ne savait pas conduire, et son permis était aussi faux que les papiers du véhicule.

— Tu n'as pas peur de te faire coffrer ? lui demandai-je.

— Pourquoi ? J'ai encore écrasé personne.

Je me détendis un peu lorsque nous sortîmes indemnes des quartiers populeux. Hossein rigolait pour un rien. Je ne l'avais pas connu comme ça. À Kafr Karam, il était certes gentil, mais un tantinet dur à la détente.

Hossein arrêta sa guimbarde à l'entrée d'une cité qui avait été sévèrement secouée par des tirs de missiles. Les taudis semblaient désertés. Ce ne fut qu'en franchissant une sorte de ligne de démarcation que je me rendis compte que la population se terrait. Plus tard, je comprendrais que c'était là le signe d'une présence de *fedayin*. Pour éviter d'attirer l'attention des militaires et de la police, les gens étaient sommés de se tenir à carreau.

Nous remontâmes une ruelle pestilentielle jusqu'à une maison grotesque haute de trois étages. L'autre jumeau, Hassan, et un inconnu nous ouvrirent. Hossein me présenta ce dernier. Il s'appelait Lliz et était le maître de céans, un trentenaire blafard qui avait l'air de s'être échappé d'un bloc opératoire. Nous passâmes aussitôt à table. Le repas était riche, mais je ne lui fis pas honneur. La nuit tomba dans l'éructation d'une bombe lointaine. Hassan consulta sa montre et dit : « Adieu, Marwan ! Nous nous reverrons au ciel. » Marwan devait être le kamikaze qui venait juste de se faire exploser.

Puis Hassan se retourna vers moi :

— Tu peux pas savoir combien ça me fait plaisir de te revoir, cousin.

— Y a que vous trois dans le groupe de Yacine ?

— Tu trouves que c'est pas assez ?

— Où sont passés les autres ?

Hossein éclata de rire.

Son frère lui tapa sur le genou pour le calmer.

— Tu entends qui par les « autres » ?

— Le reste de votre bande de Kafr Karam : Adel l'Ingénu, Salah le gendre du ferronnier et Bilal le fils du barbier.

Hassan acquiesça :

— Salah est en ce moment avec Yacine. Il paraît qu'un groupe dissident cherche à nous couper l'herbe sous le pied... Adel, lui, il est mort. Il devait se faire exploser dans un centre de recrutement de la police. Je n'étais pas d'accord pour qu'on lui confie une mission pareille. Il n'avait pas toute sa tête, Adel. Yacine a dit qu'il en était capable. On lui a mis une ceinture d'explosifs et tout. Quand il est arrivé au centre, Adel avait oublié comment déclencher le système de mise à feu. C'était pourtant simple. Il n'avait qu'à appuyer sur un bouton. Il s'était embrouillé, et ça l'a foutu en rogne. Alors il s'est débarrassé de sa veste et s'est mis à cogner sur sa ceinture explosive. Les gars qui attendaient d'être recrutés ont vu ce qu'Adel portait autour de la taille et se sont débinés. Il ne restait dans la cour qu'Adel occupé à se rappeler comment déclencher le système d'allumage. Bien sûr, les flics lui ont tiré dessus et Adel s'est désintégré sans blesser personne.

Hossein s'esclaffa en se contorsionnant :

— Y a qu'Adel pour finir de cette façon.

— Et Bilal ?

— Personne ne sait où il est passé. Il devait transporter un responsable de la résistance à Kerkouk. Le responsable a attendu au point de rendez-vous, et Bilal ne s'est jamais présenté. On ne sait toujours pas ce qu'il lui est arrivé... Nous avons cherché dans les morgues, les hôpitaux, partout, jusque chez les flics et dans les casernes où nous avons nos gars, rien... Aucune trace de la voiture, non plus.

J'étais resté une semaine chez Lliz. À subir les rires incongrus de Hossein. Hossein n'était pas net. Quelque chose avait rompu dans son esprit. Son frère ne le sollicitait que pour des courses domestiques. Le reste du temps, Hossein se calait dans un fauteuil et regardait la télé jusqu'à ce qu'on l'envoie acheter des provisions ou chercher quelqu'un.

Une seule fois, Yacine m'autorisa à renforcer Hassan et Lliz. Notre mission consistait à transférer un otage de Bagdad sur une coopérative agricole. Nous étions partis en plein jour. Lliz connaissait tous les raccourcis qui contournaient les postes de contrôle. L'otage était une Européenne, membre d'une ONG, enlevée dans le dispensaire où elle exerçait en qualité de médecin. Elle était enfermée dans la cave d'une villa, à proximité d'un commissariat. Nous la transportâmes sans encombre, au nez et à la barbe des policiers, et la livrâmes à un autre groupe retranché dans une ferme, à une vingtaine de kilomètres au sud de la ville.

Je pensais, après cet exploit, bénéficier de plus de confiance et recevoir bientôt une seconde mission. Peine perdue. Trois semaines s'écoulèrent sans que Yacine me fasse signe. Il venait de temps à autre nous rendre visite, s'entretenait longuement avec Hassan et Lliz ; parfois il partageait nos repas ; ensuite, Salah le gendre du ferronnier passait le prendre, et ils me laissaient sur ma faim.

15.

J'avais mal dormi. Je crois avoir rêvé de Kafr Karam, mais je n'en suis pas sûr. J'avais perdu le fil à l'instant où j'avais ouvert les yeux. Ma tête était farcie d'images indistinctes, figées sur un écran qui sentait le roussi, et je m'étais levé avec le relent de mon village dans le nez.

De mon sommeil, profond et sans écho, je n'avais gardé que la douleur lancinante qui me tenaillait aux articulations. Je n'étais pas ravi de reconnaître la chambre où je m'étiolais depuis des semaines à attendre je ne savais quoi. J'avais l'impression d'être la benjamine des poupées russes, la chambre étant ma cadette, la maison l'aînée et ainsi de suite, le quartier fétide en guise de couvercle. J'étais dans mon corps comme un rat pris au piège. Mon esprit courait dans tous les sens sans trouver d'échappatoire. Était-ce cela la claustrophobie ?... J'avais besoin de sortir de mes gonds, d'exploser comme une bombe, d'être utile à quelque chose, à l'instar du malheur.

Je chavirai jusqu'à la salle de bains. La serviette-éponge accrochée à un clou était noire de crasse. La vitre n'avait pas connu le passage d'un chiffon depuis des lustres. L'endroit sentait l'urine stagnante et le moisi ; il me donnait la nausée.

Sur l'évier souillé, un morceau de savon cabossé reposait à côté d'un tube de dentifrice intact. La glace me renvoya la figure décatie d'un jeune homme au bout du rouleau. Je m'étais regardé comme on regarde un étranger.

Il n'y avait pas d'eau au robinet. Je descendis au rez-de-chaussée. Enfoui dans son fauteuil, Hossein suivait un film d'animation à la télé. Il gloussait en picorant dans une assiettée d'amandes grillées. Sur l'écran, une bande de chats de gouttière, fraîchement débarqués de leurs poubelles, molestait un chaton effaré. Hossein se délectait de la peur qu'incarnait le petit animal un peu perdu dans la jungle des faubourgs.

— Où sont les autres ? lui demandai-je.

Il ne m'entendit pas.

Je me dirigeai vers la cuisine, me fis du café et revins dans le salon. Hossein avait zappé ; il s'intéressait maintenant à un match de catch.

— Où sont Hassan et Lliz ?

— Suis pas censé le savoir, maugréa-t-il. Ils devaient rentrer avant la tombée de la nuit, et ils ne sont toujours pas là.

— Personne n'a téléphoné ?

— Personne.

— Tu penses qu'il leur est arrivé des pépins ?

— Si mon jumeau avait des problèmes, je l'aurais senti.

— Il faudrait peut-être appeler Yacine pour voir de quoi il retourne.

— C'est interdit. C'est toujours lui qui appelle.

Je jetai un coup d'œil par la fenêtre. Dehors, les rues

baignaient dans la clarté matinale. Bientôt, les gens allaient émerger de leurs taudis et les galopins envahir les lieux tels des criquets.

Hossein tripota la télécommande et fit défiler différentes chaînes sur l'écran. Aucune émission ne l'intéressa. Sans éteindre la télé, il se trémoussa dans son siège.

Il me brusqua :

— Est-ce que je peux te poser une question, cousin ?

— Bien sûr.

— Vrai de vrai ? Tu me répondrais sans détour ?

— Pourquoi pas ?

Il rejeta la tête en arrière dans ce rire qui me hérissait et que je commençais à détester. C'était un rire absurde, qui partait n'importe comment et à propos de n'importe quoi. Je n'entendais que lui. De jour comme de nuit. Car Hossein ne dormait jamais. Il était dans son fauteuil du matin au soir, la télécommande telle une baguette magique, à changer de monde et de langue toutes les cinq minutes.

— Tu me répondrais franchement ?

— Je tâcherais.

Ses yeux brillèrent d'une drôle de façon, et j'eus pitié de lui.

— Est-ce que tu penses que je suis... cinglé ?

Sa gorge s'était resserrée sur le dernier mot. Il avait l'air si malheureux que j'en étais gêné.

— Pourquoi dis-tu ça ?

— C'est pas une réponse, cousin.

J'essayai de me détourner mais ses yeux m'en dissuadaient.

— Je ne crois pas que tu sois... cinglé.

— Menteur ! En enfer, tu seras pendu par la langue

au-dessus d'un barbecue... T'es comme les autres, cousin. Tu dis une chose et penses son contraire. Mais, détrompe-toi, j'suis pas un dingo. J'ai toute ma tête, et les accessoires qui vont avec. Je sais compter sur mes doigts, et je sais lire dans le regard ce que les gens me cachent. C'est vrai que je n'arrive pas à retenir mon rire, mais ça fait pas de moi un dingue. Je ris parce que... parce que... J'sais pas pourquoi au juste. C'est des choses qu'on n'explique pas. J'ai chopé le virus quand j'ai vu Adel l'Ingénu s'énerver en n'arrivant pas à mettre la main sur le poussoir qui devait faire exploser la bombe qu'il portait sur lui. J'étais pas loin, et je l'observais pendant qu'il se mêlait aux candidats dans la cour de la police. Sur le moment, j'avais paniqué. Et quand il a explosé sous les tirs des flics, c'était comme si je m'étais désintégré avec lui... C'était quelqu'un que j'aimais bien. Il avait grandi dans notre patio. Et puis, le deuil passé, à chaque fois que je le revois en train de tripoter sa ceinture explosive en pestant, j'éclate de rire. C'était si saugrenu, et tellement loufoque... Mais ça fait pas de moi un cinglé. Je sais compter sur mes doigts, et je sais reconnaître le bon grain de l'ivraie.

— J'ai jamais dit que tu étais cinglé, Hossein.

— Les autres non plus. Sauf qu'ils le pensent. Tu crois que j'ai pas compris ? Avant, ils m'envoyaient au charbon dans la foulée. Embuscades, enlèvements, exécutions, j'étais en tête de liste... Maintenant, ils m'envoient acheter des provisions ou chercher quelqu'un dans mon tacot. Quand je me porte volontaire pour un coup dur, ils me disent que c'est pas la peine, que le compte est bon et qu'il y a pas lieu de dégarnir nos flancs. Ça veut dire quoi, dégarnir nos flancs ?

— On ne m'a encore rien confié, à moi non plus.

— T'as de la chance, cousin. Parce que je vais te dire ce que je pense, moi. Notre cause est juste, mais on la défend très mal. Si j'en ris de temps en temps, c'est peut-être pour cette raison.

— Là, tu dis des sottises, Hossein.

— Elle nous conduit où, cette guerre ? Tu en vois le bout, toi ?

— Tais-toi, Hossein.

— C'est pourtant la vérité. Ce qui se passe n'a pas de sens. Des tueries, toujours des tueries, encore des tueries. Le jour, la nuit. Sur la place, dans les mosquées. On ne sait plus qui est qui, et tout le monde figure dans le collimateur.

— Tu dérailles...

— Tu sais comment il est mort, Adnane le fils du boulanger ? On raconte qu'il s'est jeté pompeusement contre un check point. C'est faux. Il en avait assez de toutes ces boucheries. Il était à plein temps à canarder les uns et à dynamiter les autres. À cibler les souks et les civils. Et un matin, il a fait sauter un bus scolaire, et un gosse est resté accroché en haut d'un arbre. Quand les secours sont arrivés, ils ont mis les morts et les blessés dans des ambulances et ils les ont transportés à l'hôpital. Ce n'est que deux jours après que des passants ont senti le gosse pourrir dans l'arbre. Et ce jour-là, Adnane était sur les lieux, comme par hasard. Et alors, il a vu des volontaires descendre le gosse de sa branche. Je te dis pas. Il avait tourné casaque, Adnane. Il avait viré du tac au tac. C'était plus le baroudeur que l'on connaissait. Et un soir, il a mis une ceinture avec des baguettes de pain autour de sa taille pour faire croire à des bâtons de dynamite et il est allé narguer des soldats dans leur guérite. Il a ouvert brusquement son pardessus pour montrer son harnachement, et les soldats l'ont transformé en passoire. Ils l'ont réduit en bouillie. Tant que la ceinture n'explosait pas, les soldats tiraient. Ils ont vidé leurs chargeurs, et ceux de leurs camarades. Après, on ne savait plus distinguer les morceaux de chair des morceaux de pain... C'est ça, la vérité, cousin. Adnane n'est pas mort au combat, il est allé à la mort de son plein gré, sans arme et sans cri de guerre ; il s'est tout simplement suicidé.

Il n'était plus question, pour moi, de rester une minute de plus avec Hossein. Je posai ma tasse sur le guéridon et me levai pour sortir dans la rue.

Hossein ne quitta pas son fauteuil.

Il me dit :

— T'as encore tué personne, cousin. Alors casse-toi... Mets les voiles sur un autre horizon et file sans te retourner. J'aurais fait la même chose si un bataillon de fantômes ne me retenait pas par les basques de mon manteau.

Je l'avais toisé comme si j'avais cherché à le faire fondre du regard.

— Je pense que Yacine a raison, Hossein. Tu es juste bon à faire des courses.

Et je me dépêchai de claquer la porte derrière moi.

J'étais allé voir le Tigre. Tournant le dos à la ville. Le regard accroché au fleuve pour oublier les immeubles sur l'autre rive. Kafr Karam occupait mon esprit. Je revoyais le stade sablonneux où les mioches pourchassaient le ballon, les deux palmiers convalescents, la mosquée, le barbier en train de tondre des crânes aux configurations de rutabagas, les deux cafés qui s'ignoraient superbement, les écharpes de poussière virevoltant le long de la piste argentée, puis le cratère où Kadem me faisait écouter Faïrouz, et les horizons aussi morts que les saisons... Je tentais de rebrousser chemin, de retourner dans le village ; mes souvenirs refusaient de me suivre. Le film décousu des évocations s'emballa, se bloqua et disparut sous une grosse tache brune, et de nouveau Bagdad me rattrapa, avec ses artères saignées à blanc, ses esplanades peuplées de spectres, ses arbres loqueteux et son charivari. Le soleil cognait comme une brute, si proche qu'on l'aurait atteint avec une lance de pompiers. Je crois que j'avais traversé une bonne partie de la ville sans rien retenir de ce que j'avais rencontré, vu et entendu. Je n'avais pas arrêté d'errer depuis que j'avais quitté Hossein.

Le fleuve ne suffisant pas à noyer mes pensées, je me remis à marcher. Sans savoir où me rendre. J'étais à Bagdad comme une idée fixe perdue dans la rumeur du néant. Cerné de toutes parts par des ombres tourbillonnantes. Un grain de sable dans la tempête.

Je n'aimais pas cette ville. Elle ne représentait rien, pour moi. Ne signifiait rien. Je la parcourais comme un territoire maudit ; elle me subissait comme un corps étranger. Nous étions deux malheurs incompatibles, deux mondes parallèles qui cheminaient côte à côte sans jamais se rencontrer.

Sur ma gauche, sous une passerelle métallique, un fourgon en panne attirait la marmaille. Plus loin, à proximité du stade où les clameurs s'étaient tues, des camions américains sortaient d'un cantonnement militaire. Kafr Karam réapparut dans le vrombissement du convoi. De notre maison, qu'une pénombre submergeait, je ne distinguais que l'arbre indéfinissable au pied duquel plus personne ne s'asseyait. Il n'y avait personne, non plus, dans le patio. La maison était vide, sans âme et sans fantômes. Je cherchai mes sœurs, ma mère... Personne. Hormis l'éraflure sur le cou de Bahia, pas de visage ni de silhouette furtive. On aurait dit que ces êtres, autrefois si chers, avaient été bannis de mes souvenirs. Quelque chose avait rompu dans ma mémoire, ensevelissant dans son effondrement toute trace des miens...

Le mugissement d'un camion me rejeta sur le trottoir.

— Réveille-toi, connard, me cria le chauffeur. Tu te crois où ? Dans la cour de ta mère ?

Des passants s'étaient arrêtés, prêts à rassembler autour d'eux d'autres curieux. C'est fou comme à Bagdad le moindre incident occasionnait un attroupement monstre. J'attendis que le chauffeur poursuive sa route pour traverser la chaussée.

Mes pieds brûlaient dans mes souliers.

Ça faisait des heures que j'errais.

Je m'attablai à une terrasse de café et commandai un soda. Je n'avais rien mangé de la journée, mais je n'avais pas faim. J'étais seulement épuisé.

— C'est pas vrai, dit quelqu'un dans mon dos.

Quel bonheur ! Quel soulagement quand je reconnus Omar le Caporal. Il était engoncé dans une salopette neuve, la bedaine débordante.

— Qu'est-ce que tu fabriques dans le coin ?

— Je bois un soda.

— Il y en a dans tous les cafés. Pourquoi çui-là ?

— Tu poses trop de questions, Omar, et je n'ai plus ma tête.

Il écarta les bras pour m'embrasser. Ses lèvres s'appuyèrent avec insistance contre mes joues. Il était réellement heureux de me revoir. Il tira sur une chaise et s'y laissa choir en s'épongeant dans un mouchoir.

— Je dégouline comme un camembert, dit-il, essoufflé. Ça me fait grand plaisir de te retrouver, cousin. Vraiment.

— Moi aussi.

Il héla le garçon et commanda une limonade.

— Alors, qu'est-ce que tu racontes ?

— Comment va Hany ?

— Ah ! lui, il est lunatique. Tu ne sais jamais par quel bout le prendre.

— Il a toujours l'intention de s'exiler ?

— Il saurait pas retrouver son chemin dans la nature. C'est un citadin trempé. Dès qu'il perd de vue son immeuble, il crie au secours. Il me faisait marcher, tu saisis ? Il voulait savoir si je tenais à lui... Et toi ?

— Tu es toujours avec ton ancien adjudant ?

— Où veux-tu que j'aille ? Lui, au moins, quand les affaires se grippent, il m'avance du fric. C'est un chic gars... Tu m'as pas dit ce que tu fabriquais par ici ?

— Rien. Je n'arrête pas de tourner en rond.

— Je vois... J'ai pas besoin de te dire que tu peux toujours compter sur moi. Si tu veux revenir bosser avec nous, pas de problème. On se serrerait les coudes.

— Tu n'envisages pas de faire un saut à Kafr Karam ? J'ai un peu d'argent à envoyer à la famille.

— Pas dans l'immédiat... Pourquoi tu ne rentres pas, finalement, si tu penses qu'il n'y a rien pour toi à Bagdad ?

Omar cherchait à me sonder. Il crevait d'envie de savoir s'il lui était possible de remettre sur le tapis les sujets qui me fâchaient. Ce qu'il lut dans mon regard le fit reculer. Il leva les deux mains :

— C'était juste une question comme ça, me dit-il, conciliant.

Ma montre indiquait quinze heures quinze.

— Il faut que je rentre, fis-je.

— C'est loin ?

— Une trotte.

— Je peux te déposer, si tu veux ? Mon fourgon est sur la place.

— Non, je veux pas te déranger.

— Tu ne me déranges pas, cousin. Je viens de livrer un bahut dans le coin, et j'ai rien d'autre à faire.

— Attention, il va te falloir un sacré détour pour rentrer.

— J'ai assez de carburant dans le réservoir.

Il avala d'une gorgée sa limonade et fit signe au caissier de refuser que je paie.

— Tu mets ça sur mon ardoise, Saad.

Le caissier refusa mon argent et nota l'addition sur un bout de papier en y ajoutant le nom d'Omar.

Le soir commençait à tomber. Les ultimes spasmes du soleil éclaboussaient le haut des immeubles. Les bruits de la rue s'apaisaient. La journée avait été rude ; trois attentats au centre-ville et une escarmouche autour d'une église.

Nous étions dans la maison de Lliz. Yacine, Salah, Hassan et le propriétaire s'étaient enfermés dans une pièce, à l'étage. Certainement pour mettre au point un prochain raid. Hossein et moi n'avions pas été conviés au briefing. Hossein feignait de s'en fiche, mais je le devinais très affecté. J'étais hors de moi et, comme lui, je ruminais ma colère en silence.

La porte d'en haut grinça ; une flopée de conversation nous signala la fin du conciliabule. Salah descendit le premier. Il avait beaucoup changé. Il était gigantesque, avec une tronche de videur de tripot et des poings velus constamment fermés, comme s'il étranglait un serpent. Tout en lui semblait en ébullition. On aurait dit un volcan. Il parlait rarement, ne donnait jamais son avis et gardait ses distances vis-à-vis des autres. Il n'avait d'ouïe que pour Yacine qu'il ne quittait pas d'une semelle. Lorsqu'on s'était vus pour la première fois, il ne m'avait même pas salué.

Yacine, Hassan et Lliz restèrent un moment à bavarder au sommet de l'escalier avant de nous rejoindre. Leurs visages n'exprimaient ni tension ni enthousiasme. Ils occupèrent le banc matelassé et nous firent face. À contrecœur, Hossein ramassa la télécommande qui traînait à ses pieds et éteignit le petit écran.

— Tu as coulé le moteur de ta voiture ? lui demanda Yacine.

— Personne ne m'a dit qu'il fallait remettre de l'huile dedans.

— Tu as un voyant sur le tableau de bord.

— J'ai vu une lampe rouge s'allumer mais j'ai pas compris pourquoi.

— Tu aurais pu demander à Hassan.

— Hassan fait comme si je n'étais pas là.

— Qu'est-ce que tu racontes ? lui fit son frère jumeau.

Hossein esquissa un geste de la main et s'arracha à son fauteuil.

— Je te parle, lui rappela Yacine sur un ton autoritaire.

— J'suis pas sourd, sauf que je vais pisser.

Salah frémit de la tête aux pieds. Il n'appréciait guère l'attitude de Hossein. Si ça ne tenait qu'à lui, il lui aurait réglé son compte sur-le-champ. Salah ne tolérait pas que l'on manquât de respect au chef. Il renifla fortement et noua ses bras sur sa poitrine, les mâchoires soudées.

Yacine consulta du regard Hassan. Ce dernier ouvrit les bras en signe d'impuissance, puis fila dans les toilettes. Nous l'entendîmes apostropher son frère à voix basse.

Lliz nous proposa une tasse de thé.

— J'ai pas le temps, lui dit Yacine.

— Ça prendrait moins d'une minute, insista le propriétaire de la maison.

— Dans ce cas, il te reste cinquante-huit secondes.

Lliz se précipita vers la cuisine.

Le portable de Yacine sonna. Il le porta à son oreille, écouta ; sa figure se retroussa. Il se leva brusquement, s'approcha de la fenêtre, le dos collé au mur et, avec précaution, il souleva un pan du rideau.

— Je les vois, dit-il dans son portable. Qu'est-ce qu'ils foutent là ?... Personne ne sait ce qu'on fabrique dans le coin. T'es sûr qu'ils sont après nous ?... (De l'autre main, il ordonna à Salah d'aller à l'étage voir ce qui se passait dans la rue. Salah grimpa quatre à quatre les marches. Yacine continua de parler dans son portable.) À ma connaissance, il n'y a pas eu de grabuge dans le secteur.

Hassan, qui revenait des toilettes, comprit aussitôt que quelque chose ne tournait pas rond. Il se glissa de l'autre côté de la fenêtre et, à son tour, écarta doucement le rideau. Ce qu'il vit le projeta en arrière. Il poussa un juron et courut chercher un fusil-mitrailleur caché dans une armoire, alertant au passage Lliz occupé à préparer du thé.

Salah redescendit, imperturbable.

— Il y a au moins une vingtaine de flics autour de la maison, annonça-t-il en tirant un gros flingue de sous son ceinturon.

Yacine scruta le toit en face, tordit le cou pour observer les terrasses mitoyennes. Il dit dans son téléphone cellulaire :

— Tu es où, exactement ?... Très bien. Tu les prends par-derrière, et tu nous tailles une brèche dans leur dispositif... Par la rue du garage, tu es sûr ? Ils sont combien ? On fait comme ça. Tu les amuses de ton côté, et je m'occupe du reste.

Il referma le couvercle de son téléphone et nous dit :

— Je crois qu'un fumier nous a balancés. Les flics sont perchés sur les toits au nord, à l'est et au sud. Jawad et ses hommes vont nous donner un coup de pouce pour nous tirer de là. Nous allons foncer du côté du garage. Nous aurons en face de nous trois ou quatre collabos.

Lliz était affolé.

— Je t'assure, Yacine, qu'on n'a pas de taupe dans le quartier.

— On parlera de ça après. Débrouille-toi pour qu'on s'arrache d'ici sans trop de dégâts.

Lliz alla chercher un lance-roquettes de marque soviétique. Au moment où il arrivait au milieu du salon, une vitre vola en éclats, et Lliz tomba à la renverse, foudroyé. La balle, tirée probablement de la terrasse voisine, lui fracassa la mâchoire supérieure. Le sang se mit à gicler de sa figure et à se ramifier sur le carrelage. Immédiatement, une pluie de projectiles dégringola sur la salle, pulvérisant l'argenterie, criblant les murs et soulevant une tornade de poussière et de fragments divers autour de nous. Nous nous jetâmes à terre, rampâmes vers d'hypothétiques abris. Salah tira à l'aveuglette sur la fenêtre ; il vida son chargeur en poussant des cris sauvages. Yacine, plus calme, s'était accroupi à l'endroit où il se tenait. Il fixait le corps désarticulé de Lliz en réfléchissant à ce qu'il devait faire. Hossein se terra dans le couloir, la braguette ouverte. Quand il remarqua Lliz étendu au sol, il éclata de rire.

Salah bondit sur le lance-roquettes, l'arma et, de la tête, il nous somma de quitter le salon. Hassan couvrit Yacine qui fila se réfugier dans le couloir. Les mitrailles cessèrent subitement et, dans le silence de mort, on n'entendit plus que les cris lointains des femmes et des gosses. Hassan profita de l'accalmie pour me bousculer devant lui.

Les crépitements reprirent de plus belle. Cette fois, aucun projectile ne nous visa. Yacine nous expliqua que Jawad et ses hommes tentaient de détourner l'attention des policiers et que c'était le signal pour sortir par-derrière. Salah dirigea son lance-roquettes sur une terrasse et ouvrit le feu. Une monstrueuse détonation me vrilla le tympan, suivie d'une déflagration tandis qu'une fumée épaisse et corrosive masquait la salle.

— Filez, nous cria Salah. Je vous couvre.

Ahuri, je me mis à courir derrière les autres. Les rafales s'invectivaient à tue-tête. Les balles ricochaient autour de moi, sifflaient à mes oreilles. Plié en deux, les mains sur les tempes, il me semblait que je traversais les murs. Je longeai une lucarne et atterris sur un amas d'ordures. Hossein rigolait en filant droit devant lui. Son frère le rattrapa et le contraignit de le suivre par une ruelle. Des coups de feu éclatèrent en face. Derrière nous, une roquette explosa. Quelqu'un hurla, fauché par les éclats. Ses cris me pourchassèrent longtemps. Je serrai les dents et courus, courus comme jamais je n'avais couru de ma vie...

16.

Yacine était congestionné de rage. Dans la planque où nous avions atterri après avoir réussi à déjouer le raid de la police, on n'entendait que lui. Il cognait sur les meubles, shootait dans les portes. Les bras croisés sur la poitrine, Hassan gardait les yeux par terre. Son jumeau se tassait au fond du vestibule, assis à même le sol, la tête entre les genoux et les mains par-dessus la nuque. Salah manquait à l'appel, et c'était ce qui décuplait la fureur de Yacine. Des guets-apens, il avait l'habitude, mais laisser derrière lui son plus fidèle lieutenant !...

— Il me faut la tête du traître qui nous a balancés, fulminait-il. Il me la faut, et sur un plateau.

Il considéra son portable.

— Pourquoi Salah n'appelle-t-il pas ?

Écartelé entre la colère et l'inquiétude, Yacine perdait son sang-froid. Quand il ne nous mitraillait pas de sa salive blanchâtre, il renversait tout sur son passage. Nous venions à peine de nous engouffrer dans notre nouveau refuge que déjà plus rien ne tenait en place.

— Il n'y avait pas de taupe dans le coin, répétait-il, Lliz était catégorique. Ça fait des mois que nous y étions, et pas une fois nous n'avions été enquiquinés. Y a pas doute, c'est ou toi (il me fusilla du doigt) ou Hossein qui avez dû gaffer.

— J'ai pas gaffé, maugréa Hossein. Et puis, arrêtez de me prendre pour un demeuré.

C'était exactement ce qu'attendait Yacine, que notre mutisme exacerbait. Il se rua sur le jumeau, l'attrapa par le col de sa chemise et le souleva à l'arraché.

— Tu ne me parles pas sur ce ton, compris ?

Hossein laissa pendre ses bras le long de son corps en signe de soumission, mais releva suffisamment la tête pour montrer au chef qu'il ne le craignait pas.

Yacine le repoussa avec hargne et le regarda glisser contre le mur et reprendre sa position initiale. Quand il se retourna vers moi, je sentis ses yeux incandescents me traverser de part en part.

— Toi ? Tu es sûr de n'avoir pas laissé traîner un caillou blanc dans ton sillage ?

J'étais encore étourdi. Les détonations et les hurlements résonnaient dans ma tête. Je n'arrivais pas à croire que nous nous en étions sortis sains et saufs, après avoir essuyé un déluge de feu et couru comme des dingues à travers une multitude de ruelles et de tirs croisés. Je ne sentais même pas mes jambes sur lesquelles je reposais, lessivé, démaillé, éberlué. Je n'avais vraiment pas besoin de subir une épreuve de plus. Et le regard de Yacine pesait sur moi tel un couperet.

— Tu t'es pas lié d'amitié avec un inconnu ? Ou t'as lâché le mot qu'il fallait pas à quelqu'un ?

— Je ne connais personne.

— Personne ?... Alors comment que tu expliques la saloperie qui vient de nous prendre au dépourvu ? Ça fait des mois qu'on était peinards dans cette planque.

Ou t'as la scoumoune ou t'as été imprudent. Mes hommes sont aguerris. Ils regardent deux fois où ils mettent les pieds. Tu es le seul qui n'es pas rentré tout à fait dans le bain. Qui fréquentes-tu en dehors du groupe ? Où te rends-tu quand tu quittes la planque ? Qu'est-ce que tu fais de ton temps ?...

Ses questions déboulaient sur moi, les unes après les autres, sans me laisser le temps de placer un mot ou de reprendre mon souffle. Mes mains n'arrivaient ni à les contenir ni à les repousser. Yacine cherchait à me pousser à bout. J'étais le maillon faible, et il lui fallait un souffre-douleur. Ça a toujours été ainsi ; quand on ne trouve pas un sens à un malheur, on lui invente un coupable. J'égrenais les non, m'efforçais de résister, de me défendre, de ne pas me laisser impressionner quand, soudain, dans un cri de rage, et sans que je m'en rende compte, le nom d'Omar le Caporal m'échappa. C'était peut-être la fatigue, ou le ras-le-bol, ou bien une manière de me soustraire au regard totalement ignoble de Yacine. Le temps de réaliser ma bourde, c'était trop tard. J'aurais donné mon âme pour ravaler mes mots, mais déjà le visage de Yacine avait viré au brasero.

— Quoi ? Omar le Caporal ?

— On se revoit de temps à autre, c'est tout.

— Il savait où tu te logeais ?

— Non. Une seule fois, il m'avait déposé sur la place. Mais il ne m'a pas accompagné jusqu'à la maison. On s'est quittés à hauteur de la station-service.

J'espérais que Yacine balaierait cette histoire du revers de la main pour revenir à Hossein ou se rabattre sur Hassan. Je me trompais.

— Je rêve, ou quoi ? Tu as conduit ce salopard jusqu'à notre cache ?

— Il m'a ramassé sur la route et a accepté gentiment de me déposer à la station. Où est le mal ? La station est loin de notre cache. Omar ne pouvait pas deviner où je me rendais. Et puis, c'est Omar, ce n'est pas n'importe qui. Jamais il ne nous aurait dénoncés.

— Il savait que tu es avec moi ?

— Enfin, Yacine, c'est pas sérieux.

— Est-ce qu'il savait ?

— Oui...

— Imbécile... Crétin ! Tu as osé conduire ce froussard jusqu'à...

— Il n'y est pour rien.

— Qu'est-ce que t'en sais ? Bagdad, le pays en entier foisonne de mouchards et de collabos.

— Attends, attends, Yacine, tu fais fausse route...

— Ta gueule ! Tu écrases. Tu n'as rien à dire. Rien, compris ? Où est-ce qu'il crèche, ce couillon ?

Je compris que j'avais gravement fauté, que Yacine n'hésiterait pas à me descendre si je n'essayais pas de me rattraper. La même nuit, il m'obligea à le conduire jusqu'à Omar. En cours de route, le voyant un peu détendu, je le suppliai de ne pas se tromper sur la personne. Je me sentais mal, très mal ; je ne savais où donner de la tête ; j'étais anéanti par le remords et la peur d'être à l'origine d'un terrible malentendu. Yacine me promit que si Omar n'avait rien à se reprocher, il le laisserait tranquille.

Hassan était au volant, un poignard de braconnier dissimulé sous le blouson. La rigidité de son cou me donnait la chair de poule. Yacine contemplait ses ongles sur le siège du mort, la figure opaque. Je m'amenuisais sur la banquette arrière, les mains moites, les tripes retournées, les cuisses serrées pour contenir un irrésistible besoin de pisser.

Nous avions évité les barrages et les grandes artères pour nous faufiler jusqu'au quartier pauvre où j'avais séjourné quelques jours. L'immeuble en question se dressait dans l'obscurité, semblable à une balise funeste ; aucune fenêtre n'était éclairée, aucune silhouette ne bougeait autour. Il devait être trois heures du matin. Nous rangeâmes la voiture dans une courette dégradée et, après un rapide coup d'œil sur les parages, nous nous glissâmes dans le bâtiment. J'avais le double de la clef sur moi. Yacine me le confisqua avant de l'introduire dans la serrure. Il ouvrit doucement la porte, chercha à tâtons le commutateur, alluma... Omar était couché sur une paillasse, nu comme un ver, sa jambe par-dessus la hanche de Hany dont le corps diaphane était entièrement dévêtu. Le spectacle nous désorienta de prime abord. Yacine se ressaisit le premier. Il se campa sur ses jambes, les mains sur les hanches, et contempla silencieusement les deux corps nus étendus à ses pieds.

— Regardez-moi ça... Je connaissais Omar le Soûlard, et voilà Omar le Sodomite. Il s'envoie des garçons, maintenant. On aura tout vu.

Il y avait un tel mépris dans sa voix que j'en avais dégluti.

Les deux amants dormaient à poings fermés, au milieu de bouteilles de vin vides et d'assiettes sales. Ils empestaient. Hassan tendit la pointe de son soulier pour secouer Omar. Ce dernier s'agita lourdement, émit un gargouillis et se remit à ronfler.

— Retourne nous attendre dans la bagnole, m'ordonna Yacine.

J'étais de trois ou cinq ans son cadet, et il jugeait que je n'étais pas assez mûr pour assister à un spectacle aussi indécent, en particulier en sa présence.

— Tu as promis que s'il n'y est pour rien, tu le laisserais tranquille, lui rappelai-je.

— Fais ce que je te dis.

J'obéis.

Quelques minutes plus tard, Yacine et Hassan me rejoignirent dans la voiture. N'ayant pas entendu de cris ni de détonation, j'avais pensé que le pire avait été évité. Puis je vis Hassan s'essuyer les mains maculées de sang sous ses aisselles, et je compris.

— C'était lui, m'annonça Yacine en s'installant devant. Il a avoué.

— Vous êtes restés moins de cinq minutes. Comment avez-vous fait pour le faire parler si vite ?

— Dis-le-lui, Hassan.

Hassan enclencha la première et démarra. Quand nous arrivâmes au bout de la rue, il se retourna vers moi et me déclara :

— C'était bien lui, cousin. T'as aucune raison de te bousiller le moral. Cette ordure n'a pas hésité une seconde en nous trouvant debout devant lui. Il a craché sur nous et a dit : « Allez vous faire foutre. »

— Il a su pourquoi vous étiez là ?

— Il a compris dès qu'il s'est réveillé. Il nous a même ri au nez... C'est des choses claires, cousin. Crois-moi, c'est qu'un fumier dégueulasse, un porc et un félon. Il ne sévira plus.

Je voulais en savoir plus, ce qu'avait dit exactement Omar, ce qu'il était advenu de son compagnon Hany. Yacine pivota d'un bloc dans ma direction et feula :

— Tu veux un rapport en bonne et due forme ou

quoi ? Quand on est en guerre, on ne fait pas dans la dentelle. Si tu sens que tu n'es pas prêt, tu décroches tout de suite. Et ni vu ni connu.

Je l'avais haï, Dieu ! comme jamais je ne m'en étais cru capable. De son côté, il avait perçu toute la haine qu'il m'inspirait, car son regard qui s'autoproclamait inexpugnable avait douté sous le mien. À cet instant précis, j'avais su que je venais de me faire un ennemi juré, et qu'à la prochaine occasion, Yacine ne me ferait pas de cadeau.

Vers midi, alors que nous nous rongions les ongles dans notre nouvelle planque, le téléphone de Yacine sonna. C'était Salah. Il s'en était sorti. Miraculeusement. Au vu du reportage qu'avait consacré la télévision au raid, il ne restait que des ruines de la maison de Lliz. La demeure croulait sous les impacts de gros calibre, et le feu en avait ravagé une bonne partie. D'après le témoignage des riverains, la bataille rangée avait duré toute la soirée, et les renforts dépêchés sur les lieux de l'affrontement n'avaient fait que décupler la confusion engendrée par la coupure de l'électricité et la panique qui s'était emparée des voisins dont certains avaient été atteints par des balles perdues et des éclats de grenades.

Yacine recouvra ses couleurs. En reconnaissant la voix de son lieutenant au bout du fil, il avait failli fondre en larmes. Mais il s'était aussitôt repris. Il engueula le rescapé, lui reprochant son « silence radio » ; ensuite, il consentit à l'écouter sans l'interrompre. Il hochait la tête, passait et repassait le doigt sous son col pendant que nous le regardions en silence. À la fin, il redressa le menton et dit dans le combiné :

— Tu ne peux pas l'amener ici ?... Demande à Jawad, il sait comment transférer un colis...

Il raccrocha et, sans nous adresser la parole, il s'engouffra dans la pièce voisine et nous claqua la porte au nez.

Le « colis » nous parvint le soir, dans le coffre d'une voiture pilotée par un officier de police en uniforme, un grand gaillard au front massif que j'avais entrevu deux ou trois fois dans le magasin de Sayed. Il nous commandait des téléviseurs. Il était en tenue de ville quand il nous rendait visite. C'était lui, Jawad – un nom de guerre –, et j'étais à mille lieues de penser qu'il occupait la fonction d'adjoint auprès du commissaire de l'arrondissement.

Il nous expliqua que c'était en rentrant d'une mission de routine qu'il avait constaté que le groupe d'assaut de son unité était parti en opération.

— Quand la permanence m'a communiqué les coordonnées de l'intervention, je n'en suis pas revenu. C'était votre cache que le commissaire visait. Il voulait tenter le coup en solo pour marquer le point à ses rivaux.

— Tu aurais pu me prévenir aussitôt, lui reprocha Yacine.

— J'étais pas certain. Ta planque était l'une des plus sûres de Bagdad. Je ne voyais pas comment on pouvait la dénicher, avec les sonnettes que j'avais positionnées autour. On m'aurait averti. Pour en avoir le cœur net, je me suis rendu sur les lieux, et là, j'ai pigé.

Il souleva le couvercle du coffre de la voiture garée dans le garage. À l'intérieur, couché en chien de fusil, un homme suffoquait. Il était saucissonné dans un rouleau de scotch d'emballage, la bouche bâillonnée et la figure bosselée et recouverte de traces de coups.

— C'est lui qui vous a balancés. Il était sur les lieux du raid, avec le commissaire, pour lui montrer où vous vous terriez.

Yacine secoua la tête d'un air navré.

Salah plongea ses bras musclés dans le coffre et en sortit brutalement le prisonnier. Il le jeta à terre et l'éloigna de la voiture à coups de pied.

Yacine s'accroupit devant l'inconnu et lui arracha le bâillon :

— Si tu cries, je te crève les yeux et je jette ta langue aux rats.

L'homme devait avoir la quarantaine. Il était maigrichon, le visage cachectique et les tempes grisonnantes. Il s'entortillait dans son espèce de camisole tel un asticot.

— J'ai déjà vu cette gueule, dit Hossein.

— C'était votre voisin, fit l'officier en se dandinant, les doigts cramponnés à son ceinturon. Il habitait la maison qui fait l'angle avec l'épicerie, celle qui a des plantes grimpantes sur la façade.

Yacine se releva.

— Pourquoi ? demanda-t-il à l'inconnu. Pourquoi tu nous as balancés ? Bon sang ! Nous nous battons pour toi.

— Je ne vous ai rien demandé, rétorqua le mouchard avec dédain. Sauvé par des voyous de votre acabit ?... Plutôt crever !

Salah lui assena un violent coup de pied dans le flanc. Le mouchard roula sur lui-même, le souffle coupé. Il attendit de récupérer ses sens pour revenir à la charge :

— Vous vous prenez pour des *fedayin*. Vous n'êtes que des assassins, des vandales et des tueurs d'enfants. Je n'ai pas peur de vous. Faites de moi ce que vous voulez, vous ne m'enlèverez pas de la tête que vous n'êtes que des chiens enragés, des détraqués sans foi ni loi... Je vous hais !

Il nous cracha dessus à tour de rôle.

Yacine en était stupéfait.

— Il est normal, ce gars ? s'enquit-il.

— Tout à fait. Il est instituteur dans une école primaire, lui confirma l'officier de police.

Yacine se prit le menton entre le pouce et l'index pour réfléchir.

— Comment il a fait pour nous repérer ? Nous ne sommes fichés nulle part, nos casiers judiciaires sont vierges... Comment il a su qui nous étions ?

— Je reconnaîtrais cette gueule entre des millions de gueules de singes, dit le mouchard en désignant de la tête Salah... Espèce de chien, bâtard, fils de pute...

Salah s'apprêtait à le démonter ; Yacine l'en dissuada.

— J'étais là quand tu as descendu Mohammed Sobhi le syndicaliste, raconta le mouchard écarlate de rage. J'étais dans la voiture qui l'attendait au bas de l'immeuble. Et je t'ai vu lui tirer dans le dos tandis qu'il sortait de la cage d'escalier. Dans le dos. Lâchement. Espèce de traître, avorton, assassin ! Si j'avais les mains libres, je te boufferais cru. T'es juste bon à tirer dans le dos et à déguerpir comme un lapin. Et après, tu te prends pour un héros et tu roules des mécaniques sur la place. Si l'Irak devait être défendu par des lâches dans ton genre, autant le laisser aux chiens et aux vauriens. Vous n'êtes que des minables, des niqués de la tête, des...

Yacine lui shoota dans la figure, le coupant net.

— T'as compris quelque chose à son délire, Jawad ?

L'officier de police tordit les lèvres sur le côté :

— Mohammed Sobhi le syndicaliste, c'était son frangin. Ce fumier a reconnu Salah quand il l'a vu entrer dans la planque. Il est allé alerter le commissariat.

Yacine avança ses lèvres dans une moue circonspecte.

— Remettez-lui le bâillon, ordonna-t-il, et emmenez-le loin d'ici. Je veux qu'il meure à petit feu, fibre après fibre, qu'il pourrisse avant de rendre l'âme.

Salah et Hassan se chargèrent d'exécuter les ordres. Ils remirent le « colis » dans le coffre de la voiture et sortirent du garage, les phares éteints, l'officier de police en précurseur dans le véhicule de Salah.

Hossein referma le portail.

Yacine demeurait planté à l'endroit où il interrogeait le prisonnier. La nuque ployée, les épaules affaissées. J'étais derrière lui, à deux doigts de lui sauter dessus.

Il m'avait fallu aller au plus profond de mon être pour récupérer mon souffle et lui dire :

— Tu vois ? Omar n'y était pour rien.

C'était comme si j'avais ouvert la boîte de Pandore. Yacine s'ébranla de la tête aux pieds, pivota d'un bloc vers moi et, le doigt aussi tranchant qu'un glaive, il me fit sur un ton qui me glaça :

— Encore un mot, un tout petit mot, et je t'égorge avec mes dents.

Sur ce, il m'écarta du revers de la main et retourna dans sa chambre malmener les meubles.

Je sortis dans la nuit.

C'était une nuit toute bête, avec son ciel oublieux de ses étoiles et son relent de charniers ; une nuit consciente d'être tombée bien bas et qui restait là, à broyer du noir. Dans les lumières anémiques des boulevards, tandis que le couvre-feu reprenait du poil de la bête, je mesurai l'incongruité des êtres et des choses. Bagdad avait éconduit jusqu'à ses prières. Et moi, je ne me reconnaissais plus dans les miennes. Je rasais les murs telle une ombre chinoise, la mort dans l'âme... *Mais qu'est-ce que j'ai fait ?... Dieu Tout-Puissant ! Comment vais-je faire pour qu'Omar me pardonne ?...*

17.

Le sommeil était devenu mon purgatoire. À peine m'assoupissais-je, je me remettais à fuir à travers des enfilades de corridors labyrinthiques, l'ombre d'un ancêtre à mes trousses. Elle était partout. Jusque dans mon souffle effréné... Je me réveillais en sursaut, trempé de la tête aux pieds, les bras en avant. Elle était toujours là. Dans la clarté de l'aube. Dans le silence de la nuit. Surplombant mon lit. Je prenais mes tempes à deux mains et je me faisais si petit que je disparaissais dans mes draps... *Mais qu'est-ce que j'ai fait ?* Cette horrible question me rattrapait, me rentrait dedans en pleine course, tel un faucon l'outarde. Le fantôme d'Omar était devenu mon animal de compagnie, mon chagrin itinérant, mon ivresse et ma folie. Je n'avais qu'à baisser les paupières pour qu'il remplisse mon esprit, qu'à les rouvrir pour qu'il occulte le reste du monde. Il n'y avait plus que lui et moi au monde. Nous étions le monde.

J'avais beau prier, beau le supplier de m'épargner rien qu'une minute, c'était en vain ; il restait là, silencieux et déconcerté, si réel que je l'aurais touché en tendant le bras.

Une semaine s'était écoulée, et les choses s'intensifiaient, se nourrissaient de mes hantises, s'inspiraient de mes fléchissements pour se donner du cran et revenir à la rescousse, les unes bousculant les autres, sans trêve et sans répit...

Je me sentais m'enliser progressivement dans la dépression.

Je voulais mourir.

Je suis allé trouver Sayed pour lui faire part de mon souhait d'en finir. Je me portais volontaire pour un attentat-suicide. C'était le plus probant des raccourcis, le plus payant aussi. Cette idée me trottait dans la tête bien avant la méprise qui avait conduit à l'exécution du Caporal. Elle devint mon idée fixe. Je n'avais pas peur. Plus rien ne me rattachait à rien. Je ne voyais pas ce que les kamikazes avaient de plus que moi. On les entendait exploser tous les matins sur la place, tous les soirs contre les cantonnements militaires. Ils partaient à la mort comme à la fête, dans d'époustouflants feux d'artifice.

— Tu fais la chaîne comme tout le monde, me rétorqua Yacine. Et tu attends ton tour.

Le courant ne passait plus entre Yacine et moi. Il ne me blairait pas ; je le détestais à mort. Il était tout le temps après moi, à m'interrompre quand j'essayais de placer un mot, à m'envoyer valdinguer quand je voulais me rendre utile. Nos rapports pourrissaient la vie des autres membres de notre groupe ; le drame tenait à un cheveu. Il cherchait à me briser, à me faire rentrer dans le rang. Je n'étais pas une tête brûlée, ne contestais ni son autorité ni son charisme ; je le haïssais, et il prenait le mépris qu'il suscitait en moi pour de l'insubordination.

Sayed finit par se rendre à l'évidence. La cohabitation avec Yacine risquait de mal tourner, de mettre en danger le groupe en entier. Il m'autorisa à réintégrer le magasin, et je retrouvai avec empressement ma piaule au premier. Le fantôme d'Omar m'y rejoignit ; il m'avait pour lui tout seul, cependant je préférais ses harcèlements à la seule vue de Yacine.

Ce fut un mercredi. Je revenais de chez le gargotier après la fermeture du magasin. Le soleil s'empêtrait dans ses gouaches enflammées, derrière les immeubles de la ville. Sayed me guettait sur le pas de la porte. Ses yeux luisaient au fond de la pénombre. Il était surexcité.

Il monta avec moi dans ma chambre et me saisit par les épaules :

— Aujourd'hui, j'ai reçu la plus grande nouvelle de ma vie...

Il me serra contre lui, le visage radieux, et, à bout, laissa éclater son bonheur.

— C'est fantastique, cousin. Fantastique.

Il me pria de prendre place sur le lit, essaya de discipliner son enthousiasme ; ensuite, il me confia :

— Je t'avais parlé d'une mission. Tu voulais en découdre, et je t'avais dit que j'avais peut-être quelque chose pour toi et que j'attendais d'en avoir le cœur net... Eh bien, le miracle s'est produit. Je viens d'en avoir la confirmation, il y a moins d'une heure. Cette sacrée mission est désormais possible. Serais-tu en mesure de l'assumer ?

— Et comment !

— Il s'agit de la plus importante mission jamais entreprise de tous les temps. La mission *finale*. Celle qui provoquera la capitulation sans conditions de l'Occident et nous remettra définitivement aux premières loges dans le concert des nations... Tu penses que tu es en mesure de ?...

— Je suis prêt, Sayed. Ma vie est à ta disposition.

— Il n'est pas question que de ta vie. On meurt tous les jours, et ma vie ne m'appartient pas, à moi non plus. C'est une mission capitale. Elle exige un engagement sans faille.

— Serais-tu en train de douter de moi ?

— Je ne serais pas là à t'en parler.

— Où est le problème, alors ?

— Tu es libre de la refuser. Je ne veux pas te mettre la pression.

— Personne ne me met la pression. Je suis partant. Sans conditions.

— J'apprécie ta détermination, cousin. Si ça peut te rassurer, tu as mon entière confiance. Je t'observe depuis que tu es arrivé dans mon magasin. À chaque fois que je lève les yeux sur toi, j'ai comme une lévitation ; je décolle... Le choix a été rude. Ce ne sont pas les candidats qui manquent. Mais il m'importe que ça soit un gars de mon patelin, de Kafr Karam l'oubliée, de rappeler l'Histoire à son bon souvenir.

Il m'avait pris dans ses bras et m'avait embrassé sur le front.

Il venait de m'élever au rang des êtres révérés.

Cette nuit-là, j'avais encore rêvé d'Omar. Mais je ne l'avais pas fui.

Sayed revint encore me prendre le pouls. Il voulait être sûr que je n'avais pas parlé trop vite.

La veille de déclencher les préparatifs de la mission, il me dit :

— Je te laisse trois jours pour bien réfléchir. Après, on coupe les amarres.

— J'ai réfléchi ; maintenant, je veux agir.

Sayed me logea dans un petit appartement luxueux avec vue sur le Tigre. Un photographe m'y attendait. Après la séance photo, je passai sous les ciseaux d'un coiffeur, ensuite sous la douche. Devant quitter Bagdad dans la semaine, je fis un saut à la poste pour expédier à Bahia l'argent que j'avais mis de côté.

Je quittai Bagdad un vendredi, après la Grande Prière. À bord d'un camion à bestiaux que conduisait un vieux paysan enturbanné. J'étais censé être son neveu et son berger. Mes nouveaux papiers étaient en règle, falsifiés à partir de documents racornis pour faire vrai. Mon nom figurait sur le registre de commerce. Nous négociâmes les différents barrages sans encombre et atteignîmes Ar Ramadi avant la tombée de la nuit. Sayed nous attendait dans une ferme, à une vingtaine de kilomètres à l'ouest de la ville. Il s'assura que tout s'était bien passé, dîna avec nous et nous communiqua l'itinéraire de l'étape suivante avant de se retirer. Le lendemain, à l'aube, nous reprîmes la route pour un petit village sur le versant est du plateau de la Chamiyé où un autre transporteur me prit en charge à bord d'une camionnette. Nous passâmes la nuit dans une bourgade que nous quittâmes avant le lever du soleil pour Rutba, non loin des frontières jordaniennes. Sayed nous y avait devancés ; il nous accueillit dans la cour d'un dispensaire. Un médecin en tablier fané nous invita à nous laver et à occuper une chambre de malades. Notre départ fut reporté à trois reprises à cause d'un redéploiement militaire dans la région. Le quatrième jour, à la faveur d'une tempête de sable, le camionneur et moi mîmes le cap sur la Jordanie. La visibilité était nulle, mais le conducteur roulait tranquillement sur les pistes qu'il semblait connaître les yeux fermés. Au bout de plusieurs heures de cahots et de suffocation, nous nous arrêtâmes dans un thalweg dénudé où le vent mugissait sans arrêt. Nous nous réfugiâmes dans une grotte après avoir poussé le véhicule sous un préau naturel, mangeâmes un morceau, puis le camionneur, un petit bonhomme déshydraté et impénétrable, monta au sommet d'une crête. Je le vis sortir son téléphone cellulaire et indiquer ses coordonnées en se fiant à un appareil de navigation.

À son retour, il me confia :

— Je ne dormirai pas à la belle étoile, ce soir.

Ce fut la seule fois qu'il m'adressa la parole.

Il alla s'allonger dans la grotte et fit celui qui n'était pas là.

La tempête s'assagit, espaçant son déferlement ; le vent se gargarisa encore au fond des anfractuosités ; ensuite, au fur et à mesure que le paysage émergeait du brouillard ocre du désert, il s'essouffla et, sans crier gare, se tut subitement.

Le soleil se congestionna en touchant le sol, soulignant les collines chauves qui dentelaient l'horizon. Soudain, surgis de nulle part, deux muletiers empruntèrent le lit du thalweg jusqu'à notre grotte. Plus tard, j'allais comprendre qu'ils appartenaient à une filière d'anciens contrebandiers convertis en passeurs d'armes et qu'ils prêtaient occasionnellement main-forte, en qualité de guides, aux volontaires venus d'ailleurs pour renforcer les rangs de la résistance irakienne. Le camionneur les félicita d'être à l'heure, s'enquit de la situation opérationnelle qui prévalait dans le secteur et me livra à eux. Sans me saluer, il retourna dans son véhicule et détala en catastrophe.

Les deux inconnus étaient grands et minces, la figure encagoulée dans un keffieh poussiéreux. Ils portaient des pantalons de jogging, des chandails épais et des espadrilles de sport.

— Ça va bien se passer, me rassura le plus grand.

Il m'offrit un gros tricot de laine et un bonnet.

— Les nuits sont fraîches par ici.

Ils m'aidèrent à grimper sur une mule et ouvrirent la marche. La nuit tomba. Le vent se réveilla, glacial et irritant. Mes guides se relayaient sur l'autre mule. Les sentiers de chèvres se ramifiaient devant nous, opalescents sous la lune. Nous dévalâmes des flancs escarpés, en escaladâmes d'autres, ne nous arrêtant que pour tendre l'oreille et scruter les zones d'ombres. La traversée s'opérait comme les guides l'avaient prévue. Nous observâmes une petite halte dans le creux d'un vallon pour nous nourrir et reprendre des forces. Je dévorai plusieurs tranches de viande séchée et vidai une outre d'eau de source. Mes compagnons me recommandèrent de ne pas manger trop vite et d'essayer de me reposer. Ils étaient aux petits soins avec moi et me demandaient régulièrement si je tenais bon, si je voulais descendre de ma mule et marcher un peu. Je les priai de continuer.

Nous avons franchi la frontière jordanienne vers quatre heures du matin. Deux patrouilles des gardes-frontières s'étaient croisées quelques instants auparavant, l'une à bord d'un 4 × 4 militaire, l'autre à pied. Le poste d'observation enfaîtait un mamelon, reconnaissable à son mirador et à son antenne qu'un lampadaire éclairait. Mes guides l'observèrent à l'aide de jumelles à infrarouge. Quand l'escouade des éclaireurs regagna son cantonnement, nous attrapâmes nos mules par les rênes et glissâmes le long d'un lit de rivière. Quelques kilomètres plus loin, une petite fourgonnette chargée de bassines en plastique nous récupéra. Un homme en tunique traditionnelle était au volant, la tête ceinte d'un foulard bédouin. Il félicita mes deux guides, leur traça sur le sol un itinéraire sécurisé pour retourner en Irak. Il les informa que des drones survolaient la zone et leur détailla la façon d'échapper à leur balayage ; ensuite, il leur expliqua comment contourner une nouvelle unité des forces coalisées qui venait de se déployer derrière la ligne de démarcation. Les guides lui posèrent quelques questions d'ordre pratique puis, satisfaits, ils nous souhaitèrent bonne chance et rebroussèrent chemin.

— Tu peux te détendre maintenant, me dit l'inconnu. À partir d'ici, ça va être du beurre. Tu es entre les meilleures mains de la profession.

C'était un bonhomme rabougri, au teint basané, la tête plus grosse que les épaules, qui lui donnait l'impression de vaciller sur place. Sa bouche lippue s'écartait sur deux rangées de dents en or qui, dans le lever du jour, étincelaient. Il conduisait comme un abruti, ne se souciant ni des nids-de-poule ni des coups de frein brusques qu'il donnait à tort et à travers, me catapultant contre le pare-brise.

Sayed réapparut le soir, dans la maison de mon nouveau guide. Il me serra longuement contre lui.

— Encore deux étapes, et tu pourras te reposer.

Le lendemain, après un petit déjeuner substantiel, il m'accompagna jusqu'à un village frontalier, à bord d'une grosse cylindrée. Là, il me confia à Chaker et à Imad, deux jeunes gens aux allures d'étudiants, et me dit :

— De l'autre côté, c'est la Syrie, puis, tout de suite après, le Liban. On se voit dans deux jours à Beyrouth.

Beyrouth

18.

Mon séjour à Beyrouth tire à sa fin. Ça fait trois semaines que j'attends. Je compte les heures sur mes doigts. Debout contre la fenêtre de ma chambre, je contemple la rue désertée. La pluie tambourine sur les carreaux. Sur le trottoir balayé par le vent, un clochard souffle dans ses poings pour les réchauffer. Il guette une âme charitable. Il est là depuis un bon bout de temps, et je n'ai vu personne lui glisser une pièce dans la main. Qu'espère-t-il des lendemains ? Ses guêtres sont trempées jusqu'à la trame, ses savates prennent l'eau ; la mine qu'il arbore est tout simplement grotesque. Vivre comme un chien, plus proche des chats de gouttière que de la tourbe, c'est ça l'obscénité. Cet individu n'est même pas digne de posséder une ombre, de l'associer à sa déchéance. D'ailleurs, il n'en a pas. Isolé dans sa misère tel un ver dans un fruit avarié, il oublie qu'il est mort et fini. Je n'ai aucune compassion pour lui. Je me dis que si le sort l'a rabaissé au ras du caniveau, c'est pour qu'il incarne un symbole. Lequel ? Celui qui consiste à me faire prendre conscience de l'intenable ineptie de la vie. Cet homme espère, c'est certain. Mais quoi ? Que la manne céleste jette son dévolu sur lui ? Qu'un passant s'aperçoive de son dénuement ? Qu'on le prenne en pitié ?... Imbécile ! Y a-t-il une vie après la pitié ?... Kadem n'avait pas tout à fait raison. Ce n'est pas le monde qui est tombé bien bas ; ce sont les hommes qui se complaisent dans la bassesse. C'est parce que je refuse de ressembler à ce mort vivant que je suis venu à Beyrouth. Ou vivre en homme ou mourir en martyr. Il n'y a pas d'autre alternative pour celui qui se veut libre. Je m'imagine mal dans la peau d'un vaincu. Depuis cette nuit où les soldats américains ont débarqué dans notre maison, renversant l'ordre des choses et des valeurs ancestrales, j'attends !... J'attends le moment de recouvrer mon amour-propre sans lequel on n'est que souillure. Je me considère en instance de tout et de rien. Ce que j'ai traversé, vécu, subi jusque-là ne compte pas. Il y a eu arrêt sur image, cette nuit-là. La terre a cessé de tourner pour moi. Je ne suis pas au Liban, je ne suis pas dans un hôtel ; je suis dans le coma. Et il m'appartient d'y renaître ou d'y pourrir.

Sayed a veillé personnellement à ce que je ne manque de rien. Il m'a installé dans l'une des plus chères suites de l'hôtel et a mis à ma disposition Imad et Chaker, deux jeunes hommes exquis qui me traitent avec tous les égards possibles et imaginables, disponibles jour et nuit, à l'affût d'un signe, prêts à exaucer mes vœux les plus extravagants. Je m'interdis de me prendre pour je ne sais qui. Je suis resté le même garçon de Kafr Karam, humble et effacé. Bien que je sache l'importance que je revêts, je n'ai pas dérogé aux règles qui m'ont forgé dans la simplicité et la correction. Seul caprice, j'ai demandé à ce que l'on retire de la suite la télévision, la radio, les portraits accrochés aux murs ;

que l'on garde le strict minimum, c'est-à-dire les meubles et quelques bouteilles d'eau minérale dans le minibar. Si ça ne tenait qu'à moi, j'aurais choisi une grotte dans le désert pour me soustraire aux vanités dérisoires des gens choyés. Je voulais être mon seul pôle d'attraction, mon seul repère, passer le restant de mon séjour libanais à me préparer mentalement afin d'être à la hauteur de ce que les miens m'ont confié.

Je n'ai plus peur d'être seul dans le noir.

Je m'initie déjà au remugle des tombes.

Je suis prêt !

J'ai domestiqué mes pensées, mis au pas mes questionnements. Je tiens mes esprits d'une poigne de fer. Mes affres, mes hésitations, mes blancs, c'est de l'histoire ancienne. Je suis maître de ce qui se passe dans ma tête. Rien ne m'échappe, rien ne me résiste. Le docteur Jalal a sarclé mon chemin, colmaté mes brèches. Et mes peurs d'autrefois, c'est moi qui les convoque désormais, qui les passe en revue. La tache brune qui, à Bagdad, cachait une partie de mes souvenirs s'est dissipée. Je peux retourner à Kafr Karam quand bon me semble, pousser n'importe quelle porte, revisiter n'importe quel patio, et surprendre n'importe qui dans son intimité. Ma mère, mes sœurs, mes proches et mes cousins me reviennent, les uns après les autres. Sans m'indisposer. Ma chambre est peuplée de fantômes et d'absents. Omar partage mon lit ; Souleyman traverse ma chambre en coup de vent ; les fêtards immolés dans les vergers des Haïtem paradent autour de moi. Même mon père est là. Il se prosterne à mes pieds, les testicules à l'air. Je ne me détourne pas, ne me voile pas la face. Et lorsqu'un coup de crosse le jette à terre, je ne l'aide pas à se relever. Je reste debout ; mon inflexibilité de Sphinx m'empêche de me pencher, y compris sur mon géniteur.

Dans quelques jours, ce sera au monde de se prosterner à mes pieds.

La plus importante mission révolutionnaire jamais entreprise depuis que l'homme a appris à redresser l'échine !

Et c'est moi qui ai été choisi pour l'accomplir.

Quelle revanche sur le destin !

Jamais l'exercice de la mort ne m'a paru aussi euphorique, aussi cosmique.

Le soir, quand je m'allonge sur le canapé en face de la fenêtre, je me remémore les vacheries qui ont jalonné ma vie, et toutes renforcent mon engagement. J'ignore ce que je vais faire exactement, quelle sera la nature de ma mission – ... *quelque chose qui ramènera le 11 Septembre à un chahut de récré.* Une certitude absolue : je ne reculerai pas !

On frappe à la porte.

C'est le Dr Jalal.

Il est empaqueté dans le même survêtement qu'il portait la veille et ne s'est toujours pas donné la peine de nouer ses lacets.

C'est la première fois qu'il franchit le seuil de ma porte. Son haleine avinée se répand dans la pièce.

— Je faisandais dans ma chambre, dit-il. Ça t'ennuierait si je te tenais compagnie un instant ?

— Tu ne me déranges pas.

— Merci.

Il chancelle jusqu'au canapé, en se grattant le postérieur, la main sous la culotte. Il ne sent pas bon. Je parie qu'il n'a pas pris de bain depuis des lustres.

Il jette un coup d'œil admiratif sur la suite.

— Waouh ! Serais-tu le fils d'un nabab ?

— Mon père était puisatier.

— Le mien, il était nul.

Il se rend compte du saugrenu de sa réplique, la balaie d'une main puis, croisant les jambes, il se case contre le dossier du canapé et lorgne le plafond.

— J'ai pas fermé l'œil de la nuit, se plaint-il. Ces derniers temps, je n'arrive pas à trouver le sommeil.

— Tu travailles trop.

Il secoue le menton :

— Tu as sans doute raison. Ces conférences m'épuisent.

J'avais entendu parler du Dr Jalal, au lycée. En mal, bien entendu. J'avais lu deux ou trois de ses ouvrages, notamment *Pourquoi les musulmans sont-ils en colère ?* un essai sur l'avènement de l'intégrisme jihadiste, qui avait suscité l'indignation du clergé à l'époque. Il était très controversé dans les milieux intellectuels arabes et beaucoup le vouaient aux gémonies. Ses théories sur les dysfonctionnements de la pensée musulmane contemporaine étaient de véritables réquisitoires que les imams rejetaient en bloc, allant jusqu'à prédire l'enfer à ceux qui oseraient les lire. Pour le commun des fidèles, le Dr Jalal n'était qu'un saltimbanque à la solde des chapelles occidentales hostiles à l'Islam en général, et aux Arabes en particulier. Moi-même le détestais, lui reprochant une culture abusive et exhibitionniste des idées reçues et son mépris évident pour les siens. Il représentait, à mes yeux, l'espèce la plus répugnante de ces félons qui prolifèrent comme des rats dans les sphères médiatico-universitaires européennes, prêts à brader leur âme pour avoir leurs photos sur un journal et faire parler d'eux, et je n'avais pas désapprouvé les fatwas qui le condamnèrent à mort dans l'espoir de mettre fin à ses élucubrations incendiaires qu'il publiait dans la presse occidentale et développait avec un zèle outrageant sur les plateaux de télé.

Ce fut donc avec stupéfaction que j'appris sa volte-face. Non sans un certain soulagement, faut-il le reconnaître.

La première fois que j'avais vu le Dr Jalal en chair et en os, c'était le deuxième jour de mon arrivée à Beyrouth. Sayed avait insisté pour que j'assiste à sa conférence : « Il est magnifique ! »

Cela se déroulait dans une salle des fêtes, non loin de l'université. Il y avait un monde fou, des centaines de gens debout autour des rangées de chaises prises d'assaut des heures avant l'intervention du docteur. Des étudiants, des femmes, des jeunes filles, des pères de famille, des fonctionnaires s'entassaient dans l'immense auditorium. Leur brouhaha rappelait un volcan en train de sourdre. Quand le docteur apparut sur l'estrade, escorté par des miliciens, les clameurs ébranlèrent les murs et firent tintinnabuler les vitres. Il nous avait dispensé un cours magistral sur l'hégémonie impérialiste et les campagnes de désinformation à l'origine de la diabolisation des musulmans.

J'ai adoré cet homme, ce jour-là.

C'est vrai qu'il ne paie pas de mine, qu'il traîne le pied et qu'il s'habille n'importe comment, déconcertant avec sa gueule de bois et son indolence d'alcoolique invétéré, mais lorsqu'il prend la parole – mon Dieu ! lorsqu'il courbe le micro en levant les yeux sur ses auditeurs, il élève la tribune au rang de l'Olympe. Il sait mieux que personne dire nos souffrances, les affronts que l'on nous fait, la nécessité pour nous de nous insurger contre nos silences. *Aujourd'hui, nous sommes les larbins de l'Occident ; demain, nos enfants seront ses esclaves*, martelait-il. Et l'assistance explosait. Entrait en vrac dans un delirium tremens. Si un plaisantin s'était amusé à crier sus à l'ennemi à cet instant, l'ensemble des ambassades occidentales aurait été réduit en cendres dans la foulée. Le Dr Jalal a l'art de mobiliser jusqu'aux culs-de-jatte. La justesse de ses propos, l'efficacité de ses arguments sont un total bonheur. Aucun imam ne lui arriverait à la cheville, aucun orateur ne saurait mieux que lui faire d'un murmure un cri. C'est un écorché vif, d'une intelligence exceptionnelle ; un mentor d'un rare charisme.

« Le Pentagone ferait prendre le diable à son propre piège, disait-il à la fin de sa conférence, en réponse à l'observation d'un étudiant. Ces gens-là sont persuadés d'avoir plusieurs longueurs d'avance sur le bon Dieu... La guerre contre l'Irak, ça fait des années qu'ils la peaufinaient. Le 11 Septembre n'en est pas le déclic, mais le prétexte. L'idée de détruire l'Irak remonte à l'instant même où Saddam a posé la première pierre de son site nucléaire. Ce n'était ni le despote ni le pétrole qui étaient visés, mais le génie irakien. Cependant, il n'est pas interdit de joindre l'utile à l'agréable : mettre à genoux un pays, et pomper sa sève. Les Américains adorent faire d'une pierre deux coups. Avec l'Irak, ils ont visé le crime parfait. Ils ont trouvé mieux : faire du mobile du crime le garant de son impunité... Je m'explique : Pourquoi attaquer l'Irak ? Parce qu'il est supposé disposer d'armes de destruction massive. Comment l'attaquer sans trop de risques ? S'assurer qu'il ne dispose pas d'armes de destruction massive. N'est-ce pas le summum du génie combinatoire ? Le reste est venu tout seul, comme l'eau à la bouche. Les Américains ont manipulé la planète en lui faisant peur. Ensuite, pour s'assurer que leurs troupes n'encouraient aucun risque, ils ont obligé les experts onusiens à faire le sale boulot pour eux, et sans frais. Une fois certains qu'aucun pétard nucléaire n'existait en Irak, ils ont lancé leurs armadas sur un peuple savamment abruti à coups d'embargos et de harcèlements psychologiques. Et la boucle fut bouclée. »

J'avais une offense à laver dans le sang ; pour un Bédouin, c'est tout aussi sacré que la prière pour un croyant. Avec le Dr Jalal, l'offense s'est greffée à la Cause.

— Tu es malade ? me demande-t-il en montrant le stock de médicaments sur ma table de chevet.

Je suis pris de court.

N'ayant pas envisagé de le recevoir un jour dans mes appartements, je n'avais pas prévu de parade.

Je peste contre moi. Pourquoi ai-je laissé traîner ces médicaments à portée de n'importe qui alors que j'aurais dû les ranger dans la boîte à pharmacie de la salle de bains ? Pourtant, les instructions de Sayed sont strictes ; ne rien laisser au hasard, se méfier de tout le monde.

Intrigué, le Dr Jalal se donne un coup de reins pour se relever et s'approche des boîtes jonchant ma table de chevet.

— Dis donc, il y a de quoi soigner une tribu, là-dedans.

— J'ai des problèmes de santé, lui dis-je stupidement.

— De gros problèmes, à ce que je vois. De quoi souffres-tu pour devoir avaler tout ça ?

— Je ne tiens pas à en parler.

Le Dr Jalal prend quelques boîtes, les tourne et retourne dans sa main, lit à voix haute le nom des médicaments comme on lit des graffitis inintelligibles, parcourt en silence une fiche ou deux. Les sourcils froncés, il se rabat sur les différents flacons, les mire, fait tinter les comprimés qu'ils contiennent.

— Tu n'as pas subi une greffe, par hasard ?

— C'est ça, lui dis-je, sauvé par sa déduction.

— Rein ou foie ?

— S'il te plaît, je ne tiens pas à en parler.

À mon grand soulagement, il remet les flacons à leur place et retourne sur le canapé.

— De toutes les façons, tu as l'air en forme.

— C'est parce que je suis rigoureusement les prescriptions. C'est des médicaments que je dois prendre à vie.

— Je sais.

Pour changer de sujet, je lui demande :

— Est-ce que je peux te poser une question indiscrète ?

— Sur les agissements de ma mère ?

— Je ne me le permettrais pas.

— J'ai raconté de long en large ses frasques dans un ouvrage autobiographique. C'était une pute. Comme il en existe partout. Mon père le savait, et il se taisait. J'avais plus de mépris pour lui que pour elle.

Je suis gêné.

— C'est quoi, ta question... *indiscrète* ?

— Je suppose qu'on te l'a posée des centaines de fois.

— Oui ?...

— Comment s'est opéré ton passage de pourfendeur des jihadistes à leur porte-parole ?

Il éclate de rire, se détend. Visiblement, c'est un exercice qui ne lui déplaît pas. Il passe les mains derrière sa nuque, s'étire grossièrement ; ensuite, après s'être pourléché les lèvres, il raconte, le visage soudain grave :

— C'est des choses qui te tombent dessus au moment où tu t'y attends le moins. Comme une révélation. D'un coup, tu vois clair, et les petits détails que tu ne calculais pas prennent une dimension extraordinaire... J'étais dans une bulle. C'est sans doute la haine pour ma mère qui m'a rendu aveugle au point que tout ce qui me rattachait à elle me répugnait, jusqu'à mon sang, ma patrie, ma famille... En vérité, je n'étais que le nègre des Occidentaux. Ils avaient décelé mes failles. Les honneurs et les sollicitations qu'ils déversaient sur moi consistaient à m'assujettir. Il n'y avait pas un plateau de télé qui ne me réclamait pas. Qu'une bombe pète quelque part, et les micros et les feux de la rampe retrouvaient ma trace. Mon discours était conforme aux attentes des Occidentaux. Je les réconfortais. Je disais ce qu'ils voulaient entendre, ce qu'ils auraient voulu dire eux-mêmes si je n'avais pas été là pour leur épargner cette corvée, et les tracasseries qui allaient avec. J'étais un peu leur gant... Puis, un jour, j'arrive à Amsterdam. Quelques semaines après l'assassinat d'un cinéaste hollandais par un musulman suite à un documentaire blasphématoire montrant une femme nue vêtue de versets coraniques. Tu as dû entendre parler de cette histoire.

— Vaguement.

Le Dr Jalal ébauche une moue et poursuit :

— D'habitude, à l'université où je me produisais, la salle était archicomble... Ce jour-là, de nombreux sièges étaient vides. Les gens qui avaient fait le déplacement étaient là pour voir de près la bête immonde. Ils portaient la haine sur la figure. Je n'étais plus le Dr Jalal, leur allié, celui qui défendait leurs valeurs et l'idée qu'ils se faisaient de la démocratie. Tout ça, à la poubelle. À leurs yeux, je n'étais qu'un Arabe, le portrait craché de l'Arabe assassin du cinéaste. Ils avaient radicalement changé, eux, les précurseurs de la modernité, les plus tolérants, les plus émancipés des Européens. Les voici qui arboraient leur tendance raciste comme un trophée. Pour eux, désormais, tous les Arabes sont des terroristes, et moi ?... Moi, Dr Jalal, ennemi juré des fondamentalistes, moi qui croulais sous les fatwas, qui me cassais le cul et les dents pour eux ?... Moi, à leurs yeux, je n'étais qu'un traître à ma nation, ce qui me rendait doublement méprisable... Et là, j'ai eu comme une illumination. J'ai compris à quel point j'étais dupe, et surtout, où était ma vraie place. J'ai donc plié bagage et j'ai rejoint les miens.

Après avoir vidé son sac, il se retranche derrière une mine sombre. Je comprends que je viens de toucher une fibre particulièrement sensible et me demande si, par mon indiscrétion, je n'ai pas remué le couteau dans une plaie qu'il aurait aimé voir se cicatriser.

19.

Après le départ du Dr Jalal, qui entre-temps s'était assoupi sur le canapé, je me dépêche de mettre à l'abri mes médicaments. Je suis furieux. Où avais-je la tête ? N'importe quel idiot aurait été estomaqué par l'arsenal de flacons et de comprimés sur ma table de chevet. Le Dr Jalal soupçonne-t-il quelque chose ? Pourquoi, contre toute attente, est-il venu dans ma chambre ? Ce n'était pas dans ses habitudes d'aller vers les autres. Hormis lorsqu'il se soûlait en solitaire au bar, on ne le croisait presque pas dans les couloirs de l'hôtel. Renfrogné, distant, il ne rendait ni sourire ni salut. Le personnel de l'hôtel l'évitait car il était capable, pour un oui ou pour un non, d'entrer dans des colères abominables. D'un autre côté, à ma connaissance, il doit ignorer l'objet de mon séjour à Beyrouth. Il est au Liban pour ses conférences ; j'y suis pour des raisons tenues secrètes. Pourquoi m'a-t-il rejoint, la veille, sur la terrasse, lui qui abhorre la compagnie ?

Il n'y a pas de doute, je l'intrigue.

Je prends un tas de médicaments qu'un professeur m'a prescrit après m'avoir soumis à d'incalculables tests pour déterminer les produits auxquels je serais allergique et préparer mon corps à résister à d'éventuels phénomènes de rejet. Trois jours après mon arrivée à Beyrouth, j'ai été ausculté par différents médecins, soumis à des prélèvements sanguins et à des examens approfondis, passant sans trêve d'un scanner à un cardiographe. Une fois déclaré sain de corps et d'esprit, j'ai été présenté à un certain professeur Ghany, seul habilité à décider si j'étais partant ou pas pour la mission. C'est un vieillard famélique, sec comme un gourdin, le crâne nimbé d'une toison chenue et filandreuse. Sayed m'a expliqué que le professeur Ghany était virologue, mais qu'il touchait aussi à d'autres secteurs scientifiques ; une éminence grise hors pair, presque un magicien, qui avait exercé pendant des décennies dans les plus prestigieux instituts de recherches américains avant d'être évincé *à cause de son arabité et de sa religion.*

Jusqu'à hier, les choses se déroulaient le plus normalement du monde. Chaker venait me chercher pour m'emmener dans une clinique privée, au nord de la ville. Il m'attendait dans la voiture jusqu'à la fin des consultations ; ensuite, il me ramenait à l'hôtel. Sans poser de questions.

L'intrusion du Dr Jalal me tarabuste.

Depuis qu'il est parti, je n'arrête pas de passer en revue nos rares rencontres. Où ai-je fauté ? À partir de quel moment ai-je éveillé sa curiosité ? Quelqu'un a-t-il gaffé autour de moi ? Que signifie son « J'espère que tu vas leur en mettre plein la gueule, à ces fumiers » ? Qui l'autorisait à me parler ainsi ?

Chaker me trouve en train de ruminer cette histoire. Mes préoccupations l'interpellent dare-dare.

— Quelque chose ne va pas ? s'enquiert-il en refermant la porte derrière lui.

Je suis allongé sur le canapé, dos à la fenêtre. La pluie a cessé de tomber. Dans la rue, on entend le chuintement des voitures sur la chaussée gorgée d'eau. Des nuages cuivrés s'épaississent dans le ciel, prêts à déverser leurs trombes sur la ville.

Chaker s'empare d'une chaise et s'assoit dessus à califourchon. C'est un grand garçon d'une trentaine d'années, beau et jovial, avec de longs cheveux tirés vers l'arrière, ramassés autour d'une queue-de-cheval austère. Il doit mesurer dans les 1,80 mètre, les épaules larges et le menton volontaire. Ses yeux bleus ont un éclat minéral, sans regard précis, juste deux yeux azurés posés quelque part comme s'il avait la tête ailleurs. Je l'ai adopté dès qu'il m'a serré la main lorsque Sayed m'a remis à lui et à Imad, sur la frontière syrienne, pour me faire entrer clandestinement au Liban. C'est vrai qu'il ne parle pas beaucoup, cependant il sait être là. Nous pouvons rester côte à côte et regarder un même objet sans échanger un seul mot. Pourtant, quelque chose a changé, chez lui. Depuis qu'on a trouvé son ami Imad sur un square, mort d'une overdose, Chaker a perdu de sa superbe. Avant, il pétait le feu. On n'avait pas le temps de raccrocher qu'il sonnait à la porte. Il se démenait au four et au moulin avec la même énergie, le même dévouement. Puis, la police tombe sur le corps de son plus proche collaborateur, et c'est la douche froide, pour Chaker. Ça l'a freiné du jour au lendemain.

Je n'ai pas connu Imad de très près. Hormis la traversée que nous avons accomplie à partir de la Jordanie, il n'était pas resté longtemps auprès de moi. Il venait avec Chaker me récupérer à l'hôtel, et c'est tout.

C'était un garçon timide, tapi dans l'ombre de son coéquipier. Il ne donnait pas l'impression qu'il se droguait. Quand on m'a raconté comment on l'avait découvert, couché sur un banc public, la bouche bleue, j'ai soupçonné une exécution déguisée. Chaker était de mon avis, sauf qu'il le gardait pour lui. Une seule fois je lui avais demandé ce qu'il pensait de la mort d'Imad ; son regard azuré s'était assombri. Depuis, nous évitons d'en parler.

— Des tracasseries ?

— Pas vraiment, lui dis-je.

— Tu as l'air chiffonné.

— Il est quelle heure ?

Il consulte sa montre et m'annonce que nous avons encore une vingtaine de minutes devant nous. Je me lève et vais me rafraîchir la figure dans la salle de bains. L'eau glacée me rassérène. Je reste de longues minutes penché sur le lavabo, à m'asperger le visage et la nuque.

En me redressant, je surprends Chaker dans la glace en train de m'observer. Il a les bras croisés sur la poitrine, la tête penchée sur le côté, l'épaule contre le mur. Il me regarde passer mes doigts trempés dans mes cheveux, une lueur vitreuse dans le regard.

— Si tu ne te sens pas bien, je reporterai le rendez-vous, dit-il.

— Ça va...

Il avance les lèvres, sceptique.

— C'est toi qui vois... Sayed est arrivé, ce matin. Il serait très content de te revoir.

— Ça fait quinze jours qu'il n'a pas donné signe de vie, lui fais-je remarquer.

— Il était retourné en Irak... Ça se gâte, là-bas, ajoute-t-il en me tendant une serviette.

Je m'éponge dedans, la passe autour de ma nuque.

— Le Dr Jalal est passé me voir, cet après-midi, lâché-je.

Chaker soulève un sourcil.

— Ah, bon ?

— Il est aussi monté, la veille, bavarder avec moi, sur la terrasse.

— Et alors ?

— Ça me travaille.

— Il t'a dit des choses pas nettes ?

Je lui fais face.

— C'est quel genre de type, ce docteur ?

— Je n'en sais rien. Ce n'est pas mon rayon. Si tu veux un conseil, ne te ronge pas les sangs pour des prunes.

Je retourne dans la chambre enfiler mes chaussures et ma veste et lui annonce que je suis prêt.

— Je vais chercher la voiture, dit-il. Tu m'attends devant l'entrée de l'hôtel.

Le portail coulissant de la clinique s'ébranle dans un crissement. Chaker ôte ses lunettes noires avant de pousser son 4 × 4 sur le cailloutis d'une cour intérieure. Il se range au milieu de deux ambulances et éteint le moteur.

— Je t'attends ici, me dit-il.

— Très bien, lui fais-je en descendant du véhicule.

Il m'adresse un clin d'œil et se penche pour refermer la portière.

Je grimpe les marches d'un vaste perron en granit. Un infirmier m'intercepte dans le hall de la clinique et me conduit dans le bureau du professeur Ghany, au premier. Sayed est là, enfoncé dans un fauteuil, les doigts agrippés à ses genoux. Son sourire l'illumine quand il me voit arriver. Il se lève et m'ouvre ses bras. Nous nous blottissons l'un contre l'autre. Il a beaucoup maigri, Sayed. Il n'a plus que des os sous son costume gris.

Le professeur attend que nous ayons fini de nous embrasser avant de nous proposer les deux sièges qui lui font face. Il est nerveux ; il n'arrête pas de taper sur son sous-main avec un crayon.

— Les résultats des analyses sont excellents, m'annonce-t-il. Le traitement que je t'ai prescrit a été efficace. Tu es parfait pour la mission.

Sayed ne me quitte pas des yeux.

Le professeur repose son crayon, s'arc-boute contre son bureau pour relever le menton et me regarder droit dans les yeux.

— Ce n'est pas n'importe quelle mission, me signale-t-il.

Je ne me détourne pas.

— Il s'agit d'une opération unique en son genre, s'étend le professeur légèrement déstabilisé par ma rigidité et mon mutisme. L'Occident ne nous laisse pas le choix. Sayed revient de Bagdad. La situation est alarmante. Les Irakiens implosent. Ils sont au bord de la guerre civile. Et nous devons intervenir vite pour éviter que la région bascule dans un embrasement duquel elle ne se relèvera jamais.

— Les chiites et les sunnites s'entredévorent, renchérit Sayed. Des centaines de morts déjà, et la vindicte gagne les esprits tous les jours.

— Je crois que c'est vous deux qui êtes en train de perdre du temps, dis-je. Dites-moi ce que vous attendez de moi et je m'exécute.

Le crayon du professeur s'immobilise.

Les deux hommes échangent des œillades circonspectes.

Le professeur réagit le premier, le crayon toujours suspendu dans le vide.

— Il ne s'agit pas d'une mission ordinaire, dit-il. L'arme, que nous te confions, est aussi efficace qu'indétectable. Aucun scanner, aucun contrôle, rien ne peut la détecter. Tu peux la porter où tu veux. Nu, si ça te chante. L'ennemi n'y verra que du feu.

— Je vous écoute.

Le crayon effleure le sous-main, remonte lentement puis se rabat sur une pile de feuillets et ne bouge plus.

Les mains de Sayed s'enfoncent entre ses cuisses. Une chape de plomb nous écrase tous les trois. Le silence se prolonge une minute ou deux, insoutenable. On entend le ronronnement lointain d'un climatiseur, ou d'une imprimante. Le professeur reprend son crayon, le tourne et retourne dans ses doigts. Il sait le moment décisif, et il le redoute. Après avoir chassé un caillot dans sa gorge, il se ramasse autour de ses poings et me brusque :

— Il s'agit d'un virus.

Je ne bronche pas. Je n'ai pas compris. Je ne vois pas le rapport avec la mission. Le mot virus me traverse l'esprit, comme un vocable inconnu. Ça me fait l'effet d'un déjà-vu. Qu'est-ce que c'est ? Virus... virus... Où ai-je déjà entendu ce mot qui revient tournoyer dans mon esprit sans que je parvienne à le situer ? Puis, les examens, les radios, les médicaments retrouvent leurs places dans le puzzle et le mot virus se précise, me livre bout par bout son secret – microbe, micro-organisme, grippe, maladie, épidémie, soins, hospitalisation ; toutes sortes d'images stéréotypées défilent dans ma tête, s'entremêlent avant de se confondre... Pourtant, je ne vois toujours pas le rapport.

À côté de moi, Sayed est tendu comme un arc.

Le professeur m'explique :

— Un virus révolutionnaire. Il m'a fallu des années pour le mettre au point. Un argent fou a été investi dans ce projet. Des hommes ont donné leur vie pour le rendre possible.

Qu'est-ce qu'il raconte ?

— Un virus, répète le professeur.

— J'ai bien entendu. C'est quoi le problème ?

— Le seul problème, c'est toi. Est-ce que tu es partant ou pas ?

— Je ne recule jamais.

— Le virus, c'est toi qui vas le porter.

J'ai du mal à le suivre. Quelque chose, dans ses propos, m'échappe. Je ne l'assimile pas. Je crois que je suis devenu autiste.

Le professeur ajoute :

— Tous ces examens et ces médicaments, c'était pour vérifier si ton corps était en mesure de le recevoir. Ton corps réagit de façon impeccable.

Alors seulement, je retrouve le fil. D'un coup, tout s'éclaircit dans mon esprit. *Il s'agit d'un virus. Ma mission consiste à porter un virus. C'est ça, on m'a préparé physiquement pour recevoir un virus. Un virus. Mon arme, ma bombe, mon engin de kamikaze...*

Sayed tente de s'emparer de ma main ; je l'esquive.

— Tu as l'air surpris, me dit le professeur.

— Je le suis. Mais, pas plus.

— Il y a un problème ? s'enquiert Sayed.

— Il n'y a aucun problème, dis-je sur un ton tranchant.

— Nous avons..., tente de poursuivre le virologue.

— Professeur, je vous dis qu'il n'y a aucun problème. Virus ou bombe, qu'est-ce que ça change ? Vous n'avez pas besoin de m'expliquer pourquoi, dites-moi seulement quand et comment. Je ne suis ni meilleur ni moins courageux que les Irakiens qui meurent tous les jours dans mon pays. Lorsque j'ai accepté de suivre Sayed, j'ai divorcé d'avec la vie. Je suis un mort qui attend une sépulture décente.

— Je n'ai pas douté de ta détermination une seconde, me dit Sayed avec des grelots dans la voix.

— Dans ce cas, pourquoi ne pas passer directement aux choses concrètes ? Quand vais-je recevoir le... l'honneur de servir ma Cause ?

— Dans cinq jours, répond le professeur.

— Pourquoi pas aujourd'hui ?

— Nous obéissons à un calendrier strict.

— Très bien. Je ne quitte pas mon hôtel. Vous pouvez venir me chercher quand vous voulez. Le plus tôt sera le mieux. Il me tarde de recouvrer mon âme.

Sayed prie Chaker de nous laisser seuls et m'invite à monter dans sa voiture. Nous traversons la moitié de la ville sans rien dire. Je le sens chercher ses mots et n'en trouver aucun. Un moment, ne supportant pas le silence, il a tendu la main vers la radio avant de la retirer. La pluie a repris de plus belle. Les immeubles semblent la subir avec résignation. Leur morosité me rappelle le clochard que j'observais, tout à l'heure, de la fenêtre de mon hôtel.

Nous longeons un quartier aux immeubles ratatinés.

Les vestiges de la guerre ont la peau dure. Des chantiers tentent d'y remédier ; ils dévorent les flancs de la ville, hérissés de grues, les bulldozers tels des pitbulls à l'assaut des ruines. À un croisement, deux automobilistes s'engueulent copieusement : leurs voitures viennent de se télescoper. Des bris de verre parsèment le bitume. Sayed ne s'arrête pas au feu rouge et manque de rentrer dans une voiture qui surgissait d'une rue adjacente. Les coups de klaxon nous invectivent de part et d'autre. Sayed ne les entend pas. Il est perdu dans ses soucis.

Nous prenons la route de la corniche. La mer est démontée. On dirait une immense colère obscure en train de ruer dans les brancards. Des bateaux en rade attendent de rejoindre le port ; dans la grisaille ambiante, ils évoquent des vaisseaux fantômes.

Nous avons roulé une quarantaine de kilomètres avant que Sayed émerge de son brouillard. Il s'aperçoit qu'il fait fausse route, tord le cou pour se situer, se range brusquement sur le bas-côté et attend de remettre de l'ordre dans ses esprits.

— C'est une mission très importante, dit-il. Très très importante. Si je ne t'ai rien révélé, au sujet du virus, c'est parce que personne ne doit le savoir. J'ai sincèrement cru, à force de fréquenter la clinique, que tu allais te faire une petite idée... Est-ce que tu comprends ? Ce n'était pas pour te mettre devant le fait accompli. Jusqu'à présent, rien n'est bouclé. Je t'en supplie, ne vois aucune pression là-dedans, aucune sorte d'abus de confiance. Si tu penses que tu n'es pas prêt, que cette mission ne te convient pas, tu peux te rétracter, et personne ne t'en tiendra rigueur. Je veux juste que tu saches que le prochain postulant passera par le même chemin que toi. Il ne saura rien jusqu'à la dernière minute. Pour notre sécurité à tous, et pour le succès de la mission.

— Tu as peur que je ne sois pas à la hauteur ?

— Non..., s'écrie-t-il avant de se ressaisir ; les jointures de ses doigts blanchissent autour du volant. Excuse-moi, je n'ai pas voulu hausser le ton devant toi. Je suis confus, c'est tout. Je m'en voudrais si tu te sentais floué, ou piégé. Je t'avais averti, à Bagdad, que cette mission ne ressemblait à aucune autre. Je ne pouvais pas t'en dire plus. Est-ce que tu comprends ?

— Maintenant, oui.

Il ressort son mouchoir et entreprend de s'essuyer les coins de la bouche et sous les oreilles.

— Tu m'en veux ?

— Pas le moins du monde, Sayed. Cette histoire de virus m'a surpris, mais ne remet pas en question mon engagement. Un Bédouin ne se dégonfle pas. Sa parole est un coup de fusil. Quand ça sort, ça ne revient jamais. Je porterai ce virus. Au nom des miens, et au nom de mon pays.

— Je ne dors plus depuis que je t'ai confié au professeur. Ça n'a rien à voir avec toi. Je sais que tu iras jusqu'au bout. Mais c'est tellement... capital. Tu ne peux pas mesurer l'importance de cette opération. C'est notre dernière cartouche, tu saisis ? Après, une nouvelle ère va naître, et plus jamais l'Occident ne nous regardera de la même façon... Je n'ai pas peur de mourir. Par contre, j'ai peur que ma mort ne change rien à notre situation. Que nos martyrs ne servent pas à grand-chose. Ce serait la plus dégueulasse vacherie que l'on puisse leur faire. Pour moi, la vie n'est qu'un pari insensé ; c'est la façon de mourir qui lui sauve la mise. Je ne veux pas que nos enfants souffrent. Si nos parents avaient pris les choses en main de leur temps, nous serions moins malheureux. Hélas ! ils ont attendu le miracle au lieu d'aller le chercher, et nous sommes contraints de forcer la main au destin.

Il se retourne vers moi. Son visage est livide, ses yeux miroitent de larmes furieuses.

— Si tu voyais Bagdad, ce qu'elle est devenue, avec ses sanctuaires bousillés, ses guerres de mosquées, ses boucheries fratricides. Nous sommes débordés. Nous appelons au calme et personne ne nous écoute. C'est vrai qu'avec Saddam, nous étions des otages. Mais, Dieu du ciel ! nous sommes des zombis aujourd'hui. Nos cimetières sont saturés et nos prières volent en éclats avec nos minarets. Comment en sommes-nous arrivés à ces extrêmes ?... Si je ne dors pas, c'est parce que nous attendons tout, *absolument tout*, de toi. Tu es notre ultime recours, notre dernier baroud d'honneur. Si tu réussis, tu vas remettre les pendules à l'heure et le réveil sonnera enfin pour nous. J'ignore si le professeur t'a expliqué en quoi consiste ce virus ?

— Il n'a pas besoin de le faire.

— Et pourtant, il le faut. Il faut que tu saches ce que ton sacrifice signifie pour ton peuple et pour tous les peuples opprimés de la terre. Tu es la fin de l'hégémonie impérialiste, la mise au pas des infortunes, la rédemption des justes...

Cette fois, c'est moi qui le prends par le poignet.

— S'il te plaît, Sayed, ne doute pas de moi. Ça me tue.

— Je ne doute pas de toi.

— Alors, ne dis rien. Laisse les choses se faire

d'elles-mêmes. Je n'ai pas besoin d'être accompagné. Je saurai retrouver mon chemin seul.

— J'essaie seulement de te dire combien ton sacrifice...

— C'est inutile. Et puis, tu sais comment on est, à Kafr Karam. On ne parle jamais d'un projet si l'on tient vraiment à le réaliser un jour. Les vœux ont besoin d'être tus pour éclore. Alors, taisons-nous... Je veux aller jusqu'au bout. En toute confiance. Est-ce que tu me comprends ?

Sayed hoche la tête :

— Tu as sûrement raison. Qui a foi en soi n'attend pas celle des autres.

— Tout à fait, Sayed, tout à fait.

Il enclenche la marche arrière, rebrousse chemin jusqu'à une piste caillouteuse et fait demi-tour pour retourner à Beyrouth.

J'ai passé une bonne partie de la nuit sur la terrasse de l'hôtel, penché par-dessus la balustrade donnant sur l'avenue, à espérer que le Dr Jalal me rejoigne. Je me sens seul. J'essaie de me reprendre en main. J'ai besoin de la colère de Jalal pour meubler mes blancs. Mais Jalal est introuvable. Je suis allé frapper à sa porte, deux fois. Il n'était pas dans sa chambre. Ni au bar. De mon mirador occasionnel, je surveille les voitures qui s'arrêtent contre le trottoir, à l'affût de sa silhouette déglinguée. Des gens entrent et sortent de l'hôtel ; leurs voix me parviennent dans des bribes amplifiées avant de se dissoudre dans la rumeur de la nuit. Un croissant de lune orne le ciel, aussi blanc et coupant qu'une faucille. Plus haut, des colliers d'étoiles étalent leurs splendeurs. Il fait froid ; des filaments de vapeur s'éparpillent autour de mes soupirs. Serré dans mon blouson, je souffle dans mes poings engourdis, les yeux plus grands que la tête. Depuis tout à l'heure, je ne pense à rien. La *toxine* qui rôde dans mon esprit, depuis que le mot virus l'a traversé, n'attend qu'un signe de moi pour s'enhardir. Je ne veux pas lui donner la chance de semer le trouble en mon âme. Cette toxine est le Malin. Elle est la trappe sur mon chemin. Elle est mon fléchissement, ma perte ; j'ai juré devant mes saints et mes ancêtres que je ne mettrais point de genou à terre. Alors je regarde ; je regarde la rue foisonner de noctambules, les voitures qui passent, les néons qui s'amusent sur le fronton des édifices, les clients assiégeant les boutiques ; je regarde, les yeux plus vastes que les interrogations, les yeux à la place de la tête. Et cette ville qui excelle dans le racolage !... Hier seulement, un immense suaire la drapait de fond en comble, confisquant ses lumières et ses échos, ramenant ses excès d'autrefois à une misérable angoisse de la feuille blanche, faite de froidure et de perplexité, de grave échec et d'incertitude... A-t-elle oublié son martyre au point de ne pas compatir au deuil de ses proches ? Indécrottable, Beyrouth ! Malgré le spectre de la guerre civile qui gravite autour de ses festins, elle fait comme si de rien n'était. Et ces gens qui s'excitent sur les trottoirs, semblables à des blattes au fond des caniveaux, où courent-ils ? Quel rêve les réconcilierait-il avec leur sommeil ? Quelle aube, avec les lendemains ?... Non, je ne finirai pas comme eux. Je ne veux même pas leur ressembler.

Deux heures du matin.

Il n'y a plus personne dans la rue. Les magasins ont baissé leurs rideaux, et les derniers fantômes se sont évanouis. Jalal ne viendra pas. Ai-je vraiment besoin de lui ?

Je regagne ma chambre, gelé mais revigoré. L'air frais m'a fait du bien. La toxine qui rôdait dans mon esprit a fini par laisser tomber. Je me glisse sous mes couvertures et éteins. Je suis à l'aise dans le noir. Mes morts et mes vivants sont près de moi. Virus ou bombe, qu'est-ce que ça change, lorsqu'on étreint d'une main une offense et de l'autre la Cause ? Je ne prendrai pas de comprimé pour dormir. J'ai réintégré mon élément. Tout va bien. *La vie n'est qu'un pari insensé ; c'est la façon de mourir qui lui sauve la mise.* Ainsi naissent les légendes.

20.

Un homme d'un certain âge se présente à la réception. Il est grand et osseux, et il a le teint cireux des ascètes. Il porte un vieux manteau gris par-dessus un costume sombre, des chaussures en cuir éculées, mais cirées de frais. Avec ses grosses lunettes en écaille et sa cravate qui a connu des jours moins tristes, il a le port digne et pathétique d'un instituteur finissant. Le journal sous l'aisselle, le menton droit, il appuie sur un carillon sur le comptoir et attend tranquillement que l'on vienne s'occuper de lui.

— Monsieur ?

— Bonsoir. Dites au Dr Jalal que Mohammed Seen est ici.

Le réceptionniste se retourne vers les casiers derrière lui, ne voit pas de clef au numéro 36 ; il ment :

— Le Dr Jalal n'est pas dans sa chambre, monsieur.

— Je l'ai vu rentrer, il y a deux minutes, insiste l'homme. Il doit être débordé ou en train de se reposer, mais je suis un vieil ami à lui, et il serait mécontent d'apprendre que je suis passé sans qu'on le lui annonce.

Le réceptionniste jette un coup d'œil par-dessus l'épaule du visiteur – je suis assis dans le salon d'accueil, à boire un thé. Ensuite, après s'être gratté derrière l'oreille, il prend le téléphone :

— Je vais voir s'il est au bar... Vous êtes ?...

— Mohammed Seen, romancier.

Le réceptionniste forme un numéro, tire sur son nœud papillon pour dégager son cou et se mord la lèvre quand on décroche au bout du fil.

— C'est la réception, monsieur. Le Dr Jalal est-il au bar ?... Un certain Mohammed Seen le demande à l'accueil... Entendu, monsieur.

Le réceptionniste repose le combiné et prie le romancier de bien vouloir patienter.

Le docteur surgit de la cage d'escalier donnant sur les chambres, les bras grands ouverts, le sourire jusqu'aux oreilles. « *Allah, ya baba !* Quel bon vent t'amène, *habibi* ? Wouah ! Le grand Seen se souvient de moi. » Les deux hommes s'enlacent chaleureusement, s'embrassent sur les joues, contents de se revoir ; ils passent un moment interminable à se contempler et à se taper sur le dos.

— Quelle excellente surprise ! s'exclame le docteur. Depuis quand tu es à Beyrouth ?

— Une semaine. C'est l'Institut français qui m'invite.

— Formidable. J'espère que tu vas prolonger ton séjour. Ça me botterait.

— Je dois rentrer à Paris dimanche.

— On a encore deux jours devant nous. C'est fou comme tu sens bon. Viens, allons sur la terrasse voir se coucher le soleil. On a une superbe vue sur les lumières de la ville.

Ils disparaissent par la cage d'escalier.

Les deux hommes s'installent dans l'alcôve vitrée sur la terrasse de l'hôtel. Je les entends rire et échanger des claques sur les épaules, me glisse subrepticement derrière un panneau en bois et les épie.

Mohammed Seen se dépêtre de son manteau et le pose à côté de lui, sur l'accoudoir du fauteuil.

— Tu bois un verre ? lui propose Jalal.

— Non, merci.

— Bon sang ! ça fait un bail. Où t'étais passé ?

— Je nomadise.

— J'ai lu ton dernier bouquin. Une pure merveille.

— Merci.

Le docteur se laisse choir dans son siège et croise les jambes. Il dévisage le romancier en souriant, visiblement ravi de le retrouver.

Le romancier appuie les coudes sur ses genoux, joint les mains à la manière d'un bonze et repose délicatement son menton sur la pointe de ses doigts. Son enthousiasme s'est dissipé.

— Ne fais pas cette tête, Mohammed. Des pépins ?

— Un seul... Et c'est toi.

Le docteur se jette en arrière dans un rire bref et sec. Il se ressaisit aussitôt, comme s'il venait d'assimiler d'un coup les propos de son interlocuteur.

— Tu as un problème avec moi ?

Le romancier redresse la nuque ; ses mains se cramponnent à ses genoux.

— Je n'irai pas par quatre chemins, Jalal. J'ai été à ta conférence, avant-hier. Je n'en reviens toujours pas.

— Pourquoi tu n'es pas venu me voir juste après ?

— Avec toute cette meute qui gravitait autour de toi ?... En vérité, je ne te reconnaissais plus. J'étais tellement perplexe que je crois avoir été le dernier à quitter la salle. J'étais sur le cul, vraiment. C'était comme si j'avais reçu une tuile sur le crâne.

Le sourire de Jalal s'efface. Une expression douloureuse suinte sur sa figure. Il devient sombre, et son front se plisse. Longtemps, il se gratte sous la lèvre inférieure, espérant y dénicher un mot en mesure de crever le mur invisible qui vient de s'ériger entre lui et le romancier.

Après un froncement de sourcils, il dit, la voix lézardée :

— Tant que ça, Mohammed ?...

— J'en suis encore sonné, si tu veux le savoir.

— Je présume que tu es venu me tirer les oreilles, maître... Très bien, ne te gêne pas...

Le romancier soulève son manteau, le tripatouille nerveusement, en sort un paquet de cigarettes. Lorsqu'il en tend une au docteur, ce dernier la repousse d'une main sèche. La brutalité du geste n'échappe pas à l'écrivain.

Le docteur s'est barricadé derrière une moue désenchantée. Son visage est tiraillé et son regard chargé d'une froide animosité.

L'écrivain cherche son briquet, ne parvient pas à lui mettre le grappin dessus ; Jalal ne lui offrant pas le sien, il renonce à fumer.

— J'attends, lui rappelle le docteur, sur un ton guttural.

L'écrivain opine du chef. Il remet la cigarette dans son paquet, puis le paquet dans la poche du manteau qu'il repose sur l'accoudoir. On dirait qu'il gagne du temps, ou qu'il remet de l'ordre dans ses idées maintenant qu'il est contraint de s'expliquer.

Il renifle fortement et dit à brûle-pourpoint :

— Comment peut-on retourner sa veste du jour au lendemain ?

Le docteur frémit. Les muscles de son visage se convulsent. Il ne semblait pas s'attendre à une charge aussi frontale... Après un long silence, au cours duquel il garde les yeux immobiles, il rétorque :

— Je n'ai pas retourné ma veste, Mohammed. Je me suis seulement rendu compte que je la portais à l'envers.

— Tu la portais à l'endroit, Jalal.

— C'est ce que je croyais. Je me trompais.

— C'est parce qu'on t'a refusé l'*Insigne des 3 Académies* ?

— Tu penses que je ne le méritais pas ?

— Haut la main. Sauf que ce n'est pas la fin du monde.

— Ça a été la fin de mes rêves. La preuve, tout a changé depuis.

— Et qu'est-ce qui a changé ?

— La donne. C'est nous qui distribuons les cartes et les bons points désormais. Mieux : c'est nous qui imposons les règles du jeu.

— Quel jeu, Jalal ? Le jeu de massacre ?... Ça n'amuse personne, bien au contraire... Tu as sauté du train en marche. Tu étais bien, avant.

— En bougnoule de service ?

— Tu n'étais pas un bougnoule de service. Tu étais un homme éclairé. Aujourd'hui, la conscience du monde, c'est nous. Toi et moi, et ces intelligences orphelines, conspuées par les leurs et dédaignées par les cerveaux encroûtés. Nous sommes minoritaires certes, mais nous existons. Nous sommes les seuls capables de changer les choses, toi et moi. L'Occident est hors course. Il est dépassé par les événements. La bataille, la vraie, se déroule sous les joutes des élites musulmanes, c'est-à-dire entre nous deux et les gourous.

— Entre la race aryenne et la race *âaryenne*[1].

— C'est faux. Et tu le sais bien. Aujourd'hui, ça se passe chez nous. Les musulmans sont avec celui qui portera le plus loin possible leur voix. Ils se fichent qu'il soit un terroriste ou un artiste, un imposteur ou un juste, une obscure éminence ou une éminence grise. Ils ont besoin d'un mythe, d'une idole. Quelqu'un qui soit capable de les représenter, de les dire dans leur complexité, de les défendre à sa manière. Avec la plume ou avec les bombes, ça leur importe peu. Et c'est à nous de décider du choix des armes, Jalal, *nous* : toi et moi.

— J'ai choisi les miennes. Et il n'y en a pas d'autres.

— Tu ne penses pas ce que tu dis.

— Si.

— Mais, non. C'est ta veste qui n'est plus à l'endroit.

— Je t'interdis...

— D'accord, l'interrompt-il. Je ne suis pas venu malmener tes susceptibilités. Mais te dire ceci : nous avons une lourde responsabilité sur les épaules, Jalal. Tout dépend de nous, de toi et de moi. Notre victoire est le salut du monde entier. Notre défaite est le chaos. Nous avons un instrument inouï entre les mains : notre double culture. Elle nous permet de savoir de quoi il retourne, où est le tort et où est la raison, où se situe

1. Race *âaryenne* : les nus, les miséreux.

la faille chez les uns et pourquoi il y a un blocage chez les autres. L'Occident est dans le doute. Ses théories, qu'il imposait comme des vérités absolues, s'émiettent dans le souffle des protestations. Longtemps bercé par ses illusions, le voilà qui perd ses repères. D'où la métastase qui a conduit au dialogue de sourds opposant la pseudo-modernité et la pseudo-barbarie.

— L'Occident n'est pas moderne ; il est riche. Les « barbares » ne sont pas barbares, ils sont pauvres, n'ont pas les moyens de leur modernité.

— Tout à fait d'accord avec toi. Et c'est là que nous intervenons pour remettre les choses à leur place, modérer les tempéraments, réajuster les regards, proscrire les stéréotypes à l'origine de cette effroyable méprise. Nous sommes le juste milieu, Jalal, l'équilibre des choses.

— Du pipeau !... C'est ce que je croyais, moi aussi. Pour survivre à l'impérialisme intellectuel qui me snobait, moi, un érudit, je me répétais exactement ce que tu viens de me dire. Mais je me contais fleurette. Je n'étais bon qu'à risquer ma peau sur les plateaux de télé en condamnant les miens, mes traditions, ma religion, mes proches et mes saints. Ils se sont servis de moi. Comme d'un tison. Je ne suis pas un tison. Je suis une lame à double tranchant. Ils m'ont émoussé d'un côté, il me reste l'autre pour les étriper. Ne crois pas que c'est à cause de l'*Insigne des 3 Académies*. Il ne s'agit là que d'une déconvenue comme tant d'autres. La vérité est ailleurs. L'Occident est devenu sénile. Ses nostalgies impériales l'empêchent d'admettre que le monde a changé. Il vieillit mal, et il est devenu parano et chiant. On ne peut même plus le raisonner. C'est pourquoi il faut l'euthanasier... On ne construit pas sur du vieux bâti. On rase tout et on recommence depuis les fondations.

— Avec quoi ? Avec le TNT, les colis piégés, les crashes spectaculaires. Un vandale ne construit pas, il détruit... Il nous faut savoir prendre sur nous, Jalal, accepter les coups bas et les injustices de ceux que nous prenions pour nos alliés, transcender nos fureurs. Il y va du devenir de l'humanité. Que pèsent nos désillusions devant la menace qui plane sur le monde ? Ils n'ont pas été corrects avec toi, je n'en disconviens pas...

— Avec toi non plus, je te rappelle.

— Est-ce une raison valable pour ramener le sort des nations à la fatuité d'une poignée de templiers ?

— À mes yeux, cette poignée de crétins incarne toute l'arrogance qu'affiche l'Occident à notre égard.

— Tu oublies tes disciples, tes collègues, les milliers d'étudiants européens que tu as formés et qui véhiculent ton enseignement. C'est ce qui compte, Jalal. Au diable la reconnaissance si elle est dispensée par des gens qui ne t'arrivent pas à la cheville. *Lorsqu'un génie paraît en ce monde, on le reconnaît à ce que tous les imbéciles se liguent contre lui*, selon Jonathan Swift. Ça a toujours été ainsi... Ton triomphe, c'est le savoir que tu lègues aux autres, les esprits que tu éclaires. Tu ne peux pas tourner le dos à tant de joies et de satisfaction pour n'en garder que la jalousie d'une bande d'inconscients zélés.

— Décidément, Mohammed, tu ne comprendras jamais. Tu es trop gentil, et d'une naïveté désespérante. Je ne me venge pas ; je revendique mon génie, mon intégrité, mon droit d'être grand, et beau, et consacré. Accepter l'exclusion, passer l'éponge sur des années d'ostracisme, de despotisme intellectuel, ségrégationniste et obtus... plus question. Je suis professeur émérite...

— Tu l'étais, Jalal. Tu ne l'es plus, maintenant. En siégeant à la tribune de l'obscurantisme, tu prouves à tes anciens élèves et à ceux qui t'ont blessé que, tout compte fait, tu ne vaux pas grand-chose.

— Ils ne valent pas grand-chose pour moi, non plus. Désormais, le taux de change qu'ils m'imposaient n'a plus cours. Je suis ma propre unité de mesure. Ma propre bourse. Mon propre dictionnaire. J'ai décidé de tout revoir depuis le début, de tout redéfinir. D'imposer mes vérités *à moi*. Fini le temps des salamalecs rampants. Pour redresser le monde, il faut le débarrasser de ceux qui courbent l'échine. Le mythe du casque colonial est révolu. Nous avons les moyens de notre insurrection. Nous avons cessé d'être des dupes et nous crions sur les toits, à tue-tête et sans nous cacher, que l'Occident n'est qu'une grossière supercherie. Un mensonge raffiné. La fausseté dans toute sa coquetterie. J'ai décidé de soulever sa robe d'apparat pour regarder si ses dessous sont aussi bandants que ses attributs... Crois-moi, Mohammed. C'est un mauvais parti, l'Occident. Depuis le temps qu'il nous chante ces berceuses pour nous tripoter dans notre somnolence. Ça va durer jusqu'à quand ? Nous avons dit ça suffit : il faut qu'il revoie ses copies. Il fut un temps où il s'amusait à définir le monde comme bon lui semblait. Il appelait un autochtone indigène, et un homme libre sauvage, et il faisait et défaisait les mythologies selon son bon plaisir, ramenant nos chantres à ras le folklore forain et élevant ses charlatans au rang des divinités. Aujourd'hui, les peuples offensés ont recouvré l'usage de la parole. Ils ont leur mot à dire. Et c'est exactement ce que disent nos canons.

L'écrivain se frappe dans les mains :

— Tu délires, Jalal. Reviens un peu sur terre, bon sang ! Ta place n'est pas parmi ceux qui tuent, massacrent et terrifient. Et tu le sais ! Je sais que tu le sais. Je t'ai écouté, avant-hier. Ta conférence était lamentable, et à aucun moment je n'ai décelé ne serait-ce qu'une zébrure de la sincérité qui te distinguait du temps où tu te battais pour que la sobriété triomphe de la colère, pour que la violence, le terrorisme, le malheur soient bannis des mentalités...

— Assez ! explose le docteur en se décomprimant tel un ressort. Si ça t'amuse de te laisser torcher par des moins que rien, ça te regarde. Mais ne viens pas me dire que la merde dans laquelle tu végètes est un festin. Je sais reconnaître l'odeur des chiottes, putain ! Et ta mignardise schlingue. Et tu me fais chier, bordel !... Pourtant, tout est clair. L'Occident ne nous aime pas. Il ne t'aimera pas, toi non plus. Il ne te portera pas en son cœur puisqu'il n'en a pas, et ne te portera jamais aux nues puisqu'il te prend de haut. Tu veux rester un minable lèche-bottes, un Arabe servile, un raton privilégié ; tu veux continuer d'espérer d'eux ce qu'ils sont incapables de te donner ? OK. Tu prends ton mal en patience et tu attends. Qui sait ? Un nonos pourrait tomber de leur sac-poubelle. Mais ne viens pas me soûler avec tes théories de cireur de savates, *ya ouled*. Je sais parfaitement où je vais et ce que je veux.

Mohammed Seen lève les bras en signe d'abdication, ramasse son manteau et se met debout.

Je me dépêche de me retirer.

J'entends Jalal engueuler l'écrivain dans les escaliers :

— *Je leur offre la lune sur un plateau d'argent. Ils ne voient que la chiure de mouche sur le plateau. Comment voulez-vous qu'ils croquent la lune ?* C'est toi qui as écrit ça.

— N'essaie pas de m'entraîner sur ce terrain, Jalal.

— Pourquoi tant d'amertume dans ce constat d'échec, monsieur Mohammed Seen ? Pourquoi te faut-il souffrir à cause de ta générosité ? C'est parce qu'ils refusent de te reconnaître à ta juste valeur. Ils qualifient ta rhétorique de « grandiloquence », et ramènent tes superbes fulgurances à d'imprudentes « hardiesses de style ». C'est contre cette injustice que je me bats, contre ce regard réducteur qu'ils daignent poser sur notre magnificence que je m'insurge. Il faut que ces gens se rendent compte du tort qu'ils nous font, qu'ils comprennent que s'ils persistent à cracher sur ce que nous avons de meilleur, ils seront obligés de composer avec ce que nous avons de pire. C'est aussi simple que ça.

— Le monde des intellectuels est partout le même, aussi interlope et fourbe que n'importe quel coupe-gorge. C'est une pègre à part entière, sans scrupules et sans code de l'honneur. Elle n'épargne ni les siens ni les autres... Si ça peut te consoler, je suis plus contesté et haï par les miens que nulle part ailleurs. Il est dit que nul n'est prophète en son pays. Moi, je remplace le point par une virgule et j'ajoute : et personne n'est maître chez les autres. *Nul n'est prophète en son pays, et personne n'est maître chez les autres*. Mon salut vient de cette révélation : je ne veux être ni maître ni prophète. Je ne suis qu'un romancier qui tente d'apporter un peu de sa générosité à ceux qui veulent bien la recevoir.

— Si ça t'amuse de te contenter de miettes.

— Tout à fait, Jalal. Je préfère m'amuser à partir de rien plutôt que me planter sur tout. Ma peine m'enrichit dès lors qu'elle n'appauvrit personne. Et il n'est de misère que celui qui a choisi de semer le malheur là où il est question de semer la vie. Entre la nuit de mon infortune et le deuil de mes amis, je choisis le noir qui me fait rêver.

Ils me rattrapent dans le couloir, au bas de l'immeuble. Je fais semblant de sortir des toilettes. Ils sont tellement dans leur querelle d'intellectuels qu'ils passent devant moi, bourdonnants, vibrants, inextinguibles, sans me remarquer.

— Tu as le cul entre deux chaises, Mohammed. C'est une situation très inconfortable. Nous sommes en plein choc des civilisations. Il va te falloir choisir ton camp.

— Je suis mon propre camp.

— Prétentieux ! On ne peut pas être son propre camp, on ne fait que s'isoler.

— N'est jamais seul celui qui marche vers la lumière.

— Laquelle ? Celle d'Icare ou celle des papillons de nuit ?

— Celle de ma conscience. Aucune ombre ne la voile.

Jalal s'arrête net, et regarde s'éloigner le romancier. Lorsque ce dernier pousse les battants qui donnent sur la réception, le docteur s'apprête à s'élancer pour le rattraper, se ravise et laisse ses mains s'abattre sur ses cuisses :

— Tu n'es qu'au stade anal de la prise de conscience, Mohammed. Un monde est en marche, et toi tu te tires les vers du nez... Ils ne te donneront rien, rien de rien, lui crie-t-il. Même les miettes qu'ils te laissent aujourd'hui, ils te les réclameront un jour... Rien, je te dis, rien, et puis rien, et jamais rien...

Les battants se referment dans un gémissement. On entend le pas traînant de l'écrivain décroître, puis s'estomper, résorbé par la moquette dans le hall.

Le Dr Jalal se prend la tête à deux mains et grommelle un juron inintelligible.

— Tu veux que je lui explose la cervelle ? lui dis-je.

Il me foudroie d'un œil vorace :

— Bas les pattes ! me fait-il. Il n'y a pas que ça dans la vie.

21.

Le Dr Jalal n'est pas sorti indemne de son entretien avec l'écrivain. Il se lève rarement avant midi, la nuit je l'entends arpenter sa chambre. D'après Chaker, il a annulé la conférence qu'il devait donner à l'université de Beyrouth, décommandé les interviews avec la presse et n'a plus approché le livre qu'il était en train de finir.

Je n'arrive pas à admettre qu'un érudit de sa trempe puisse perdre pied devant un scribouillard servile. Le Dr Jalal était capable d'élever un torchon au rang des oriflammes. Le savoir pris de court par un vulgaire écrivaillon me révulse.

Ce matin, il est entassé tel un fagot dans un fauteuil. Dos à la réception. Sa cigarette se meurt à petit feu sous un bâtonnet de cendre. Il fixe la télé éteinte, les jambes écartées, les bras ballants de part et d'autre des accoudoirs, rappelant un boxeur sonné sur son tabouret.

Il ne lève pas les yeux sur moi.

Sur la table, des bouteilles de bière vides tiennent compagnie à un verre de whisky. Le cendrier déborde de mégots.

Je quitte le salon d'accueil pour le restaurant au fond du hall, commande un steak grillé, des frites et de la salade verte. Le docteur ne se montre pas. Je l'ai attendu, les yeux rivés aux battants. Mon café s'est refroidi. Le serveur vient débarrasser et prendre mon numéro de chambre. Les battants de la porte d'entrée au restaurant demeurent clos.

Je retourne dans le salon. Le docteur est au même endroit, cette fois la nuque contre le dossier et les yeux au plafond. Je n'ose pas l'approcher. N'ose pas remonter dans ma chambre. Je sors dans la rue et me perds dans la cohue.

— Où étais-tu passé ? m'apostrophe Chaker, en frappant fortement dans ses mains lorsqu'il me voit rentrer.

Il est cloué sur le canapé, dans ma suite, blanc comme un cierge.

— Je t'ai cherché partout.

— Je me suis oublié sur l'esplanade.

— Bon sang ! tu aurais pu appeler. Encore une petite heure, et j'allais donner l'alerte. Il était convenu de nous retrouver à dix-sept heures ici.

— Je te dis que j'ai oublié.

Chaker se retient de me sauter dessus. Mon flegme l'horripile, et mon insouciance l'enrage. Il lève les mains et essaie de se calmer. Ensuite, il ramasse une petite chemise cartonnée qui traînait à ses pieds et me la tend.

— Tes billets d'avion, ton passeport et les documents universitaires. Tu t'envoles après-demain pour Londres, à 18 h 10.

Je pose la chemise sur la table de chevet, sans l'ouvrir.

— Qu'est-ce qui ne va pas ? me demande-t-il.

— Pourquoi me poses-tu toujours la même question ?

— Je suis là pour ça.

— Est-ce que je me suis plaint de quelque chose ?

Chaker appuie de ses mains sur ses cuisses et se met debout. Il a l'air mal en point ; ses yeux sont teintés de rouge comme s'il n'avait pas dormi depuis la veille.

— Nous sommes fatigués tous les deux, me dit-il, excédé. Tâche de te reposer. Je passerai te prendre demain, à huit heures du matin. Pour la clinique. Il faut que tu sois à jeun.

Il veut ajouter quelque chose, n'en voit pas la nécessité.

— Je peux disposer ?

— Bien sûr, lui dis-je.

Il secoue le menton, jette un dernier regard sur la chemise cartonnée et s'en va. Je ne l'entends pas s'éloigner dans le couloir. Il doit être en faction derrière la porte, à se frotter le menton et à se demander je ne sais quoi.

Je m'allonge sur le lit, passe les mains derrière ma nuque et contemple le lustre au-dessus de moi. J'attends que Chaker s'en aille. J'ai appris à le connaître ; lorsque quelque chose lui échappe, il ne peut rien décider avant d'en avoir le cœur net. Je l'entends enfin s'éloigner. Je me remets sur mon séant et m'empare de la chemise cartonnée. Elle contient un passeport, des billets d'avion de British Airways, une carte d'étudiant, une carte bancaire, deux cents livres, et des documents universitaires.

Le comprimé qui, d'habitude, m'aidait à m'endormir ne me fait aucun effet. Je reste éveillé comme si j'avais bu un thermos de café. Couché tout habillé, les souliers lacés, je considère le plafond qu'une enseigne au néon extérieure éclabousse de reflets sanguinolents. Dehors, la circulation s'est tempérée. De rares voitures passent dans un souffle feutré, histoire de taquiner le silence qui vient de s'emparer de la ville.

Dans la chambre d'à côté, le Dr Jalal veille, lui aussi. Je l'entends tourner en rond. Son état a empiré.

Je me demande pourquoi je n'ai pas signalé, à Chaker, le passage de l'écrivain.

Chaker arrive à l'heure. Il patiente dans ma suite, le temps pour moi de sortir de sous la douche. Je me rhabille et le suis jusqu'à sa voiture garée devant un bazar. Malgré une brise glaciale, le ciel est limpide. Le soleil ricoche sur les fenêtres, aussi tranchant qu'une lame de rasoir.

Chaker ne s'introduit pas dans la cour intérieure de la clinique. Il contourne le bâtiment et passe par une voie de garage donnant sur un sous-sol. Après avoir laissé la voiture sur un petit parking souterrain, nous empruntons un escalier dérobé. Le professeur Ghany et Sayed nous accueillent à l'entrée d'une grande salle qui a l'air d'un laboratoire. Les portes donnant sur la partie supérieure de la clinique sont blindées et cadenassées. Au bout d'un corridor jalonné de plafonniers, une pièce entièrement revêtue de faïences scintille de mille feux. Une baie vitrée la scinde en deux. De l'autre côté de la vitre, je vois une sorte de cabinet dentaire, avec son fauteuil étendu sous un projecteur sophistiqué. Tout autour, des étagères métalliques surchargées de boîtiers chromés.

Le professeur renvoie Chaker.

Sayed évite de me regarder. Il feint de s'intéresser au professeur. Ils sont tendus tous les deux. Je suis nerveux, moi aussi. Des fourmis grouillent dans mes mollets. Les battements de mon cœur résonnent en coups de massue contre mes tempes. J'ai envie de vomir.

— Tout va bien, me rassure le professeur en me montrant un siège.

Sayed s'assoit à côté de moi ; de cette façon, il n'est pas obligé de se détourner. Ses mains sont rouges à force d'être triturées.

Le professeur reste debout. Les mains dans les poches de son tablier, il m'annonce que le moment de vérité est arrivé.

— Nous allons bientôt procéder à l'injection, dit-il la gorge nouée par l'émotion. Je tiens à t'expliquer comment ça va se passer. Cliniquement, ton corps est apte à recevoir le... *corps étranger*. Il y aura des effets secondaires au début, sans grande importance. Probablement des vertiges les premières heures, peut-être un peu de nausées, puis tout rentrera dans l'ordre. Je tiens à te rassurer tout de suite. Des tests ont été réalisés sur des volontaires avant ce jour. Des réajustements ont été apportés au fur et à mesure, en fonction des complications relevées. Le... *vaccin* que tu vas recevoir est une réussite totale. De ce côté, tu peux être tranquille... Après l'injection, nous allons te garder en observation toute la journée. Simple mesure de sécurité. Quand tu quitteras le centre, tu seras en parfaite condition physique. Les médicaments que je t'avais prescrits, c'est fini. Ils ne sont plus nécessaires. Je les ai remplacés par deux différents comprimés à prendre trois fois par jour pendant une semaine... Tu pars demain à Londres.

Là-bas, un médecin t'assistera. Au cours de la première semaine, les choses vont s'opérer normalement. La période de gestation ne te causera pas d'effets indésirables majeurs. Elle varie de dix à quinze jours. Les premiers symptômes se déclareront par une forte fièvre et des convulsions. Le médecin sera à tes côtés. Puis, ton urine sera progressivement teintée de rouge. À partir de cet instant, la contagion est opérationnelle. Il ne te restera plus qu'à aller dans les métros, les gares, les stades et les grandes surfaces pour contaminer un maximum de gens. Surtout les gares, pour étendre le fléau aux autres régions du royaume... Le phénomène est d'une propagation foudroyante. Les gens que tu contamineras transmettront le germe aux autres en moins de six heures avant d'être terrassés. On croira à une grippe espagnole, mais la catastrophe aura décimé une bonne partie de la population avant qu'on comprenne que ça n'a rien à voir. Nous sommes les seuls à savoir comment sauver le reste. Et nous avons nos conditions pour intervenir... Il s'agit d'un virus imparable. Mutant. Une grande révolution. Il est *notre* arme absolue... Le médecin, à Londres, t'expliquera ce que tu voudras savoir. Tu peux te confier à lui. Il est mon plus proche collaborateur... Tu auras trois à cinq jours devant toi pour te rendre sur les lieux publics les plus fréquentés.

Sayed extirpe un mouchoir et s'en tamponne le front et les tempes. Il est sur le point de tomber dans les pommes.

— Je suis prêt, professeur.

Je n'ai pas reconnu ma voix.

J'ai le sentiment de glisser dans un état second.

Je prie le ciel d'avoir la force de me lever, de pouvoir marcher jusqu'au sas donnant sur le cabinet derrière la baie vitrée sans m'effondrer. Pendant quelques secondes, mon regard s'embrouille. Je dois puiser au plus profond de mes entrailles pour y trouver un peu d'air. Puis je me ressaisis et, d'un coup de reins, je me mets debout. Mes mollets continuent de fourmiller, mes jambes de flageoler, mais le sol ne se dérobe pas sous mes pas. Le professeur enfile une combinaison argentée, qui le couvre de la tête aux pieds, avec un masque et des gants ; Sayed m'aide à porter la mienne et nous regarde franchir le sas et passer de l'autre côté de la baie vitrée.

Je m'étale sur le fauteuil qui se met immédiatement à s'étirer et s'élever dans un sifflement mécanique. Le professeur ouvre une caissette en aluminium, en retire une seringue futuriste. Je ferme les yeux. Retiens mon souffle. Lorsque la piqûre s'enfonce dans ma chair, toutes les cellules de mon corps se ruent à l'endroit de la morsure, d'un seul mouvement d'ensemble ; j'ai l'impression qu'une fêlure sur un lac gelé m'aspire vers des profondeurs abyssales.

Sayed m'invite à dîner dans un restaurant non loin de mon hôtel. Un repas d'adieu, avec ce que ça implique, pour lui, comme gêne et gaucheries. On dirait qu'il a perdu l'usage de la parole. Il n'arrive pas à placer un mot, ni à me regarder dans les yeux.

Il ne m'accompagnera pas à l'aéroport, demain. Chaker non plus. C'est un taxi qui viendra me prendre à seize heures précises.

Je suis resté toute la journée au sous-sol de la clinique. Le professeur Ghany venait de temps à autre m'ausculter. Sa satisfaction grandissait au fil des visites. Je n'ai eu que deux vertiges après un sommeil sans fond et sans écho de quatre heures d'affilée. À mon réveil, j'avais une soif de naufragé. On m'a servi un potage et des crudités que je n'ai pas finis. Je n'avais pas mal ; j'étais groggy, avec une bouche pâteuse et un incessant bourdonnement dans les oreilles. En sortant du lit, j'avais chaviré à maintes reprises ; ensuite, petit à petit, j'ai réussi à coordonner mes gestes et à marcher convenablement.

Le professeur n'est pas revenu me faire ses adieux.

Chaker congédié, c'est Sayed qui est resté auprès de moi l'après-midi. Nous avons pris la voie de garage pour quitter la clinique à bord d'une petite voiture de location. Le soir était tombé, et la ville répandait ses lumières jusque sur les collines ; ses artères se voulaient aussi bouillonnantes que mes veines.

Nous avons choisi de nous attabler au fond de la salle, pour ne pas être dérangés. Le restaurant est plein à craquer. Il y a des familles entourées de gamins, des couples aux doigts inextricables, des bandes de copains hilares, et des hommes d'affaires aux prunelles insaisissables. Les serveurs se dépensent sur tous les fronts, les uns avec des plateaux garnis en équilibre sur le plat de la main, les autres notant obséquieusement les commandes dans de minuscules calepins. Près de la porte d'entrée, un énorme hurluberlu rigole à s'esquinter la carotide, la gueule fendue en deux. La femme qui partage son dîner ne paraît pas à son aise ; elle se retourne vers les voisins et leur sourit du bout des lèvres, comme pour se faire pardonner la conduite inconvenante de son compagnon.

Sayed lit et relit la carte, indécis. Je le soupçonne de regretter de m'avoir invité.

— Tu es retourné à Kafr Karam ? lui demandé-je.

Il tressaute, paraît ne pas avoir entendu.

Je réitère ma question. Ça le détend un bout, car il repose enfin la carte qui lui servait de moucharabieh et lève les yeux sur moi.

— Non, je ne suis pas retourné à Kafr Karam. Bagdad ne m'accorde pas de répit. Mais je suis resté en contact avec nos gens. Ils me téléphonent souvent, me tiennent au courant de ce qui se passe là-bas. Aux dernières nouvelles, un camp militaire a été déployé dans les vergers des Haïtem.

— J'ai envoyé un peu d'argent à ma sœur jumelle. J'ignore si elle l'a reçu.

— Le mandat est bien arrivé... J'ai eu Kadem au téléphone, il y a deux semaines. Il voulait te joindre. Je lui ai dit que je ne savais pas où tu étais. Il m'a alors passé Bahia. Elle voulait te remercier et avoir de tes nouvelles. Je lui ai promis de faire le nécessaire pour te retrouver.

— Elle ne sait pas où je suis ?

— Personne, en Irak, ne le sait. Je compte rentrer après-demain, à Bagdad. J'irai voir ta famille. Je te promets qu'elle ne manquera de rien.

— Merci.

Nous ne trouvons plus rien à ajouter.

Nous dînons en silence, chacun perdu dans ses pensées.

Sayed me dépose devant mon hôtel. Avant de descendre de la voiture, je me suis retourné vers lui. Il a eu, pour moi, un sourire si triste que je n'ai pas osé lui serrer la main. Nous nous sommes quittés sans embrassades ni accolades, comme se séparent deux ruisseaux à hauteur d'un rocher.

22.

Il y a un mot pour moi, à la réception. Une lettre scotchée. Sans rien sur l'enveloppe. Dedans, une carte ornée d'un dessin abstrait. Derrière, une ligne tracée au feutre gras : *Je suis fier de t'avoir connu. Signé : Chaker.*

Je glisse la lettre dans la poche intérieure de mon blouson.

Au salon, une famille nombreuse essaime autour d'un guéridon. Les enfants se chamaillent en voltigeant par-dessus les sièges. Leur mère tente en vain de les rappeler à l'ordre tandis que le père se marre, son portable ostensiblement contre l'oreille. Plus loin, horripilé par le chahut des mioches, le Dr Jalal se noie dans son verre.

Je monte dans ma chambre. Un sac en cuir noir, flambant neuf, repose sur mon lit. À l'intérieur, deux pantalons étiquetés, des tricots de peau, des slips, des chaussettes, deux chemises, un gros chandail, un blouson, une paire de souliers dans un sachet, une trousse de toilette, quatre gros livres de littérature anglo-saxonne. Un bout de papier est épinglé sur une sangle. *C'est ton bagage. Tu achèteras le reste une fois sur place.* Pas de signature.

Le Dr Jalal entre sans frapper. Il est soûl et doit se cramponner à la poignée pour ne pas tomber.

— Tu pars en voyage ?

— Je comptais te faire mes adieux, demain.

— Je ne te crois pas.

Il titube, s'y prend à deux fois pour refermer la porte et s'adosse dessus. Débraillé, la chemise à moitié dehors et la braguette béante, il ressemble à un clodo. Une tache terreuse macule le flanc gauche de son pantalon ; probablement suite à une chute dans la rue. Son visage est retourné, avec des paupières tuméfiées par-dessus un regard hagard et des narines fuyantes.

Il s'essuie la bouche sur son poignet ; une bouche molle, incapable d'articuler deux mots de suite sans saliver.

— Alors, comme ça, tu t'en vas sur la pointe des pieds comme un maraudeur ? Ça fait des heures que je poireaute au salon pour ne pas te louper. Et toi, tu passes ton chemin sans me saluer.

— Je dois ranger mes affaires...

— Tu me chasses ?

— C'est pas ça. J'ai besoin d'être seul. J'ai mes valises à préparer et des trucs à ranger.

Il plisse les yeux, les lippes en avant, vacille puis, en respirant un grand coup, il se redresse de toutes les forces qui lui restent et me fait :

— *Tozz !*

Bien que flapi, son cri le fait chavirer. Sa main court rattraper la poignée de la porte.

— Tu peux me dire où tu as traîné ta carcasse du matin au soir ?

— Je suis allé voir des parents.

— Mon cul !... Je sais où tu t'es terré, bonhomme. Tu veux que je te dise où tu t'es terré toute la journée ?... Tu as été dans une clinique... On devrait dire asile de dingues. Bordel de merde ! C'est quoi, ce monde de tarés ?

Je suis médusé. Tétanisé.

— Tu crois que j'avais pas compris ?... Une greffe ? Mon œil ! Tu n'as pas plus de cicatrices sur le corps que de cervelle dans ta caboche... Mais, putain ! Est-ce que tu te rends compte de ce qu'on a fait de toi, dans cette saloperie de clinique ? Faut être con à lier pour se fier au professeur Ghany. Il est complètement niqué de la tête. Je le connais. Il n'a jamais été foutu de disséquer une souris blanche sans se couper le doigt.

Il ne peut pas savoir, me répété-je. *Personne ne sait. Il bluffe. Il cherche à me piéger.*

— De quoi tu parles ? lui fais-je. Quelle clinique ? Qui c'est, ton professeur ?... J'étais chez des parents.

— Pauvre andouille ! Tu penses que je te fais marcher ? C'est ce demeuré de Ghany qui pète les plombs. J'ignore ce qu'il t'a injecté, mais c'est sûrement de la foutaise. (Il se prend la tête à deux mains.) Nom de Dieu ! On est où, là ? Dans un film de Spielberg ? J'avais entendu parler de ce que ce dingue traficotait sur des prisonniers de guerre, chez les taliban. Mais là, ça dépasse les bornes.

— Sors de chez moi...

— Pas question ! C'est très grave, ce que tu vas faire. Très très très grave. C'est impensable. Inimaginable. Je sais que ça ne marchera pas. Ton virus de merde te bouffera, toi, et c'est tout. Mais, même avec ça, je ne suis pas tranquille. Et si ce raté de Ghany avait réussi ? Tu te rends compte de l'étendue du désastre ? S'agit pas d'attentats, de petites bombes par-ci, de petits crashes par-là ; il s'agit de fléau, d'apocalypse. Les morts vont se compter par centaines de milliers, par millions. S'il est question effectivement d'un virus révolutionnaire, mutant, qui va le stopper ? Avec quoi, et comment ? C'est totalement irrecevable.

— Tu disais que l'Occident...

— On n'en est plus là, crétin. J'ai dit un tas de conneries dans ma vie, mais je ne laisserai pas passer ça. Toute guerre a ses limites. Sauf que là, on n'est plus dans les normes. Qu'espère-t-on après l'apocalypse ? Qu'est-ce qu'il va rester du monde, hormis la pestilence des cadavres et le chaos ? Le bon Dieu, Lui-même, S'en arracherait les cheveux jusqu'à ce que Sa cervelle lui dégouline sur la figure...

Il me fusille du doigt :

— Trêve de conneries ! On arrête tout, on dit stop ! Tu n'iras nulle part. Et la saloperie que tu portes en toi, non plus. Donner une leçon à l'Occident est une chose, foutre en l'air la planète en est une autre. Je ne joue pas. On ne joue plus. Tu vas te livrer à la police. Et tout de suite. Avec un peu de chance, on pourra te soigner. Sinon, tu n'auras qu'à crever seul, et bon débarras. Espèce d'imbécile !...

Chaker rapplique aussitôt. Essoufflé. Comme s'il avait une meute de démons aux trousses. Quand il débarque dans ma suite et découvre le Dr Jalal désarticulé sur la moquette, une flaque de sang en guise d'auréole, il porte la main à sa bouche et profère un juron. Puis, me voyant affalé sur le fauteuil, il s'accroupit devant le corps étendu par terre et vérifie s'il respire encore. Sa main s'attarde sur le cou du docteur. Son front se retrousse. Lentement, il retire son bras et se relève. Sa voix se lézarde quand il me dit :

— Va dans la pièce d'à côté. Ce n'est plus ton problème.

Je n'arrive pas à me soustraire à mon fauteuil. Chaker me saisit par les épaules et me traîne dans le salon. Il m'aide à m'asseoir sur le canapé, tente de m'arracher le cendrier moucheté de grumeaux de sang que j'étreins d'une main ankylosée.

— Donne-moi ça. C'est fini, maintenant.

Je ne comprends pas ce que fait le cendrier dans ma main, ni pourquoi les jointures de mes doigts sont écorchées. Puis, ça me revient, et c'est comme si mon esprit avait réintégré mon corps ; un frisson me traverse d'un bout à l'autre, aussi foudroyant qu'un éclair.

Chaker réussit à desserrer mon poing et à me retirer le cendrier qu'il glisse dans la poche de son pardessus. Je l'entends, dans la chambre, appeler quelqu'un au téléphone.

Je me suis levé pour aller voir dans quel état j'avais mis le docteur. Chaker me barre le chemin et me reconduit, sans brutalité mais avec fermeté, au salon.

Une vingtaine de minutes plus tard, deux brancardiers s'introduisent chez moi, s'affairent autour du docteur, lui passent un masque à oxygène, le mettent sur une civière et l'emportent. De la fenêtre, je les vois pousser leur fardeau dans une ambulance, claquer les portières et démarrer dans le ululement des sirènes.

Chaker a nettoyé le sang sur la moquette.

Il est assis sur le bord de mon lit, le menton dans les paumes ; il fixe sans le voir l'endroit où était étendu le docteur.

— C’est grave ?

— Il s’en remettra, dit-il sans conviction.

— Tu crois que j’aurai des ennuis avec l’hôpital ?

— Ce sont nos brancardiers. Ils l’emmènent dans notre clinique. Ne t’occupe pas de ça.

— Il était au courant de tout, Chaker. Du virus, de la clinique, du professeur Ghany. Comment est-ce possible ?

— Tout est possible, dans la vie.

— Personne n’était censé savoir.

Chaker relève la tête. Ses yeux n’ont presque plus de bleu.

— Ce n’est plus ton problème. Le docteur est entre nos mains. Nous saurons tirer cette histoire au clair. Songe seulement à ton voyage. Tu as tous tes documents ?

— Oui.

— Tu as besoin de moi ?

— Non.

— Tu veux que je reste un peu avec toi ?

— Non.

— Tu es sûr ?

— J’en suis sûr.

Il se met debout et sort dans le couloir.

Il dit : *Je suis au bar, au cas où...* Referme la porte. Sans un mot d’adieu, sans un signe à mon intention.

La réception m’informe que mon taxi est arrivé. Je ramasse mon sac, balaie du regard la chambre, le salon, la fenêtre éclaboussée de soleil. Qu’est-ce que j’y laisse ? Qu’est-ce que j’emporte ? Mes fantômes vont-ils me suivre, mes souvenirs sauront-ils se débrouiller sans moi ? Je baisse la tête et file par le couloir. Un couple et ses deux fillettes chargent leurs bagages dans l'ascenseur. La femme ne parvient pas à déplacer une énorme valise ; son mari l'observe avec dédain sans songer à lui donner un coup de main. Je prends par la cage d'escalier.

Le réceptionniste est occupé à enregistrer deux jeunes gens. Je suis soulagé de ne pas devoir lui faire mes adieux. Je traverse le hall d'une enjambée. Le taxi est rangé devant l'entrée de l'hôtel. Je saute sur la banquette arrière, mon sac à côté de moi. Le chauffeur me dévisage dans le rétroviseur. C'est un garçon obèse, emmailloté dans un vaste T-shirt blanc. Ses longs cheveux cascadent dans son dos, noirs et bouclés. Je ne sais pas pourquoi, je le trouve ridicule avec ses lunettes de soleil.

— Aéroport.

Il opine du chef et enclenche la première. Son geste se veut désinvolte, il démarre en douceur. Il se faufile entre un microbus et un camion de livraison et se mêle à la circulation. Il fait chaud pour un mois d'avril. Les averses passées ont lavé à grande eau les chaussées fumantes. Les rayons du soleil ricochent sur la carrosserie des voitures comme des balles.

À un feu rouge, le chauffeur allume une cigarette et monte le son de sa radio. Faïrouz chante *Habbeytek.* Sa voix me catapulte à travers les âges et les frontières. Telle une météorite, j'atterris dans le cratère, près de mon village, où Kadem me faisait écouter les chansons qu'il aimait. Kadem ! Je me revois dans sa maison, contemplant le portrait de sa première femme. *Les Sirènes de Bagdad...* Finalement, je ne saurai pas lesquelles. J'aurais dû insister. Il aurait fini par me faire écouter sa musique, et j'aurais peut-être perçu le pouls de son génie.

— Pouvez-vous baisser le son ?

Le chauffeur fronce les sourcils.

— C'est Faïrouz.

— S'il vous plaît...

Il est contrarié, sans doute horrifié. Son cou adipeux tremble comme un bloc de gélatine.

— Si vous voulez, je peux éteindre la radio.

— Ça m'arrangerait.

Il éteint. Il est outré, mais il fait avec.

J'essaie de ne pas penser à ce qui s'est passé, la veille, et m'aperçois que je n'arrive pas à m'en débarrasser. Les cris du Dr Jalal résonnent à travers les douves de mon crâne, aussi tonitruants que ceux d'une hydre blessée. Je déporte mon regard sur la foule déambulant sur les trottoirs, les devantures des boutiques, les voitures qui se relaient de part et d'autre, et partout je ne vois que lui, le geste incohérent, la langue épaisse, mais les propos imparables. La circulation se dégorge sur la route de l'aéroport. Je baisse la vitre pour évacuer la fumée que le chauffeur rejette. Le vent de la course me cingle le visage, sans me rafraîchir. J'ai les tempes en ébullition, le ventre houleux. Je n'ai pas fermé l'œil de la nuit. Je n'ai rien mangé, non plus. Je suis resté cloîtré dans ma chambre, à égrener les heures et à lutter contre l'envie de plonger ma tête dans le bidet pour vomir jusqu'à mes tripes.

Les guichets d'enregistrement sont pris d'assaut. Une voix féminine nasille dans les haut-parleurs. Les gens s'embrassent, se séparent, se rencontrent, se cherchent dans la cohue. On dirait que tout le monde se prépare à évacuer le Liban. Je fais la chaîne, attends mon tour. J'ai soif, mes mollets me font un mal de chien. Une jeune fille me prie de lui remettre mon passeport et mes billets d'avion. Elle me dit quelque chose que je ne saisis pas. *Vous n'avez pas de bagages ?* Pourquoi me demande-t-elle si j'ai des bagages ? Elle se penche sur mon sac. *Vous le gardez avec vous ?* Mais enfin, qu'est-ce que ça signifie ? Elle enroule une étiquette autour d'une sangle de mon sac. M'indique un numéro sur ma carte d'embarquement, et un horaire, puis elle tend le bras vers l'endroit où les gens s'embrassent avant de se quitter. Je ramasse mon sac et me dirige vers d'autres guichets. Un agent en uniforme m'invite à poser mon sac sur un tapis roulant. De l'autre côté de la vitre, une dame surveille un écran. Mon sac disparaît dans un grand coffre noir. L'agent me tend un petit plateau et me somme d'y déposer tout objet métallique que je porterais sur moi. Je m'exécute. *Les pièces de monnaie, aussi.* Je traverse un sas. Un homme m'intercepte, me passe au crible et me libère. Je récupère mon sac, ma montre, ma ceinture et mes pièces de monnaie et rejoins la porte indiquée sur ma carte d'embarquement. Il n'y a personne au comptoir. J'occupe un siège, près de la baie vitrée, et contemple le ballet des avions sur le tarmac. Sur la piste, des appareils atterrissent et décollent à tour de rôle. Je suis nerveux. C'est la première fois de ma vie que je mets les pieds dans un aéroport.

Je crois que je me suis assoupi.

Ma montre affiche 17 h 40. Il n'y a plus de siège libre autour de moi. Deux demoiselles s'affairent derrière le comptoir, sous un écran qui s'est allumé. Je lis le numéro de mon vol, le mot Londres, frappé du logo de British Airways. Sur le banc, à ma droite, une vieille dame extirpe son portable de son sac, vérifie s'il n'y a pas de message sur son cadran, le replonge dans le sac. Au bout de deux minutes, elle le ressort pour le consulter. Elle est inquiète, espère un appel qui ne vient pas. En face, un futur papa couve du regard son épouse dont le ventre tire sur sa robe de grossesse. Il est aux petits soins avec elle, à l'affût de ses moindres gestes pour lui montrer combien il est ravi. Ses yeux sont en liesse. Il vit sur un nuage. Debout contre un distributeur, un jeune couple de type européen s'enlace, l'or de leurs cheveux sur la figure. Le garçon est grand, il porte un T-shirt d'un orange fluorescent et un jean étriqué. La fille, blonde comme une botte de foin, doit se dresser sur la pointe de ses souliers pour atteindre les lèvres de son petit ami. Leur étreinte est passionnée, belle, généreuse. Qu'est-ce que ça fait, lorsqu'on s'embrasse sur la bouche ? Je n'ai jamais embrassé une fille sur la bouche. Je ne me souviens pas d'avoir pris la main à une cousine, de m'être approché de très près d'une idylle. À Kafr Karam, je rêvais des filles de loin, caché, presque honteux de ma faiblesse. À l'université, j'ai connu Nawal, une brune aux yeux mielleux. Nous nous disions bonjour du bout des cils, nous nous disions au revoir du coin de l'œil. Je crois que nous éprouvions quelque chose, l'un pour l'autre. Mais à aucun moment nous n'avons eu le courage de savoir quoi au juste. Elle était dans une autre classe. Nous nous arrangions pour nous croiser dans les couloirs. Notre éclipse durait le temps d'une foulée. Un sourire suffisait à notre bonheur. Nous nous en imprégnions tout au long des cours. Puis, le soir, un père ou un grand frère venait attendre mon fantasme devant les portes de l'université et me le confisquait jusqu'au lendemain. La guerre qui a suivi lui a porté le coup de grâce.

On annonce l'embarquement des passagers pour Londres. Une nervosité se déclenche autour de moi. Déjà deux files cernent le comptoir. La dame, à ma droite, ne se lève pas. Pour la énième fois, elle sort son portable et le fixe d'un œil chagrin.

La mort dans l'âme, elle passe en dernier. Une demoiselle vérifie son passeport, lui tend un bout de ticket. Elle se retourne une dernière fois, puis elle disparaît par un corridor.

Il ne reste plus que moi.

Les demoiselles et un monsieur échangent quelques mots plaisants, car les filles rient. L'homme s'éclipse par une porte vitrée, revient quelques minutes plus tard. Un retardataire arrive en courant, dans le grincement mélancolique de sa valise à roulettes. Il se confond en excuses. Les demoiselles lui sourient et lui montrent le corridor qu'il regagne en se dépêchant.

L'homme consulte sa montre, l'air embêté. Sa collègue se penche sur un micro et annonce le dernier appel pour un passager qui s'oublie quelque part. C'est moi qu'elle réclame. Elle m'appellera toutes les cinq minutes. Finalement, elle hausse les épaules, remet de l'ordre derrière le comptoir et court rattraper ses deux collègues qui l'ont devancée dans le corridor.

Mon avion est tracté jusqu'au milieu du tarmac. Je le vois bifurquer lentement et rejoindre la piste.

L'écran au-dessus du comptoir s'éteint.

La nuit est tombée depuis un bon bout de temps. D'autres passagers sont venus me tenir compagnie avant de s'engouffrer dans le corridor. Maintenant, c'est un autre vol qui est annoncé, et les sièges sont de nouveau occupés.

— Vous allez à Paris ? me demande un petit bonhomme surexcité qui vient de s'installer à côté de moi.

— Pardon ?

— C'est bien ici, le vol pour Paris ?

— Oui, le rassure un voisin.

L'Airbus pour Paris prend son envol, majestueux, imprenable. Les grandes salles s'ensommeillent. La plupart des compartiments sont vides. Une soixantaine de voyageurs patiente sur une aile, dans un recueillement religieux.

Un agent de sécurité s'approche, le talkie-walkie en évidence. Il était déjà passé deux ou trois fois dans les parages, intrigué par ma présence. Il se campe devant moi, me demande si je vais bien.

— J'ai raté mon avion.

— Je m'en doutais un peu. C'était pour quelle destination ?

— Londres.

— Il n'y a plus de vol pour Londres ce soir. Montrez-moi vos billets... British Airways... Tous les bureaux sont fermés, à l'heure qu'il est. Je ne peux rien faire pour vous. Il va falloir revenir demain et vous expliquer avec la compagnie concernée. Ils sont intraitables, je vous préviens. Je ne pense pas qu'ils vont accepter votre billet d'aujourd'hui... Vous avez où aller ? C'est interdit de passer la nuit ici. De toutes les façons, vous êtes obligé de voir avec la compagnie, et c'est de l'autre côté de la zone franche. Venez, suivez-moi.

Je me dirige vers la sortie, la tête sous vide. Je me fie à mes pas. Je n'ai pas le choix. Je n'ai rien à faire à l'aéroport. Les halls baignent dans le silence. Un agent pousse une chenille de chariots devant lui. Un autre promène ses chiffons sur le parterre. Quelques ombres hantent encore les recoins. Les bars et les boutiques sont fermés. Il faut que je m'en aille.

Une voiture s'arrête à ma hauteur tandis que j'erre dans mes soucis. Une portière s'ouvre. C'est Chaker... *Monte...* Je grimpe sur le siège du mort. Chaker contourne un parking, marque un stop avant de foncer sur la route tracée de réverbères. Nous roulons pendant une éternité sans nous parler ni nous regarder. Chaker ne se dirige pas vers Beyrouth. Il emprunte une rocade extérieure. Sa respiration oppressée cadence le roucoulement du moteur.

— J'étais certain que tu allais te dégonfler, dit-il sur un ton détimbré.

Il n'y a pas de reproche dans ses propos, juste une lointaine jubilation, comme lorsqu'on s'aperçoit qu'on ne s'est pas trompé.

— Quand j'ai entendu ton nom dans le haut-parleur, j'ai compris.

Il cogne soudain sur son volant :

— Pourquoi, bon sang ! tu nous as donné tout ce mal pour finalement te rétracter à la dernière minute ?

Il se calme, décrispe son poing ; se rend compte qu'il roule comme un dingue et lève le pied. En contrebas, la ville évoque un immense écrin ouvert sur ses joyaux.

— Que s'est-il passé ?

— Je n'en sais rien.

— Comment ça, tu n'en sais rien ?

— J'étais devant la porte d'embarquement, j'ai vu les passagers monter dans l'avion et je ne les ai pas suivis.

— Pourquoi ?

— Je te l'ai dit : je n'en sais rien.

Chaker médite un instant avant de s'énerver :

— C'est dingue !

Lorsque nous arrivons en haut d'une colline, je lui demande de s'arrêter. J'ai envie de contempler les lumières de la ville.

Chaker se range sur le côté. Il croit que je vais dégueuler, me prie de ne pas souiller son plancher. Je lui dis que je descends prendre l'air. Il porte machinalement sa main à son ceinturon, empoigne la crosse de son flingue :

— Ne fais pas le malin, me prévient-il. Je n'hésiterais pas à t'abattre comme un chien.

— Où veux-tu que j'aille, avec cette saloperie de virus en moi ?

Je cherche dans le noir un endroit où m'asseoir, trouve un rocher, l'occupe. La brise me fait grelotter. J'ai les dents qui s'entrechoquent, et la chair de poule sur les bras. Très loin, à l'horizon, des paquebots sillonnent les ténèbres, semblables à des lucioles emportées par la crue. La rumeur de la mer chevauche le souffle des vagues et remplit le silence d'une nuit mouvementée. Plus bas, en retrait pour échapper aux raids des flots, Beyrouth compte ses trésors sous une lune comblée.

Chaker s'accroupit près de moi, son arme entre les jambes.

— J'ai appelé les gars. Ils nous retrouveront à la ferme, un peu plus haut. Ils ne sont pas contents du tout, du tout.

Je me serre dans mon blouson pour me réchauffer.

— Je ne bougerai pas d'ici, lui dis-je.

— Ne m'oblige pas à te traîner par les pieds.

— Tu fais ce que tu veux, Chaker. Moi, je ne bougerai pas d'ici.

— Très bien. Je vais leur dire où nous sommes.

Il extirpe son portable et appelle *les gars*. Ces derniers sont en colère. Chaker reste serein ; il leur explique que je refuse catégoriquement de le suivre.

Il raccroche, m'annonce qu'*ils* arrivent, qu'*ils* seront là bientôt.

Je me ramasse autour de mes cuisses et, le menton coincé entre les genoux, je contemple la ville. Mon regard s'embrume ; mes larmes se mutinent. J'ai de la peine. Laquelle ? Je ne saurais le dire. Mes soucis se confondent avec mes souvenirs. Toute ma vie défile dans ma tête ; Kafr Karam, mes gens, mes morts et mes vivants, les êtres qui manquent, et ceux qui me hantent... Pourtant, de tous mes souvenirs, ce sont les plus récents qui sont les plus nets. Cette dame, à l'aéroport, qui interrogeait le cadran de son téléphone ; ce futur papa qui ne savait où donner de la tête tant il était heureux ; et ce couple de jeunes Européens en train de s'embrasser... Ils mériteraient de vivre mille ans. Je n'ai pas le droit de contester leurs baisers, de bousculer leurs rêves, de brusquer leurs attentes. Qu'ai-je fait de mon destin, moi ? Je n'ai que vingt et un ans, et la certitude d'avoir raté vingt et une fois ma vie.

— Personne ne t'a forcé la main, maugrée Chaker. Qu'est-ce qui t'a fait changer d'avis ?

Je ne lui réponds pas.

C'est inutile.

Les minutes passent. Je me sens geler. Chaker fait les cent pas dans mon dos ; les basques de son manteau claquent dans le vent. Il s'arrête brusquement et s'écrie :

— Les voilà.

Quatre phares de voitures viennent de sortir de la route pour emprunter la voie qui mène jusqu'à nous.

Contre toute attente, la main de Chaker se pose sur mon épaule, compatissante.

— Je regrette que l'on en soit arrivés là.

Au fur et à mesure que les voitures avancent, ses doigts s'enfoncent dans ma chair et me font mal.

— Je vais te dire un secret, mon brave. Garde-le pour toi. Je hais l'Occident comme c'est pas possible. Mais, à bien réfléchir, tu as bien fait de ne pas prendre cet avion. Ce n'était pas une bonne idée.

Le crissement des pneus sur la caillasse se répand autour du rocher. J'entends claquer des portières et des pas s'approcher.

Je dis à Chaker :

— Qu'ils fassent vitc. Je ne leur en voudrai pas. D'ailleurs, je n'en veux plus à personne.

Puis je me concentre sur les lumières de cette ville que je n'ai pas su déceler dans la colère des hommes.

Naissance d'un bourreau

À quoi rêvent les loups

Yasmina Khadra

Alger, fin des années 1980. Alfa Walid, jeune Algérois d'origine modeste, est employé comme chauffeur auprès de l'une des familles les plus riches et les plus influentes du pays. Une nuit, on le contraint sous la menace à faire disparaître le cadavre d'une adolescente... À force de persuasion et d'intimidation, les islamistes intégristes parviennent à brouiller les repères de ce jeune homme vulnérable pour en faire un barbare capable des crimes les plus cruels.

(Pocket n° 10979)

Achevé d'imprimer sur les presses de

à Saint-Amand-Montrond (Cher)
en août 2007

POCKET - 12, avenue d'Italie - 75627 Paris Cedex 13

— N° d'imp. : 71314. —
Dépôt légal : septembre 2007.

Imprimé en France